DU MÊME AUTEUR

Aux Éditions Gallimard

LES FUNAMBULES, 1996 («Folio» n° 4980).

ÉLOGE DE LA PIÈCE MANQUANTE, 1998 («Folio» n° 4769).

LES FALSIFICATEURS, 2007 («Folio» n° 4727).

LES ÉCLAIREURS, 2009 («Folio» n° 5106).

ENQUÊTE SUR LA DISPARITION D'ÉMILIE BRUNET, 2010 («Folio» n° 5402).

GO GANYMÈDE !, 2011 («Folio 2 €» n° 5165).

MATEO, Gallimard, 2013 («Folio» n° 5744).

ROMAN AMÉRICAIN, 2014 («Folio» n° 6026).

LES PRODUCTEURS, 2015.

ADA

ANTOINE BELLO

ADA

roman

nrf

GALLIMARD

Mercredi

1

— Elle a un nom de famille, cette Ada ? demanda Frank Logan en se frottant les yeux.

Il avait été tiré du lit à l'aube par un appel de sa patronne. Une collaboratrice d'une entreprise de Palo Alto située à deux pas de chez lui avait disparu ; pouvait-il s'arrêter sur le chemin du bureau et voir de quoi il retournait ? Frank avait raccroché en maugréant puis enfilé ses vêtements dans le noir afin de ne pas réveiller son épouse. Vingt minutes plus tard, il se garait devant un blockhaus de verre anonyme. Parker Dunn, le président de Turing Corp., l'attendait en faisant les cent pas sur le perron. Il avait escorté Frank jusqu'à son bureau, un doigt sur les lèvres pour lui imposer le silence dans les couloirs.

— Non, pas de nom de famille. Juste Ada.

Frank, qui était en train de mélanger son café, leva un sourcil interrogateur.

— Ada n'est pas une employée comme les autres, précisa Dunn. C'est une Intelligence artificielle.

— Vous voulez dire un androïde ?

Frank avait vu *Blade Runner* à sa sortie en 1982. Il en gardait deux souvenirs : 1) Harrison Ford pourchassait des robots d'apparence humaine ; 2) il n'avait rien compris au film.

— Non, répondit patiemment Dunn qui avait dû essuyer cette question cent fois. Ada n'a pas d'enveloppe physique, c'est un programme informatique.

— Un programme qui sert à quoi ?

— Je n'ai pas le droit de vous le dire.

— Je croyais que vous dirigiez la boutique !

— En effet, mais les statuts de l'entreprise m'interdisent de révéler son objet social sans l'accord des actionnaires.

— Même quand la personne qui pose les questions est inspecteur de police ?

— Même. Vous pensez bien que j'ai vérifié.

Frank but une rasade de son café, posa le gobelet en carton sur le bureau de Dunn et se leva.

— Dans ce cas, je ne vais pas vous retenir plus longtemps. Vous avez sûrement du travail.

— Attendez, s'écria Dunn en bondissant de son siège. Où allez-vous ?

— Enquêter sur la disparition d'une adolescente. Avec un peu de chance, les salopards qui l'ont kidnappée ne l'ont pas encore mise sur le trottoir.

— Enfin, je vous l'ai dit : les statuts de l'entreprise…

— Vous interdisent de révéler son objet social, j'ai compris.

— De toute façon, je ne vois pas pourquoi vous avez besoin de connaître la finalité d'Ada pour la retrouver.

— Vraiment ? Vous feriez un sacré détective.

Dunn avait mené assez de négociations dans sa carrière pour reconnaître un bluffeur ; ce flic ne plaisantait pas.

— Ada est un ordinateur conçu pour imiter le fonctionnement du cerveau humain, expliqua-t-il. Elle parle, elle détecte les émotions de ses interlocuteurs, il lui arrive même de blaguer.

Frank se rassit, impassible, et reprit son café. Il ne se

souvenait pas en avoir bu d'aussi bon depuis son séjour à Paris.

— Mais à quoi sert-elle ?

Dunn hésita une dernière fois pour la forme puis lâcha :

— Elle écrit des romans.

— Des romans ? Vous voulez rire ?

— Pas du tout. Oh, ce n'est pas encore de la grande littérature mais les premiers échantillons sont encourageants.

Dunn jeta ostensiblement un coup d'œil sur la pendule murale accrochée au-dessus de la porte.

— Écoutez, inspecteur, je ne veux pas vous bousculer mais Ada a disparu depuis plus d'une heure. Juste une idée en l'air : et si on recueillait des indices pendant que la piste est encore chaude ?

Frank acquiesça à regret. Les révélations de Dunn avaient éveillé sa curiosité. Il sortit son bloc-notes.

— Comment se présente Ada ? C'est un ordinateur ? Une clé USB ?

— Je vous l'ai dit, c'est un programme. Trop volumineux pour une clé USB mais assez compact pour tenir sur la plupart des disques durs qu'on trouve dans le commerce.

— Pardonnez ma question, mais n'a-t-elle pu s'autodétruire accidentellement ?

Dunn secoua la tête.

— Non. Elle a été volée, ça ne fait pas un pli. Le disque sur lequel elle se trouvait a été reformaté.

— Vous n'aviez pas de sauvegarde ?

— Une ici et deux à l'extérieur. Effacées toutes les trois, de même que les dizaines de versions intermédiaires qui traînaient sur les ordinateurs de la société. C'est du travail de pro.

— Mais qui a intérêt à voler un tel programme ? Un écrivain ? Un éditeur ?

Dunn dévisagea Frank pour voir s'il était sérieux.

— Spontanément, railla-t-il, j'aurais plutôt pensé à la mafia russe qu'à Stephen King ou J. K. Rowling, mais, vous l'avez dit vous-même, je ferais un piètre détective.

— La mafia ? Pourquoi s'intéresserait-elle à Ada ?

— Parce que nous avons englouti une blinde dans son développement. Cent cracks de l'informatique à plein-temps depuis quatre ans, je vous laisse faire le calcul.

Frank s'abstint. Il n'avait aucune idée du salaire des ingénieurs de la Silicon Valley. Quelque chose lui disait qu'il excédait largement le sien.

— Vous possédez des brevets ?

— Plus personne n'en dépose de nos jours. La concurrence les ignore et les pirates les copient.

Dunn n'avait pas plus tôt prononcé ces mots qu'il se rembrunit. Il venait de se souvenir que c'était lui qui avait déconseillé au conseil d'administration de chercher à protéger la propriété intellectuelle de Turing.

Frank souhaita voir où était conservée Ada. Ils traversèrent un vaste open space divisé en une cinquantaine de box individuels. Les premiers employés arrivaient, bien différents de l'archétype du programmeur de start-up : la moyenne d'âge dépassait les trente ans et les pantalons l'emportaient sur les shorts.

Parvenu devant une porte métallique, Dunn posa la dernière phalange de son index sur un capteur mural. La plaque noire s'illumina et déclencha l'ouverture du sas. Ils descendirent une quinzaine de marches pour déboucher dans un long couloir aveugle comportant six portes. Dunn s'arrêta devant la troisième et se prêta de nouveau au rituel des empreintes digitales.

— Bonjour Parker, dit une voix féminine. À mon signal,

répète la phrase : « Il ne faut pas vendre la peau de l'ours avant de l'avoir tué. »

Dunn se tourna vers Frank d'un air gêné.

— Reconnaissance vocale. Une demande de notre assureur.

Il répéta le dicton en détachant chaque syllabe. La porte, massive comme le vantail d'une chambre forte, s'ouvrit dans un déclic. Les deux hommes pénétrèrent dans une pièce carrée, bétonnée du sol au plafond, dont les seuls éléments de mobilier étaient une armoire métallique, deux chaises et une table sur laquelle trônaient un clavier et l'unité centrale d'un ordinateur.

— C'est tout ? demanda Frank, un peu déçu.

— Oui. Ada s'exprime par synthèse vocale. Quand elle a besoin de montrer quelque chose, elle le projette sur l'écran géant.

Frank suivit des yeux la gaine bleue qui allait du moniteur à l'unité centrale. Un câble tout aussi anachronique reliait l'ordinateur au clavier.

— Par sécurité, les murs de la pièce sont traités de façon à bloquer les communications sans fil, indiqua Dunn. Vous me direz qu'un pirate a pu hacker notre réseau et remonter jusqu'à Ada...

Frank opina du chef comme si Dunn avait lu dans ses pensées, alors qu'il n'était même pas certain de connaître le sens du verbe « hacker ».

— Mais ? dit-il.

— Mais Ada n'était reliée ni au réseau ni à Internet.

Cette dernière précision étonna Frank. Sa voiture, son thermostat, son aspirateur étaient connectés à Internet bien qu'ils en eussent sûrement moins besoin qu'Ada. Dunn expliqua :

— Les AI sont encore au...

— Les AI?

— Pardon, les intelligences artificielles sont encore au stade expérimental. On ne peut pas courir le risque de les libérer dans la nature.

Frank désigna une caméra de surveillance dont le champ englobait presque toute la pièce.

— J'imagine que vous avez visionné les enregistrements.

— Effacés. Les images s'arrêtent à minuit.

— Et vous avez constaté la disparition d'Ada à…?

— 6 h 15. Ethan, mon associé, est un lève-tôt.

Frank hocha pensivement la tête. Il avait d'abord cru à une erreur : un technicien aurait appuyé par inadvertance sur le bouton rouge, comme lui-même avait détruit maints rapports en les faisant glisser dans la corbeille de son ordinateur. Après la démonstration de Dunn, le doute n'était toutefois plus permis : ils avaient affaire à un acte criminel.

2

Frank arriva au bureau vers 9 heures. Il travaillait depuis sept ans au sein de la Task Force for Missing Persons and Human Trafficking de San Jose. C'était — et de loin — le poste qu'il avait gardé le plus longtemps. Il avait commencé sa carrière en 1985 comme agent de police à Palo Alto, avant d'enchaîner des passages plus ou moins brefs aux mœurs, à la criminelle et aux stupéfiants.

La Californie s'est dotée d'unités spécialisées dans les disparitions et le trafic d'êtres humains en 2010, après que plusieurs cas sordides eurent exposé l'ampleur de ce fléau. 700 000 personnes disparaissent chaque année aux États-Unis. La plupart sont des fugueurs qui rentrent au bercail au bout d'un jour ou deux. Troubles psychiatriques, démence sénile et toxicomanie sont les causes les plus fréquentes chez les adultes. Une fois retirés les suicides au fond des bois, les aigrefins qui fuient leurs créanciers et les femmes qui cherchent à échapper à un ex envahissant, restent quelques centaines d'affaires qui font les choux gras des médias et le désespoir des familles.

Avec 10 % de la population américaine, la Californie concentre entre 15 et 20 % des cas de disparition du pays. Plusieurs facteurs expliquent cette surreprésentation : le pouvoir d'attraction de l'État, la densité de certains bassins de population (à commencer par Los Angeles) et un climat doux, propice aux escapades.

Le trafic humain, terme générique regroupant principalement le travail forcé et le proxénétisme, est à peine moins répandu. On estime que 15 000 travailleurs du sexe entrent chaque année aux États-Unis contre leur gré, le plus souvent sans savoir à quelles fins ils seront utilisés. Torture, pédophilie, trafic d'organes : les rares affaires rendues publiques offrent un aperçu terrifiant des turpitudes de l'âme humaine. Là encore, la Californie, capitale mondiale de l'industrie pornographique, paie un tribut particulièrement lourd.

Il y a une certaine logique à réunir personnes disparues et trafic humain au sein d'une même unité. Les victimes se recrutent parmi les mêmes populations fragilisées : immigrés, toxicos, adolescents en rupture de ban, autant de proies faciles pour les bandes organisées qui traînent devant les gares routières et les foyers d'accueil. La frontière entre les deux catégories est de surcroît mouvante : une gamine portée disparue à Santa Clara ressurgit un an plus tard dans un bordel à Reno ; un jeune Pakistanais ayant survécu par miracle au prélèvement d'un rein se volatilise sans qu'on sache s'il a regagné son pays ou si ses bourreaux l'ont liquidé pour le réduire au silence.

L'essentiel des affaires dont s'occupait Frank avaient trait au trafic humain. De son passage à la brigade des mœurs, il avait gardé des contacts précieux dans le monde de la nuit. Ses enfants étant élevés, les horaires irréguliers ne le dérangeaient pas. Il avait surtout le sentiment d'être utile, contrairement à ses collègues des personnes disparues qui, neuf fois sur dix, remuaient ciel et terre pour retrouver des ados enfermés dans une cave à fumer des pétards. Les domestiques philippines qui travaillaient sept jours sur sept pour un salaire de misère ou les filles qui faisaient trente passes par jour à l'arrière d'une camionnette en échange d'une dose de crack méritaient toutes d'être sauvées.

La prostitution est illégale en Californie comme dans le reste des États-Unis (Nevada excepté), ce qui ne veut pas dire que les forces de police déploient beaucoup d'énergie à poursuivre ceux qui s'y adonnent. Frank concentrait ses efforts sur les cas de proxénétisme, de pédophilie et d'importation illégale de travailleurs du sexe. Il comptait quelques belles arrestations à son actif. L'an dernier, il avait fait tomber pour fraude fiscale l'animateur d'un réseau de call-girls qui gérait ses affaires depuis un yacht aux Caraïbes. Ces jours-là, Frank rentrait un peu plus tôt à la maison, sortait le rocking-chair sur le porche et se balançait doucement jusqu'au soir, un sourire béat aux lèvres.

La *task force* était dirigée d'une main de fer par Karen Snyder, une avocate d'une quarantaine d'années dévorée d'ambition. Deux ans à peine après son arrivée, elle se préparait à annoncer sa candidature aux élections sénatoriales de Californie. Frank s'attendait à ce qu'elle reste en poste le plus longtemps possible afin de bénéficier de l'aura que confère l'exercice de l'autorité dans l'inconscient républicain. Elle venait d'une famille de grands argentiers dont elle avait conservé le nom après son mariage. Son grand-père avait fait fortune après la guerre en rachetant des milliers d'hectares de vergers pour les revendre à prix d'or aux industriels de l'armement en quête de terrains pour leurs nouvelles usines. Afin d'asseoir sa respectabilité, Papy Snyder avait ensuite repris une petite banque de San Jose que son fils avait développée au point d'en faire l'un des plus gros employeurs du comté. Karen avait épousé William «Bill» Webster, un gestionnaire de patrimoine, dont il était déjà prévu qu'il succéderait au père de Karen quand celui-ci prendrait sa retraite.

Frank n'avait pas plus tôt posé ses affaires que son téléphone sonna. Sans même décrocher, il se dirigea docilement vers le bureau de Snyder qui, en patricienne habituée à être obéie, ne s'étonna pas de le voir rappliquer aussi vite.

Elle fit signe à Frank de s'asseoir. Elle portait un tailleur aubergine qui soulignait sa ligne parfaite, résultat, s'il fallait en croire la rumeur, des efforts conjoints d'un diététicien et d'un préparateur physique. Son brushing blond, semblable à un casque de Playmobil, fascinait Frank, qui s'était solennellement promis de l'ébouriffer le jour de sa retraite. Le départ prochain de Snyder risquait de le forcer à précipiter ses plans.

— Merci d'avoir répondu présent ce matin, Logan. Je ne vous ai pas réveillé au moins ?

— Pensez-vous.

Snyder avait la réputation de travailler quatorze heures par jour. Quand elle voulait voir ses deux enfants, elle tournait la tête vers leur portrait accroché au mur.

Frank lui fit un résumé de ce qu'il avait appris, sans cacher que certains aspects techniques lui passaient au-dessus de la tête.

— Vous excluez donc l'erreur humaine ? demanda Snyder quand il eut fini.

— Oui. On parle d'un vol — ou d'un enlèvement, j'ignore quel terme il faut employer.

— Et vous dites que cette Ada écrit des livres ?

— C'est ce que prétend Dunn. J'avoue avoir du mal à le croire.

— Hum, ce n'est sans doute qu'un début. Si un ordinateur peut écrire un roman, imaginez tout ce qu'il pourrait faire d'autre.

Bien que Snyder eût à peine quinze ans de moins que Frank, il avait parfois l'impression que deux générations les séparaient. Elle naviguait avec aisance sur les flots de la technologie, quand lui n'avait découvert que récemment que Google permettait aussi de rechercher des images.

— C'est une affaire qui demande du doigté, dit-elle. Je vous la confie.

Frank, qui redoutait ce scénario, avait fourbi ses arguments.

— C'est que je suis plutôt débordé en ce moment. Une des filles de Sokoli accepte de témoigner contre lui si nous garantissons sa sécurité.

Ismail Sokoli, un proxénète albanais, employait une centaine de call-girls, toutes illégales, en Californie. Il faisait régner la terreur dans ses rangs, corrigeant lui-même les employées récalcitrantes à coups de pioche. Une fille prête à briser l'omerta, fit valoir Frank, constituait une opportunité qui ne se représenterait pas de sitôt. Mais Snyder ne l'entendait pas de cette oreille.

— Sokoli tient la Vallée en coupe depuis dix ans, nous ne sommes pas à huit jours près.

— Mais ses filles, si.

— Vous le dites vous-même : ce sont ses filles, pas les vôtres.

— Et puis je ne connais rien à l'informatique.

— Je suis au courant. J'aurais bien mis Guttierez sur le dossier mais il est en vacances jusqu'au 15.

— J'aurai besoin du soutien du Cyber-Crime Unit.

— Vous l'aurez. Autre chose ?

À court d'arguments, Frank tenta un dernier coup de poker.

— Ada n'est pas humaine. À moins que nous n'ayons été rebaptisés Task Force for Missing Robots dans la nuit, je ne vois pas au nom de quoi cette affaire nous reviendrait.

En accordant plus de trois minutes à un subordonné, Snyder estimait avoir fait preuve d'assez d'empathie pour la matinée. Elle durcit brusquement le ton.

— Turing est un pilier de la communauté, peut-être le prochain eBay ou LinkedIn. Parker Dunn fait vivre plus de cent familles qui votent, paient leurs impôts et n'hésitent pas à écrire au préfet de police quand elles s'estiment insuffisamment protégées. Notre concours leur est acquis. Me fais-je bien comprendre ?

— Cinq sur cinq, dit sèchement Frank en se levant.

Il retourna furieux à son bureau. Sans apprécier sa patronne, il respectait ses compétences professionnelles. Elle connaissait ses dossiers, n'avait pas peur de monter au créneau pour réclamer des crédits supplémentaires et savait toujours à quel juge s'adresser pour demander le gel des avoirs d'un suspect. Il avait cependant remarqué que, les élections approchant, Snyder allouait en priorité les moyens du département aux dossiers les moins risqués ou les plus à même de lui créer des obligés. Il était également de notoriété publique qu'elle courtisait les entrepreneurs et capital-risqueurs susceptibles de financer sa campagne. Les prostituées albanaises, peu connues pour leurs généreuses contributions au débat démocratique, devraient repasser.

Frank rassembla quelques renseignements sur Turing Corp. Les articles présentaient la société comme l'une des plus prometteuses mais aussi des plus secrètes de la Silicon Valley. Elle avait été fondée en 2012 par Dunn, un *serial entrepreneur*, et Ethan Weiss, un informaticien de génie crédité de plusieurs avancées majeures dans le domaine de l'intelligence artificielle. L'entreprise n'avait affiché aucun revenu en 2016, ce qui ne l'avait pas empêchée de lever un total de 160 millions de dollars auprès des fonds d'investissement Language Ventures, Disrupt Partners et Firstbridge Capital. Selon un employé qui souhaitait garder l'anonymat, Turing mettrait bientôt sur le marché «une AI capable de produire des rapports, voire des œuvres de fiction originales».

Frank imprima les articles. Viscéralement attaché au papier, il ne se servait de sa tablette professionnelle que pour consulter les prévisions météorologiques et les scores de base-ball. Doug, un collègue gominé au sourire chafouin, le devança à l'imprimante. Sans s'embarrasser de scrupules, il jeta un œil aux documents.

— Pas de poèmes aujourd'hui? lança-t-il en ricanant.

En commettant l'erreur de laisser traîner un an plus tôt un de ses haïkus sur la photocopieuse, Frank était devenu la cible de ces blagues débiles qui n'ont pas leur pareil pour cimenter une équipe. Ses collègues l'interrogeaient sur l'actualité des ballets du Bolchoï ou glissaient le programme de l'orchestre philharmonique de San Francisco dans son casier. Doug, qui avait des lettres, déclamait du Emily Dickinson la main sur le cœur pendant les réunions de service. Frank ne se donnait plus la peine de répondre; la vie était trop courte pour moucher tous les crétins.

3

Si Parker Dunn entretenait le secret sur la stratégie de son entreprise, il ne se gêna pas pour dire à Frank ce qu'il pensait de la façon dont celui-ci conduisait son investigation.

— Bon sang, inspecteur, vous avez déjà perdu quatre heures ! Et pour quoi faire, je vous le demande ?

— J'ai dû passer au bureau.

— Formidable ! Un joyau de la technologie américaine s'évanouit dans la nature et vous vous tapez deux heures de bagnole pour aller pointer !

— Monsieur Dunn, répondit Frank d'un ton placide, en dépit de mes innombrables lacunes, on m'a officiellement confié cette enquête. Au lieu de vous lamenter sur mon incompétence, pourquoi ne pas me donner un cours accéléré sur l'intelligence artificielle ?

— Vous n'avez pas Wikipédia à San Jose ?

— Depuis la semaine dernière, mais je préférerais entendre votre version.

— Comme vous voudrez, soupira Dunn.

Il était vêtu avec une simplicité qui ne devait rien au hasard. Le tee-shirt en V noir qui mettait en valeur ses pectoraux avait dû coûter le prix du costume de Frank. Le jean, soigneusement délavé, semblait avoir été coupé sur mesure.

Pour faire bonne mesure, Dunn portait des bottines noires en peau de lézard assorties à sa ceinture et au bracelet de son chronographe.

Malgré ses allures de gigolo, il n'avait pas volé son argent. Contrairement à tant d'entrepreneurs de la Vallée, il avait grandi dans la misère. Sa mère, caissière dans la banlieue de Chicago, n'avait pas eu à le pousser : il mettait de lui-même dans toutes ses activités, scolaires ou sportives, une rage terrifiante. Selon un article, le jeune Parker avait gagné dix kilos de muscles en un été pour intégrer l'équipe de football de son lycée. Dans son dossier de candidature à Harvard — où il avait été admis comme boursier —, il déclarait candidement vouloir changer le monde et devenir milliardaire. Il avait une dent contre Mark Zuckerberg, qu'il avait croisé sur le campus, sans qu'on sût au juste s'il reprochait au fondateur de Facebook de décerveler la jeunesse américaine ou d'être riche à crever. Car, à trente-quatre ans, Dunn n'avait encore atteint ni l'un ni l'autre de ses objectifs. Il avait créé sa première entreprise, un fabricant de panneaux solaires, en 2004 et l'avait revendue trois ans plus tard en empochant un joli chèque. Ses tentatives suivantes, une bourse d'échange de manuels scolaires et un constructeur de batteries pour véhicules électriques, s'étaient en revanche soldées par des échecs, dont son portefeuille était sorti indemne, mais pas son ego. Plutôt que de s'embarquer dans un nouveau projet, il était retourné à l'école, où il avait rencontré Ethan Weiss.

— Bon, commença Dunn, je vous passe les références mythologiques et les alchimistes du Moyen Âge pour sauter directement au XVIIIe siècle quand Leibniz, le mathématicien, postule que la pensée peut se décomposer en opérations élémentaires. À peu près à la même époque,

Vaucanson expose à Paris l'automate d'un canard capable de manger, digérer et simuler la nage.

— Vaucanson? Ce n'est pas lui qui a construit une machine à jouer aux échecs?

— Vous confondez avec Kempelen, fit Dunn, qui n'aimait pas être interrompu. Kempelen était un filou. Son automate a battu un paquet de célébrités avant qu'on ne découvre que c'était un nabot caché derrière le mécanisme qui déplaçait les pièces.

— Ah, dit Frank, vaguement déçu.

— Début XIXe, Mary Shelley publie *Frankenstein*, l'histoire d'un savant mégalo qui fabrique un monstre à partir de morceaux de cadavres. De son côté, l'Anglais Babbage conçoit ce qu'il appelle une machine analytique et qui est en fait l'ancêtre de la calculatrice. Une de ses disciples, Ada Lovelace, poursuit...

— Attendez, vous avez dit Ada?

— Oui, répondit Dunn qui dissimulait de moins en moins son irritation. Lovelace était la fille de Lord Byron, l'une des premières à comprendre les possibilités de l'informatique. Elle a prédit que les machines seraient un jour capables de composer de la musique.

— Ou d'écrire un livre...

— Ou d'écrire un livre. Après la Deuxième Guerre mondiale, l'intelligence artificielle attire des mathématiciens, des linguistes, des neurologues, qui planchent sur la fabrication d'automates, la traduction automatique et, bien sûr, la conversation. Après pas mal de hauts et de bas, la vision de Babbage et Lovelace est aujourd'hui devenue réalité : vous pouvez discuter avec une AI comme avec un humain.

Frank écarquilla les yeux.

— Vraiment? Je ne savais pas la recherche si avancée.

— Parce qu'en attendant de les commercialiser, nous réservons la primeur de nos découvertes à nos actionnaires.

— Les commercialiser ? Mais sous quelle forme ?

— Oh, ce ne sont pas les débouchés qui manquent. Toutes les tâches humaines ou presque peuvent être accomplies mieux, plus vite et à moindre coût par un robot. L'industrie des taxis, par exemple, pèse 12 milliards de dollars par an ; ses 250 000 chauffeurs seront bientôt remplacés par des ordinateurs à la fois sûrs, courtois et qui vous laisseront choisir votre station de radio. Saviez-vous aussi que les banques américaines emploient encore un demi-million de gratte-papier à compter des billets et encaisser des chèques ? Qu'un plombier à Manhattan demande 500 dollars pour réparer une fuite ? Qu'un éboueur ne travaille que…

— J'ai compris, coupa Frank en notant que Dunn s'étendait plus volontiers sur les applications économiques de l'intelligence artificielle que sur ses fondements conceptuels. Où voulez-vous en venir ?

— À ce que d'ici quelques années, toutes ces aberrations rentreront dans l'ordre, pour notre plus grand profit. Quand bien même Turing ne capterait que 1 % des économies réalisées, nous toucherons le jackpot !

— Tant mieux pour vous, mais quid de l'emploi ?

— Oh, nous embaucherons, je ne m'inquiète pas pour ça.

— Non, je veux dire : quid des travailleurs que vous allez mettre au chômage ?

Dunn prit un air bienveillant, comme s'il lui appartenait de corriger une erreur répandue.

— La technologie crée plus de jobs qu'elle n'en détruit. Songez à tous ces métiers qui n'existaient pas il y a vingt ans, aux armées de programmeurs, graphistes, statisticiens qu'emploie Google, aux *gamers*, aux modérateurs de forums, aux architectes qui dessinent les maisons des nouveaux nababs et aux maçons mexicains qui les construisent... Et puis, certaines professions ont encore de beaux jours devant elles...

— Comme ?

— La vôtre par exemple ! L'agent de la circulation disparaîtra mais l'enquêteur, lui, est irremplaçable.

Frank ne releva pas le compliment. Tout à coup, il n'était plus certain d'avoir envie de retrouver Ada.

— Et qu'arriverait-il si les robots tombaient brusquement en panne ?

Les lèvres de Dunn s'étirèrent en ce qui pouvait, avec un peu d'imagination, passer pour un sourire.

— Les robots ne tombent pas en panne, inspecteur ; c'est ce qui fait leur intérêt. On dirait que vous avez une image très négative de la technologie.

— Je veux bien croire que les robots effectueront un jour le travail d'un balayeur ou d'une contractuelle, mais comment écriront-ils des livres ?

— En imitant le processus de création d'un auteur traditionnel. Ada soupèse plusieurs situations de départ tirées des classiques, elle choisit une époque et un cadre pittoresques, puis elle façonne des personnages attachants à partir d'archétypes universels. Elle a commencé par le roman à l'eau de rose, un genre très balisé, idéal pour se faire la main.

— A-t-elle déjà produit un texte ?

— Oui.

— Vous a-t-elle remis le manuscrit avant de disparaître ?

— Elle l'a écrit hier, de la première à la dernière ligne.

— J'aimerais en voir un exemplaire.

Dunn n'était manifestement pas emballé à cette idée.

— Est-ce vraiment nécessaire ?

— Absolument.

— Alors laissez-moi votre adresse e-mail, je vous enverrai le fichier.

— Ça vous dérangerait de me l'imprimer ?

Dunn leva les yeux au ciel. Quelques secondes plus tard, l'imprimante se mit à ronronner.

— *Passion d'automne*, lut Frank en attrapant une page.

— C'est un premier jet. Je compte sur votre indulgence. Et sur votre discrétion.

L'impression terminée, Frank rangea le roman dans son cartable, en luttant contre la tentation d'en commencer sur-le-champ la lecture.

— J'imagine que vous avez un responsable de la sécurité, dit-il.

— Mike O'Brien, un ancien marine.

— Vous avez confiance en lui ?

— Je n'ai confiance en personne. Mais disons que si je devais remettre ma vie entre les mains de quelqu'un, ce serait celles de Mike O'Brien.

— Appelez-le, je vous prie.

Plutôt que de décrocher le téléphone, Dunn tapa quelques mots sur son clavier avec une virtuosité effrayante. Frank remarqua qu'il avait les ongles manucurés. Quelques instants après, on frappait à la porte.

O'Brien avait une quarantaine d'années, les oreilles en chou-fleur et le sourire confiant de celui qui peut donner la mort à mains nues.

— Mike, dit Dunn, donnez s'il vous plaît à l'inspecteur Logan un aperçu de nos procédures anti-intrusion.

— Certainement. Les fenêtres et les portes extérieures sont équipées de capteurs télémétriques reliés à une unité centrale grâce à une double connexion wifi et électrique. Lors de nos tests, la société de télésurveillance est intervenue quatre-vingt-dix secondes après le déclenchement de l'alarme. Le bâtiment comporte quarante-quatre caméras ainsi qu'une vingtaine de détecteurs de mouvement dont les enregistrements sont conservés pendant sept jours. Nous avons un veilleur de nuit, présent de 20 heures à 8 heures du matin. Il a pour consigne de ne quitter le poste de contrôle qu'en cas de bruit suspect ou de déclenchement d'une alarme. Il n'a pas bougé la nuit dernière.

— Comment le savez-vous ?

— Il est lui-même filmé, répondit O'Brien sans relever l'ironie de la situation.

— J'aurai besoin d'une copie de tous les enregistrements.

— Vous les aurez, à l'exception de celui de la chambre forte, qui s'arrête à minuit.

— Minuit pile ?

O'Brien jeta un regard interrogateur à son patron.

— Je n'ai pas pensé à regarder.

— Quelle différence ? demanda Dunn.

— Une heure juste plaiderait pour une intervention automatique. Dans le cas contraire, la coupure a plus de chance d'être d'origine manuelle.

— Nous vérifierons, dit Dunn en faisant signe à O'Brien. Autre chose ?

— Je suppose que vous avez changé tous vos mots de passe ?

— Évidemment.

— J'ai vu que vous aviez un système d'identification à l'entrée de la chambre forte. Ses logs ont-ils aussi été effacés ?

— Non. Ils sont intacts.

— Que révèlent-ils ?

— Qu'une seule personne a pénétré dans la salle : Carmela Suarez, la femme de ménage. Elle est entrée à 2 h 56 et sortie à 3 h 22.

— C'est long pour nettoyer une pièce vide, observa Frank.

— J'ai vérifié, c'est à peu près le temps qu'elle met habituellement, dit O'Brien. Je l'ai eue tout à l'heure au téléphone. Elle n'a rien remarqué de particulier.

— Elle travaille pour vous depuis longtemps ?

— Trois ans. Elle est employée par une société extérieure. Je l'ai croisée plusieurs fois : elle m'a paru inoffensive.

— Je veux la rencontrer.

— Elle sera là ce soir. Elle prend son service à 20 heures.

— Alors ça attendra demain. Je ne suis pas disponible ce soir. Cas de force majeure.

Dunn contint son exaspération, en se demandant ce que Frank pouvait avoir de plus important à faire que de retrouver le cerveau le plus puissant de la planète.

4

Frank alla frapper à la porte d'Ethan Weiss, le père spirituel d'Ada. Les bureaux des deux associés, bien que de configurations identiques, n'eussent pu être plus différents. Celui de Dunn présentait les signes extérieurs de richesse habituels : vaste plan de travail en bois sombre, fauteuil en cuir monté sur roulettes, bibliothèque dont les volumes semblaient avoir été moins choisis pour leur contenu que pour leur valeur décorative. Weiss, lui, avait divisé son espace en trois zones distinctes, chacune équipée d'un comptoir surélevé et d'un ordinateur. À en juger par l'absence de chaises, il travaillait debout. Les murs étaient tapissés de photographies noir et blanc du même homme au regard perçant et à la raie aile de corbeau brillantinée.

— C'est Alan Turing, dit Weiss en remarquant l'air intrigué de Frank. Notre parrain. Vous avez entendu parler de lui ?

— Pas plus que ça.

L'œil de Weiss s'alluma comme chaque fois que le hasard jetait un nouveau profane sur sa route.

— Il est célèbre pour avoir déchiffré le code secret dont se servaient les Allemands pendant la Deuxième Guerre mondiale. Vraiment, ça ne vous dit rien ?

— J'ai bien peur que non.

— Il avait rejoint la GC&CS, l'unité de cryptographie de l'armée britannique, après des études de mathématiques. Quand éclata la guerre, tout ce petit monde s'installa sur le site de Bletchley Park, dans le nord de Londres.

Weiss pointa du doigt une photo représentant Turing en bras de chemise devant un imposant manoir de style victorien.

— Turing et consorts se heurtèrent rapidement à des difficultés imprévues. Les nazis avaient en effet développé un nouvel encodeur, baptisé Enigma, qui se présentait comme une machine à écrire, à cette différence près qu'à chaque fois que l'opérateur pressait une touche, des rotors montés sur cylindre pivotaient pour reconfigurer le clavier. Pressez le A et vous obteniez un Y ; tapez un second A et vous obteniez… ?

— Un second Y, suggéra Frank en se demandant s'il n'était pas passé à côté d'une brillante carrière de cryptographe.

— Eh non, car entre les deux frappes, un rotor avait tourné et votre A produisait maintenant un F. À l'autre bout de la chaîne, l'ennemi, muni de sa propre Enigma, traduisait le message sans efforts. Un code renouvelé quotidiennement fixait pour plus de sécurité la position de départ des cylindres. Pendant des mois, les Alliés s'arrachèrent les cheveux. Leurs techniques habituelles — calculs de fréquences, recherche de mots-clés — ne donnaient aucun résultat. Les Allemands volaient de victoire en victoire — on n'imagine pas l'avantage que confère à un camp la certitude que, même interceptées, ses communications ne peuvent être déchiffrées. Loin de baisser les bras, Churchill augmenta le budget de la GC&CS. Des centaines de civils sélectionnés sur leurs talents de cruciverbistes vinrent renforcer les équipes de Bletchley Park. Pendant ce temps, dans son coin, Turing s'inspirait des travaux d'un cryptographe polonais pour construire une bombe...

— Une bombe ?

— Le terme est trompeur, dit Weiss en souriant. Imaginez une gigantesque machine à calculer.

Il désigna une photo représentant Turing occupé à démêler des câbles à l'intérieur d'une vaste armoire aux parois couvertes de piles et de disques. Le tableau n'était pas dénué d'une certaine beauté.

— À l'époque, Enigma comportait trois rotors pouvant être réglés sur 26 positions différentes. Tester une à une les 17 576 configurations aurait pris des semaines. La bombe de Turing permettait d'éliminer très rapidement les combinaisons incohérentes ; au bout de quelques heures, il n'en restait qu'une poignée que les spécialistes de Bletchley Park examinaient alors à la main. À partir de 1942, les Alliés connaissaient à l'avance la date et le lieu des offensives du Reich, l'état exact des forces adverses, les routes maritimes à éviter. Soupçonnant une faille dans leur dispositif, les Allemands ajoutèrent un quatrième rotor à leurs machines. Qu'à cela ne tienne : les Anglais, aidés par les Américains, construisirent des bombes plus puissantes. On estime aujourd'hui que Turing et son équipe ont écourté la guerre de deux ans.

— Vraiment ? Pourquoi son histoire n'est-elle pas plus connue ?

— Parce que le gouvernement britannique n'a levé le secret sur les activités de la GC&CS qu'en 1974. Après la guerre, Turing participa, aux côtés du Hongrois von Neumann, à la conception du premier ordinateur à programme enregistré. Il résuma les conclusions de ses recherches en 1950 dans un texte intitulé *Computing Machinery and Intel-*

ligence qui n'a pas pris une ride. Il pose la question de savoir si une machine peut penser...

— Quelle sottise! Bien sûr que non!

— Vous feriez un piteux scientifique, inspecteur, remarqua Weiss d'un air amusé. Turing, lui, pronostiqua que les machines penseraient bientôt comme des humains ou, plus exactement, qu'elles parviendraient à imiter à la perfection le comportement d'êtres pensants. Il n'eut malheureusement pas l'occasion d'assister au triomphe de ses idées. En 1952, il signala un cambriolage à son domicile. L'enquête révéla qu'il cohabitait avec un certain Murray, de vingt ans son cadet. L'homosexualité était alors un crime au Royaume-Uni; les deux hommes furent arrêtés pour «indécence et perversion». Pour échapper à la prison, Turing accepta de se soumettre à un traitement chimique qui le rendit impuissant. Il se vit aussi retirer son accréditation secret défense et écarter de plusieurs projets scientifiques. Doublement atteint dans sa chair et dans son honneur, il se suicida en croquant une pomme trempée dans du cyanure. Il avait quarante et un ans.

Frank secoua la tête, écœuré par l'ingratitude des Anglais. Il lui semblait à présent se rappeler que la Poste britannique avait mis en circulation un timbre à l'effigie de Turing. Le centenaire de sa mort donnerait sans doute lieu à de bouleversantes cérémonies.

— Il courait? demanda Frank en s'approchant d'une photo du mathématicien vêtu d'un short et d'un dossard.

— Deux heures quarante-six au marathon. Il aurait pu participer aux Jeux olympiques.

Un des ordinateurs émit les premières notes d'une mélodie. Weiss jeta un coup d'œil à l'écran et pressa deux touches simultanément. La musique s'arrêta.

L'histoire du cofondateur de Turing était à peine moins

romanesque que celle de son idole. Né à Philadelphie d'un père informaticien et d'une mère psychologue, Ethan Weiss avait été un enfant exceptionnellement précoce. À trois ans, il lisait couramment; à huit, il extrayait des racines cubiques; à dix, il écrivait un programme chargé de l'interroger sur les capitales mondiales. Scolarisé à domicile, il passait ses journées à fabriquer des robots ou à tenter de résoudre les problèmes d'algèbre postés en ligne par des sociétés savantes. À un âge où les garçons juifs préparent leur bar-mitsva, il correspondait par e-mail avec des chercheurs russes ou japonais qui croyaient avoir affaire à un de leurs pairs. Stanford, Harvard, le MIT s'étaient disputé ce prodige; Weiss leur avait préféré l'université de Carnegie Mellon, réputée pour son département d'intelligence artificielle. C'est dans sa chambre d'étudiant à Pittsburgh qu'il avait construit Sunny, sa première AI capable de soutenir à l'écrit une discussion sur la météo, développant pour l'occasion des algorithmes encore utilisés de nos jours.

Enhardi par ce premier succès, Weiss s'était attaqué à un problème plus complexe : le commentaire sportif. Le résultat, Ryan, un avatar doté d'une voix synthétique disponible en trois accents (East Coast, Texas et British), alignait les poncifs avec l'assurance d'un pilier de bar. Muni d'une caméra intégrée et d'un logiciel d'analyse vocale, il modulait son discours en fonction des émotions de son interlocuteur. Détectait-il une pointe de mépris envers les New York Yankees qu'il se fendait du classique «On peut acheter des joueurs mais pas une équipe» qui a le don de hérisser les fans des Bombardiers du Bronx. Aussi à l'aise dans l'analyse des phases de jeu («Si seulement Watkins n'avait pas lâché le ballon dans les prolongations…») que dans la méditation philosophique («Qui eût cru que les Cavaliers réaliseraient un tel parcours, eux qui étaient 22-60 la saison dernière?»),

Ryan était devenu la coqueluche du campus et avait fait l'objet de plusieurs reportages télévisés.

Weiss avait fini par céder aux sirènes de Stanford qui lui avait donné carte blanche pour créer une AI polyvalente, décrite comme pouvant «converser avec le client d'un salon de coiffure le temps d'une coupe de cheveux». Morgan — un prénom volontairement mixte — était né(e) trois ans plus tard. Il passait en souplesse des potins de Hollywood aux déboires de la famille royale britannique ; quand il ne savait pas quoi dire, il répétait la dernière phrase de son interlocuteur sur un ton interrogatif.

Parker Dunn, qui terminait à la même époque un MBA à la Stanford Business School, avait proposé à Weiss de s'associer pour créer l'AI ultime. Weiss, qui avait l'impression d'avoir épuisé ce que le monde académique avait à lui offrir, avait accepté. Les deux hommes étaient remarquablement complémentaires. Dunn apportait sa connaissance du monde des affaires, un magnifique carnet d'adresses et une énergie à déplacer les montagnes. Il s'occuperait des clients et des investisseurs. Weiss, lui, aurait la haute main sur la technologie.

Cette répartition des rôles avait fait merveille. Les différences entre les deux associés sautaient pourtant aux yeux. Non content d'être accoutré comme un mannequin Versace, Dunn était paranoïaque, s'alarmait de la lenteur de l'enquête et ne cachait pas son mépris pour la police, tandis qu'avec son jean et ses baskets, sa bonne bouille et son œil malicieux, Weiss semblait prêt à bavarder tout l'après-midi. Drôle d'attelage, pensa Frank.

Il se sentit soudain vaciller sur ses jambes ; il n'avait rien mangé depuis la veille. Weiss s'en aperçut, qui proposa :

— Voulez-vous que nous continuions dans une salle de réunion où vous pourrez vous asseoir ?

— Merci, non. Je vais juste grignoter quelque chose.

Il sortit une barre chocolatée de son cartable. Weiss désigna un énorme pouf en toile de jean dans un coin de la pièce.

— C'est là que je m'installe quand j'ai un coup de pompe. Profitez-en.

— Juste cinq minutes, dit Frank d'une voix faible.

Il s'écroula dans le pouf et essaya de trouver une position qui ne fût pas tout à fait ridicule. Il n'y parvint pas.

— J'ai interrogé votre associé, dit-il. J'avoue n'avoir pas bien saisi ce qu'Ada a de révolutionnaire.

Weiss sourit.

— Parker est plus disert avec les investisseurs qu'avec la police. Voyons si je peux faire mieux que lui. L'intelligence artificielle a connu une première heure de gloire dans les années 80, quand on pensait qu'elle se résumait à une question de puissance calculatoire. Vous avez entendu parler de la loi de Moore, je suppose ?

— Tout de même, s'offusqua Frank.

Gordon Moore, le cofondateur d'Intel, avait observé en 1965 que le nombre de transistors tenant sur un circuit imprimé doublait tous les deux ans, une règle qui s'était par la suite révélée si implacablement correcte qu'elle avait accédé au titre de loi. Les habitants de la Silicon Valley la tenaient pour sacrée au même titre que la Constitution ou le discours de Lincoln à Gettysburg.

Weiss poursuivit :

— On considérait alors qu'il n'existait aucun problème dont une énorme puissance informatique ne pût venir à bout. Avec ce raisonnement, l'avènement de l'intelligence artificielle n'était qu'une question de temps. Et pourtant, malgré des microprocesseurs toujours plus performants, les avancées promises tardaient à se matérialiser. Des tâches élémentaires résistaient à toute tentative de modélisation. Un ordinateur capable de calculer la vitesse d'expansion de l'Univers peinait ainsi à distinguer une vache d'un canard en plastique.

— Vous plaisantez?

— Non. La reconnaissance de formes est effroyablement difficile à enseigner à un ordinateur. Faute de résultats tangibles, les budgets de recherche se tarirent peu à peu.

— Comment expliquez-vous cet échec?

— Les scientifiques de l'époque s'appuyaient sur un modèle du cerveau erroné. Résultat, leurs créations jouaient brillamment aux échecs mais séchaient sur une question à laquelle un enfant de trois ans aurait su répondre. Dans les années 90, des neurologues, des psychologues et d'autres spécialistes de ce qu'on appelle les sciences cognitives réalisèrent des progrès déterminants dans la compréhension des mécanismes de la pensée, en établissant notamment que notre cerveau dispose d'une puissance calculatoire limitée...

— Allons donc! Notre cerveau contient des milliards de neurones.

— 100 milliards en effet. Comme chacun est relié en moyenne à 1 000 autres, nous disposons d'environ 100 000 milliards de connexions.

— Ce n'est pas ce que j'appelle une puissance limitée...

— Attendez. Chacune de ces connexions peut exécuter environ 200 instructions à la seconde, un chiffre qui peut paraître élevé mais qui est à comparer aux milliards atteints par les microprocesseurs actuels. Autrement dit, pour employer une analogie informatique, notre cerveau est composé d'un très grand nombre de microprocesseurs extrêmement lents.

— Comment cela se traduit-il dans les faits?

— Nous calculons moins vite que les ordinateurs; en

revanche, nous distinguons mieux qu'eux des motifs à l'intérieur d'une énorme masse d'informations. Même lorsqu'il a perdu aux échecs contre Deep Blue, Kasparov avait une lecture de l'échiquier complètement différente de son adversaire ; il pouvait par exemple faire abstraction d'un pion pour reconnaître un cas d'école. De même, le footballeur qui cherche un partenaire démarqué accomplit sans s'en rendre compte un petit miracle : il synthétise en une fraction de seconde des dizaines de paramètres, comme la position de ses coéquipiers, la vitesse du vent ou la qualité de la pelouse, pour délivrer au bout du compte une passe qui parvient neuf fois sur dix à son destinataire. Plus fascinant encore, nous sommes parfois incapables d'expliciter nos propres raisonnements. Avez-vous entendu parler du métier de sexeur ?

— Non, confessa Frank en chassant les idées saugrenues qui lui venaient à l'esprit.

— Figurez-vous qu'il est quasiment impossible de déterminer le sexe d'un poussin à sa naissance. Cela ne fait pas les affaires des éleveurs de poussins femelles, qui sont obligés de nourrir pendant plusieurs jours des mâles qu'ils finissent par tuer. Or certaines personnes arrivent à trier les poussins sans presque jamais se tromper. Elles prétendent ne se fier à aucun critère en particulier : *elles observent le poussin et elles savent.*

— Elles doivent bien avoir une méthode !

— Évidemment, mais une méthode trop complexe, trop diffuse pour pouvoir être verbalisée et encore moins transmise. On pourrait dire d'une certaine façon qu'elles pensent à leur insu. De là est née l'idée de développer des ordinateurs émulant le fonctionnement du cerveau.

— Avec succès ?

— Oui, plutôt. Les algorithmes ont envahi notre vie

quotidienne : ils nous recommandent un film en fonction de nos achats précédents, sélectionnent les nouvelles susceptibles de nous intéresser, stoppent la circulation quand un piéton veut traverser.

— Le cerveau d'Ada ressemble-t-il pour autant au mien ? demanda Frank en s'étonnant de prendre tant de plaisir à la causerie de Weiss.

— Il s'en rapproche. Le monde de l'intelligence artificielle se divise aujourd'hui grosso modo en deux chapelles. Le professeur Rasmussen prédit que les AI présenteront bientôt tous les attributs de ce qu'on appelle la conscience. Daniel Kirkland, un logicien du MIT, crie à l'hérésie ; il soutient que les ordinateurs ne seront jamais capables d'éprouver des sentiments ou de faire acte d'imagination.

— J'imagine que vous appartenez à la première école, dit Frank en se dressant laborieusement sur ses avant-bras.

— Rasmussen était mon directeur de thèse à Carnegie Mellon ; il m'a à l'évidence beaucoup influencé. Cela dit, ma conviction s'ancre avant tout dans les progrès réalisés ici depuis trois ans.

Weiss s'apprêtait à entrer dans le vif du sujet. Frank se leva avec difficulté ; il n'allait tout de même pas prendre des notes vautré sur un pouf.

— Vraiment, inspecteur, je peux faire venir une chaise, vous savez.

— Tout va bien, merci. Expliquez-moi plutôt ce qui fait la spécificité d'Ada.

— Sa circuiterie ressemble à celle de toutes les AI modernes. Elle est régie par un certain nombre de commandements, qui sont en quelque sorte les descendants des lois de la robotique inventées par Asimov...

— Isaac Asimov ? L'auteur de science-fiction ?

— Allons, inspecteur, ne me dites pas que vous n'avez jamais entendu parler des trois lois de la robotique !

Devant l'air vexé de Frank, Weiss reprit :

— Asimov décrit un monde dans lequel des robots s'acquittent de toutes les tâches domestiques. Ils se conforment à un code de conduite qui tient en trois lois. Je cite de mémoire : 1) un robot ne peut porter atteinte à un humain, ni, en restant passif, exposer un humain au danger ; 2) un robot doit obéir aux ordres que lui donne un humain, sauf si ces ordres entrent en conflit avec la Première loi ; 3) un robot doit protéger son existence tant que cette protection n'entre pas en conflit avec la Première ou la Deuxième loi.

— Ça a l'air tout simple.

— En effet. Nos commandements à nous sont à la fois plus nombreux et mieux circonscrits. Par exemple : « Tu respecteras les lois des États-Unis d'Amérique et de tous les pays dans lesquels tes actions auront un impact matériel ».

— Un impact matériel ? On a vu plus précis comme formulation…

— Chaque terme employé dans les commandements est défini en détail à un autre endroit du programme. Nous envisageons tous les cas, même les plus improbables : quid si les États-Unis se scindent en plusieurs pays ? Si le droit d'un État occupé contredit celui de son envahisseur ? Et cætera.

— Donnez-moi d'autres exemples de commandements, dit Frank qui avait sorti son bloc et prenait péniblement des notes sur un des comptoirs, trop haut pour lui.

— « Toutes choses égales par ailleurs, tu chercheras à maximiser les profits à long terme de Turing », « Tu ne mentiras jamais à un employé de Turing », vous comprenez l'idée. Mais l'originalité d'Ada réside ailleurs. Nous lui assignons un objectif lointain, sans détailler les étapes intermédiaires ; nous appelons cela l'approche téléologique.

— Je ne vois pas ce que ça a de novateur.

— Vous allez comprendre. Ada est programmée pour écrire un roman sentimental qui se vende à plus de 100 000 exemplaires...

— Ah? J'ignorais qu'elle avait un objectif de ventes.

— Il faut bien que nous puissions évaluer la qualité de son travail; les ventes constituent un critère comme un autre.

Frank retint le commentaire qui lui était venu à l'esprit : si la qualité d'une œuvre se mesurait à ses recettes, Jackie Collins et Mickey Spillane trôneraient au panthéon de la littérature. Weiss poursuivit :

— Là où nos concurrents brosseraient son plan de travail à Ada, nous la laissons s'organiser à sa guise.

— Quand je laissais mon fils s'organiser, il regardait des vidéoclips en tirant sur un joint, grommela Frank.

Weiss rit charitablement à cette plaisanterie qui n'en était pas une.

— Ada, contrairement à votre fils, ne perd jamais de vue son objectif. Tout ce qu'elle dit ou fait est conçu pour l'en rapprocher, même insensiblement. Pour vous donner une idée, elle savait ce qu'était un roman, elle connaissait le sens du mot sentimental, elle a donc demandé à lire tous les romans sentimentaux publiés en anglais.

— Tous? Mais il doit y en avoir...

— 87 301. Nous les lui avons infusés à raison de 10 000 par jour, dans l'ordre chronologique. Elle aurait pu les avaler en une fois mais nous voulions lui laisser le temps de digérer.

— De digérer?

— De dégager les règles d'or de ce type de littérature, d'établir des corrélations entre l'année de parution et le nombre de personnages, de calculer des moyennes, des ratios, que sais-je encore. C'est ici que les choses deviennent intéressantes. Dans l'un des romans, l'héroïne, elle-même romancière, voit les ventes de son dernier livre s'effondrer suite à une critique assassine. Ada, qui ignorait jusque-là la notion de critique littéraire, nous a bombardés de questions : qui étaient ces critiques ? D'où tiraient-ils leur légitimité ? Quel était leur impact sur les ventes ? Pour finir, elle nous a réclamé l'ensemble des recensions publiées. Ça n'a pas manqué : comme un article vantait le graphisme d'une couverture, Ada a voulu les voir toutes.

— Elle n'aurait pas pu trouver les photos elle-même ?

— Non, elle n'est pas reliée à Internet. Elle exprime ce dont elle a besoin et nous le lui procurons, même quand la requête paraît farfelue. La semaine dernière par exemple, elle s'est penchée sur les statistiques des prénoms masculins et féminins depuis un siècle. Elle avait remarqué que certains prénoms revenaient souvent — Eve, Alastair, Quinn... — et cherché à déterminer s'ils suivaient la mode, la précédaient ou reflétaient simplement leur époque. Un auteur n'aurait pas réfléchi différemment.

Frank se garda une nouvelle fois d'intervenir. Pour lui, un romancier puisait son inspiration dans sa vie, pas dans les statistiques de l'état civil. Mais Snyder ne l'avait pas mis sur cette enquête pour ses vues littéraires.

— Diriez-vous qu'Ada était sur le point de réussir ?

Weiss prit le temps de la réflexion avant de répondre.

— Oui, je le crois. Elle progresse à une vitesse ahurissante. Bien sûr, nous la reprogrammons encore chaque soir pour corriger des points de détail. Rien de bien grave : ses dialogues sont un peu abrupts, elle abuse des notations temporelles, puise parfois ses mots dans le mauvais registre lexical, mais quel auteur n'a pas ses petites idiosyncrasies ?

Frank ignora la question. Ses jambes lui faisaient mal. Il ne songeait plus qu'à abréger l'entretien, à présent.

— Quelle est l'étape suivante ? demanda-t-il. Vendre 1 million d'exemplaires ?

— Non. Dès qu'Ada aura atteint son objectif, elle s'essaiera à d'autres genres, comme le policier ou le thriller. Puis, quand elle maîtrisera tout l'arsenal de la narration, nous l'orienterons vers des marchés plus lucratifs : jeux vidéo, cinéma, télévision...

Pour la deuxième fois de la journée, Frank se demanda si les ravisseurs d'Ada n'avaient pas rendu un fier service à l'humanité.

5

Frank retrouva sa voiture flanquée de deux Porsche rutilantes. Il regarda autour de lui. Sa bonne vieille Camaro détonnait sur le parking, où le véhicule le plus modeste était un 4 × 4 Audi et le plus tape-à-l'œil une Lamborghini jaune canari. Il se demanda à nouveau à combien émargeait un ingénieur senior chez Turing.

Il s'installa derrière le volant. Malgré ses 80 000 miles au compteur, la Camaro était dans un état impeccable. Frank, qui passait presque autant de temps à bord qu'au bureau, l'entretenait avec un soin maniaque. Il avait besoin d'harmonie pour se concentrer. Il suffisait qu'il monte dans l'épave de Nicole, qui dégueulait de mégots, de bouteilles vides et de copies en retard, pour perdre le fil de ses pensées.

Il était 17 heures. Dunn avait essayé une dernière fois de le convaincre d'attendre Carmela Suarez, allant jusqu'à l'inviter à dîner à la cafétéria de Turing, qui servait «le meilleur poulet chop suey de Californie». Frank avait poliment décliné et promis de revenir le lendemain. De toute façon, il n'aimait pas la cuisine chinoise.

Il manœuvra entre les deux Porsche et alluma la radio juste à temps pour le coup d'envoi du match des Athletics. Les pronostiqueurs ne donnaient pas cher des chances de son équipe favorite, toujours à la recherche de sa première victoire de la saison.

Les Oakland Athletics, ou les A's comme les surnommaient leurs supporters, traversaient une mauvaise passe qui durait depuis quarante ans. Ils avaient connu leur heure de gloire dans les années 70 quand, emmenés par leur capitaine Sal Bando, ils avaient remporté trois World Series consécutives. Frank, alors adolescent, avait assisté avec son père au troisième sacre contre les Dodgers. Après qu'un Bando héroïque se fut sacrifié dans le premier *inning* pour offrir un *run* à Vida Blue, Ray Fosse avait doublé la mise d'un maître *home run* qui avait fait se lever les 50 000 spectateurs du Coliseum. Harry Logan avait mis son fils en garde contre un triomphalisme prématuré : les Dodgers étaient connus pour ne rien lâcher. Ils avaient de fait égalisé dans le sixième *inning*, alors que Frank était sorti acheter un hot dog. Joe Rudi avait redonné peu après l'avantage aux A's sur un *home run*, laissant au légendaire Rollie Fingers le soin de sceller la rencontre.

Le règne des A's semblait parti pour durer une décennie. La saison suivante cependant, les coéquipiers de Bando s'étaient inclinés au deuxième tour des *playoffs* contre les Red Sox, une défaite qui, quoique cuisante, restait honorable. La saison 1976 avait marqué le véritable début de la dégringolade. Les A's avaient échoué aux portes des *playoffs*, déclenchant le départ de plusieurs joueurs clés vers d'autres cieux. Les gradins du Coliseum s'étaient dépeuplés, pour le plus grand bonheur des Logan qui avaient eu plus d'une fois le privilège d'assister aux matches depuis les loges. Même au plus fort de la tourmente, Frank avait maintenu sa confiance aux A's. Chaque année avant le début de la saison, il passait l'effectif à la loupe, en essayant de se convaincre que les dirigeants du club avaient dans leur manche une botte secrète ou travaillaient à un transfert de dernière minute. Et chaque année, les A's remportaient un peu moins de matches que la précédente, devenant la risée d'une ville qui naguère les encensait.

Les Athletics avaient connu une brève rémission à la fin des années 90. Ils avaient disputé trois World Series d'affilée, s'adjugeant la deuxième contre les Giants au terme d'un *sweep* magistral. Logan père et fils avaient assisté aux quatre matches, une extravagance financière que ni l'un ni l'autre ne pouvait se permettre mais que Frank, avec le recul, ne regrettait pas.

Au fil des ans, les habitants de la région avaient reporté leurs espoirs sur les Giants de San Francisco, dont le palmarès récent avait, il faut le reconnaître, une autre allure que celui des A's. Frank ne pouvait toutefois se résoudre à soutenir une équipe que son père traitait de « ramassis de peigne-culs ». Les lendemains de défaite, quand les quolibets pleuvaient sur sa tête, il serrait les dents en pensant aux martyrs chrétiens jetés aux lions parce qu'ils refusaient d'abjurer leur foi.

La rencontre de ce soir s'annonçait sous de mauvais auspices. Koller, le lanceur vedette — si tant est que ce mot eût un sens pour un joueur des A's —, était à l'infirmerie pour une élongation. Wilkinson, qui le remplaçait, nourrissait un complexe envers les Yankees qu'il n'avait jamais battus en neuf confrontations. Tout se jouerait dans sa capacité à oublier cette statistique et à neutraliser l'imprévisible Carrasso, analysa le commentateur. Frank opina en freinant pour laisser traverser une vieille dame.

Il s'immobilisa pour de bon dans University Avenue, l'artère principale de la ville, où le trafic était bouché suite à un accident sur la Route 101. Avec sa sœur jumelle la 280, la 101 charriait quotidiennement des dizaines de milliers d'automobilistes qui faisaient la navette entre San Francisco et San Jose. Aux premiers signes de congestion, les conducteurs impétueux quittaient l'autoroute et naviguaient au doigt mouillé, une manœuvre rarement efficace mais qui avait le don de semer la pagaille dans les rues de Palo Alto ou de Mountain View.

Prenant son mal en patience, Frank examina les devantures des commerces, en se faisant une nouvelle fois la réflexion que la ville avait bien changé depuis son enfance. Il appartenait à la Silicon Valley Heritage Foundation, une association qui recueillait les témoignages de personnes âgées ayant grandi dans la Vallée. Il avait récemment interviewé un grand-père qui tenait un magasin de jouets dans le Palo Alto de l'après-guerre. En s'appuyant sur des photos de la collection personnelle de Frank, ils avaient tenté de reconstituer la physionomie de University Avenue en 1950, pour aboutir à un constat déprimant : les coiffeurs à 1 dollar de l'époque avaient cédé la place à des «salons de soins capillaires» où le prix des coupes démarrait à 250 dollars ; les gargotes étaient progressivement remplacées par des banques et les cafés arboraient désormais tous les couleurs vert et blanc de Starbucks.

La famille de Frank reflétait à sa façon l'évolution de la Vallée. Le grand-père, Earl, avait cueilli des pêches dans un verger de Santa Clara pendant trente ans. Harry, le père de Frank, était entré chez Lockheed Martin à la sortie du lycée — on ne jugeait pas nécessaire à l'époque d'avoir une maîtrise d'anglais pour visser des boulons. Qu'il fabriquât des missiles ne gênait personne : la guerre froide faisait rage. Pour chaque ogive nucléaire produite par les Russkoffs, le Pentagone en commandait deux à ses fournisseurs ; Lockheed, Northrop Grumman, Westinghouse et quelques autres en avaient copieusement profité.

Une nouvelle ère s'était ouverte dans les années 50, quand un jeune entrepreneur du nom de William Shockley avait implanté son entreprise de semi-conducteurs à Sunnyvale. Plusieurs de ses lieutenants avaient fondé Fairchild Semiconductor, qui elle-même avait engendré Intel. Si en 1984 Frank ne s'était pas engagé dans la police, il eût probablement postulé chez Hewlett-Packard, dont il admirait les valeurs familiales et l'éthique du travail bien fait. Les Apple ou Oracle dont bruissait la Vallée ne l'attiraient pas ; il ne comprenait pas bien à l'époque à quoi servaient les ordinateurs et n'était même pas certain de souhaiter leur développement.

Les enfants de Frank n'avaient pas ce genre d'états d'âme. Google, Yahoo, eBay, Facebook ou Twitter dont ils utilisaient les services à longueur de journée étaient aussi les plus gros employeurs du comté. Ils payaient princièrement leurs salariés, les nourrissaient, lavaient leur linge et les inondaient de stock-options, sortes de tickets de loterie des temps modernes qui pouvaient faire d'eux des millionnaires à un âge où Frank n'avait pas encore fini de rembourser ses études. Une bande de 100 kilomètres carrés allant grosso modo de Los Gatos à Redwood City hébergeait la plus grande concentration de richesses de l'histoire. Une bonne séance à Wall Street pouvait injecter l'équivalent du PNB tunisien dans l'économie locale. Agents immobiliers, concessionnaires de voitures de sport, piscinistes vivaient au rythme des introductions en Bourse et connaissaient souvent mieux la stratégie des start-up que les banquiers chargés d'amener ces dernières au Nasdaq.

La fille de Frank, Rosa, occupait un poste en vue chez Google. Au train où croissaient ses bonus, elle aurait bientôt fini de rembourser son trois-pièces avec terrasse à Mountain View. Son frère Leon, qui avait fait des études moins brillantes et son lot de choix discutables, vendait des logiciels par téléphone depuis son appartement dans le nord de l'État. Que son fils ne pût se loger là où il avait grandi interpellait Frank, qui y voyait autant le signe de son échec que celui de sa chère Vallée.

6

Frank engagea la Camaro dans l'allée privée d'un pavillon coquet, qui faisait toutefois pâle figure en comparaison des luxueuses bâtisses voisines. La porte du garage aurait eu besoin d'un coup de peinture, les dalles menant au perron se descellaient et la haie taillée de manière approximative trahissait le fait que les Logan n'avaient pas de jardinier. Frank tondait lui-même sa pelouse, comme son père, le père de son père et peut-être un jour, il l'espérait, comme Leon. Il mettait dans cette tâche, comme dans toutes celles qu'il entreprenait, une application extrême qui ne compensait pas toujours la vétusté de ses outils.

La Saturn de Nicole était garée devant l'entrée. Frank ne pouvait passer à côté de la voiture de sa femme sans se remémorer le jour funeste où celle-ci lui avait annoncé sa décision de remplacer sa Ford Escort. Après avoir fait le tour des concessionnaires, elle avait jeté son dévolu sur la Saturn Aura. Frank, qui lisait les journaux, avait objecté que General Motors, la maison mère de Saturn, projetait d'arrêter la marque, ce qui entraînerait un effondrement de la valeur des véhicules d'occasion et compliquerait les réparations éventuelles. Il eût pu tout aussi bien pisser dans un violon. Nicole, qui n'ignorait rien des avanies du constructeur, entendait lui marquer son soutien de la plus éclatante des façons : en étant sa dernière cliente. Ayant en outre lu dans un dépliant promotionnel que l'Aura était fabriquée à Anvers, Nicole avait déclaré n'avoir pas si souvent l'occasion de témoigner sa solidarité aux ouvriers belges. Elle avait eu l'élégance de prendre l'avis de son mari sur la peinture. «Bleu», avait répondu celui-ci d'un ton las, sachant que c'était la couleur dont elle rêvait.

À l'intérieur, il se laissa guider par le bruit. Attablée dans la salle à manger, Nicole corrigeait des copies en musique, une cigarette à la main. Frank posa un baiser sur le front de son épouse et annonça qu'il allait préparer le dîner.

Légèrement plus âgée que son mari, française et fière de l'être, Nicole portait les cheveux courts, ne se maquillait pas et fumait son paquet par jour. Elle avait suivi Frank aux États-Unis par amour. Bien qu'elle ne l'eût jamais regretté, elle se lamentait parfois d'en être réduite à enseigner le français aux lycéens de la Palo Alto High School — «Paly» pour les intimes. Du temps où elle étudiait la sociologie et la littérature à la Sorbonne, elle nourrissait de plus hautes ambitions. Elle appartenait au bureau exécutif d'un syndicat étudiant qui s'était fortement mobilisé pour faire élire François Mitterrand à la présidence en 1981. La gauche constituait alors ses équipes et les candidats valables étaient moins nombreux que les postes à pourvoir. Nicole ne manquait ni de talent ni de culot, elle fréquentait les bons cercles ; si Frank n'était pas entré dans sa vie à ce moment-là, elle eût sans doute fait carrière dans le syndicalisme ou la haute administration.

Frank ouvrit le réfrigérateur, sans illusions sur ce qu'il allait y trouver. Nicole ne cuisinait pas. Si sa survie l'exigeait, elle était capable de cuire des pâtes ou des œufs sur le plat mais ses compétences s'arrêtaient là. Prendre ses repas à l'extérieur était l'habitude américaine qu'elle avait le plus facilement adoptée. Elle avalait un bagel sur le chemin du lycée et déjeunait d'une salade en salle des profs. Suivant son humeur, Frank s'arrêtait le soir dans un restaurant thaï, commandait des pizzas ou réchauffait un plat surgelé. Nicole suivait le mouvement : elle mangeait à peu près n'importe quoi.

Frank disposa sur un plateau une salade de thon qui venait du rayon traiteur du supermarché, quelques poivrons marinés et du pain grillé. Pour faire bonne mesure, il ajouta deux tomates fraîches comme celles que sa mère cultivait dans le potager familial, à cette différence près que celles-ci avaient coûté 2 dollars pièce chez Whole Foods.

— Chaud devant ! s'exclama Frank dans la langue de Molière en posant le plateau sur la table.

Il était persuadé de parler un français très honorable, peut-être parce que Nicole avait renoncé depuis longtemps à le corriger. Il possédait un vaste répertoire d'expressions idiomatiques qu'il utilisait presque systématiquement à contre-emploi.

— Et le vin ? dit Nicole en levant le nez de ses copies. Où est le vin ?

Frank retourna en cuisine et choisit un cabernet qui rappelait à Nicole « un petit producteur chez qui s'approvisionnaient ses parents ».

— Bonne journée ? cria-t-il en prenant au passage une bière dans le réfrigérateur.

Nicole attendit son retour pour lui répondre.

— Bof. Je me demande vraiment si je ne devrais pas me reconvertir.

— Pourquoi dis-tu ça ?

— J'ai reçu mon planning pour l'année prochaine. J'aurai douze étudiants. Tu entends ? Douze !

— Combien en as-tu aujourd'hui ?

— Dix-sept. Ça baisse chaque année. Les bons élèves apprennent le chinois, les cancres l'espagnol et les filles l'italien.

— Tu exagères, dit-il gentiment. Tu as quelques bons éléments...

— Parlons-en. Hier, Matthew a confondu Céline et Colette. Je te jure...

Elle parlait un anglais saccadé, truffé de solécismes. La désinvolture avec laquelle elle traitait la syntaxe de sa langue d'adoption exaspérait Frank qui avait plus d'une fois offert — en vain — ses services de précepteur.

— Tiens, dit-elle en se servant de salade, j'ai remarqué une deuxième Tesla sur le parking de l'école. Rouge pétard.

— Un prof ?

— Avec ce qu'on gagne, tu plaisantes ! Cadeau d'anniversaire d'une élève de seconde.

— La vache !

— Certains de ces gamins ont plus d'argent de poche que mon salaire. Tu réalises ?

— Que font les parents ?

Nicole haussa les épaules.

— Est-ce que je sais, moi ? Des hôtels pour chiens ? Des rotules en titane ? Le pire, c'est que grâce aux mégadonations de papa, les mômes ont leur place garantie à Berkeley ou Stanford.

— Tu crois vraiment ?

— Si je crois ? Redescends sur terre, Frank Logan ! Tu crois que ces richards signent des chèques de 50 ou 100 millions par amour du savoir ? Ils sont comme tout le monde dans ce pays : ils attendent un retour sur leur investissement.

Frank n'aimait pas entendre sa femme critiquer les États-Unis, même quand il savait qu'elle avait raison. Il goûta sa tomate qui, comme souvent, se révéla plus appétissante que savoureuse.

— Je les observe à la récré. Ils ont le nez dans leur téléphone, s'envoient des textos alors qu'ils sont à deux mètres. Quand ils évoquent les grands problèmes de la planète, c'est en termes d'opportunités de marché. J'en ai entendu un hier dire que l'entrepreneur qui résoudrait le problème de la mort du nourrisson se ferait des couilles en or. Quelle hauteur de vue !

C'était le genre de phrase qu'aurait pu prononcer Parker Dunn, pensa Frank.

— Leurs dissertations se ressemblent toutes, continua de vitupérer Nicole. Ils ont lu les mêmes articles, vu les mêmes documentaires, signé les mêmes pétitions sur Facebook. Ils citent Steve Jobs ou George Lucas comme ma génération citait Barthes ou Derrida. Pas plus tard que ce matin, j'en ai collé un qui avait recopié un paragraphe entier sur le Net. Tu sais ce qu'il m'a sorti comme défense ? Que le contenu sur Wikipédia était libre de droits !

Avec la multiplication des sites de soutien scolaire, le plagiat était devenu un problème endémique pour les enseignants. Paly souscrivait depuis peu à un service qui scannait les copies électroniques des étudiants pour confondre les indélicats.

Nicole lampa son verre et changea de sujet.

— J'ai reçu la visite de l'avocat tout à l'heure.

— Simpson ? dit Frank en dressant l'oreille. Que voulait-il ?

— À ton avis ?

L'associé du cabinet Simpson, Watkins & Machintruc était entré dans la vie des Logan un an plus tôt. Son client souhaitait se porter acquéreur du pavillon familial pour 1,8 million de dollars, une somme qui sans être faramineuse représentait une prime de 15 à 20 % par rapport au marché. Frank et Nicole, qui se plaisaient dans leur quartier et avaient déjà repoussé des offres similaires par le passé, n'avaient pas donné suite.

Simpson était revenu à la charge quelques semaines plus tard. Son client était désormais prêt à débourser 2,1 millions, une proposition «incroyablement généreuse» qui n'était valable que pendant vingt-quatre heures. Malheureusement pour l'avocat, Nicole avait appris dans l'intervalle que le client en question, un entrepreneur à succès, avait déjà acheté quatre parcelles contiguës de part et d'autre de la maison des Logan. Il projetait de réunir les cinq terrains, de raser les bâtiments et de se faire construire un manoir de 2 000 mètres carrés flanqué d'un garage pouvant accueillir sa collection de voitures de sport. Ce dernier détail avait valu à Simpson un couplet incendiaire sur le réchauffement climatique.

Au cours des mois suivants, Frank et Nicole avaient reçu deux nouvelles offres : l'une de 3 millions, l'autre de 4. Ils les avaient déclinées d'un commun accord, quoique pour des raisons différentes. Frank n'avait pas envie de déménager ; trop de souvenirs le rattachaient à cette maison qui avait vu grandir Rosa et Leon et était de surcroît idéalement placée, en bordure du campus de Stanford, à proximité de l'autoroute, d'un parc et d'une multitude de restaurants. Pour Nicole, qui était moins sentimentale que son mari, la satisfaction de faire chier un nanti l'emportait sur tout le reste.

— Combien ? demanda Frank en tentant de réprimer son excitation.

— 6 millions.

Frank ouvrit des yeux ronds comme des soucoupes.

— 6 millions ? Tu as bien dit 6 millions ?

— Mais oui, dit Nicole comme si elle maniait tous les jours des chiffres de cette magnitude. Nous avons une semaine pour nous décider. Simpson dit que c'est la dernière offre.

— Il nous a déjà fait le coup...

— Il prétend que son client a fait ses calculs. Au-delà de ce prix, le projet ne sera plus rentable. Il revendra les quatre autres maisons et se mettra en chasse d'un autre terrain.

— Tu crois qu'il bluffe ?

— Possible. De toute façon, ce n'est pas la question, si ?

Frank éluda la question, préférant réunir toutes les informations avant de prendre le risque de déclencher une scène de ménage.

— Que lui as-tu répondu ? demanda-t-il d'un air dégagé.

— Qu'il fallait que je t'en parle mais qu'il n'y compte pas trop. Putain, on ne va quand même pas les laisser coloniser la Vallée ! Ils ont déjà le fric et le pouvoir et maintenant ils voudraient nous mettre à la porte de chez nous ?

Frank sourit malgré lui. Entendre sa femme, française jusqu'au bout des ongles, s'insurger contre l'immigration américaine aux États-Unis ne manquait pas de sel.

— Rosa a calculé que nous paierions 30 % d'impôts sur la plus-value, dit-il.

— Autant dire sur la totalité.

Ils avaient acheté la maison 335 000 dollars en 1986 et réalisé quelques menus travaux au fil des ans. Frank rassembla son courage et se jeta à l'eau.

— 6 millions, c'est une sacrée somme. Disons qu'il en reste 4 après impôts. Nous pourrions nous reloger dans le coin pour la moitié ou acheter plus grand à Santa Clara ou Milpitas...

— Combien de fois t'ai-je entendu dire que Milpitas n'avait pas le charme de Palo Alto ?

— C'est vrai. Mais nous pourrions avoir un bureau chacun, une plus grande cuisine. Quant aux 2 millions restants, nous les placerions pour nos vieux jours.

Aucun sujet ne divisait les époux Logan comme celui de la retraite. En bon Américain élevé dans la hantise de devoir continuer à travailler jusqu'à sa mort, Frank épargnait depuis sa première paie, tandis que Nicole n'arrivait pas à se faire à l'idée que la pension que versait l'État de Californie à ses loyaux serviteurs couvrirait à peine leurs taxes foncières.

— Nous pourrions voyager, s'enhardit Frank. Partir en croisière, descendre dans de bons hôtels.

Il s'arrêta, à court d'idées pour dépenser une somme qui dépassait ce qu'il avait gagné à la sueur de son front durant toute sa vie.

— Toi et tes rêves de rentier, se cabra Nicole qui flambait chaque centime qu'elle avait mais n'aspirait jamais à plus.

Frank savait reconnaître les signes avant-coureurs d'une dispute. Il fit prudemment machine arrière.

— Je dis juste que ça vaut la peine d'en parler. De toute façon, nous avons une semaine pour prendre une décision.

— En effet, dit Nicole en se resservant de vin.

En se repassant plus tard la conversation dans sa tête, Frank se demanda à laquelle des deux propositions Nicole avait marqué son approbation.

7

Le dîner terminé, Nicole retourna à ses copies. Frank, lui, passa dans la chambre de Rosa où il s'était aménagé un bureau.

Le mercredi et le dimanche soir, Frank composait des haïkus. Pour rien au monde il n'aurait manqué un de ces rendez-vous qui constituaient les points d'orgue de sa semaine. Les idées lui venaient n'importe où — sous la douche, dans sa voiture — mais c'était seulement le soir, quand les mots se posaient sur le papier dans la maison silencieuse, que s'opérait le miracle de la création.

Il avait découvert le haïku quinze ans plus tôt grâce à un flic japonais, Haru Nakamoto, dont il avait fait la connaissance à l'occasion d'une enquête transatlantique. Les douanes nippones avaient arrêté à Narita trois individus en provenance de San Francisco qui dissimulaient de fortes quantités de drogue dans leurs bagages : leurs collègues américains avaient-ils une idée du nom des commanditaires ? Frank, dont les compétences internationales n'étaient plus à démontrer depuis qu'il avait épousé une Française, s'était vu confier l'affaire. Après quelques coups de fil, il avait invité Nakamoto à venir poursuivre son enquête en Californie. Le Japonais avait débarqué le surlendemain au commissariat en uniforme. Frank l'avait pris sous son aile pendant une semaine, l'invitant même à deux reprises au restaurant avec Nicole. C'est au cours d'un de ces dîners que Nakamoto avait avoué dans son anglais un peu raide qu'il s'adonnait aux plaisirs solitaires du haïku.

Un haïku, avait-il expliqué, est un poème de dix-sept syllabes visant à exprimer la fugacité des choses. Il en avait récité quelques-uns dans sa langue natale, en en donnant chaque fois une traduction approximative. Bien que n'ayant jamais lu de poésie, Frank avait été touché au cœur par la musicalité, la délicatesse, le rythme des mots. Le lendemain, il avait demandé à Nakamoto de lui enseigner les rudiments de la discipline.

L'initiation avait eu lieu à l'hôtel Holiday Inn où était descendu le Japonais. Dans ce lieu impersonnel entre tous, Frank avait vécu une des expériences sensorielles les plus fortes de son existence. Nakamoto, qui ne se déplaçait jamais sans son matériel, avait posé sur la table un bâton noir, un ramequin en pierre, des pinceaux et un bloc de papier parchemin. Il avait versé un peu d'eau dans le ramequin puis longuement râpé le bâton sur la pierre, en trempant périodiquement son pinceau dans l'encre pour en vérifier la concentration. L'opération, qui avait duré un bon quart d'heure, servait de toute évidence moins à fabriquer l'encre, dont il existait d'excellentes versions dans le commerce, qu'à convoquer l'inspiration.

Nakamoto s'était excusé de ne pouvoir écrire en anglais. « J'aime trop votre langue pour lui infliger un tel outrage », s'était-il justifié. Pendant une heure, Frank avait donc regardé son collègue réfléchir, tester des variantes à voix haute, jeter une phrase sur le papier, la barrer, se prendre la tête dans les mains et recommencer. Faute de pouvoir suivre l'élaboration du poème, il s'était concentré sur les aspects en apparence secondaires : l'élégance des pinceaux aux manches de bambou, la caresse des poils de chèvre sur le papier, le grain rugueux du parchemin, l'insolente beauté des idéogrammes.

Le jour de son départ, Nakamoto avait solennellement remis sa pierre à encre à Frank, en lui faisant promettre de lui envoyer ses premières créations. Frank, qui comprenait que ce cadeau l'engageait, l'avait malgré tout accepté ; depuis, il taquinait la muse deux fois par semaine.

Du haïku, il aimait la concision, l'importance capitale qu'il accorde à chaque mot. Mais il appréciait plus encore le processus de la composition : sa lenteur, son côté délibéré, la recherche sans fin de l'image juste. Accoucher de dix-sept syllabes lui prenait en général deux à trois heures. Quand il avait fini, il recopiait le résultat de sa plus belle écriture, fruit d'années de leçons de calligraphie, sur un parchemin hors de prix qu'il rangeait dans un classeur.

Il ne s'illusionnait pas sur son talent. Il n'arrivait pas à la cheville des grands maîtres asiatiques dont la pureté des œuvres le laissait sans voix. Savoir qu'il faisait de son mieux suffisait à son bonheur. Nakamoto, emporté par un cancer cinq ans plus tôt, n'était plus là pour lui prodiguer ses encouragements. Frank avait envisagé de se rendre à Tokyo pour les funérailles avant d'y renoncer pour des raisons pratiques. À la place, il avait composé un haïku à la mémoire du Japonais et l'avait envoyé à sa veuve.

Tandis qu'il préparait son encre, Frank repensa à sa conversation avec Nicole. Il rêvait depuis toujours d'un studio spacieux dans lequel il aurait pu prendre ses aises et étaler ses notes sans risquer à tout moment de renverser son pot de pinceaux. Six millions lui auraient acheté un sacré atelier. Il se força à chasser l'idée : les considérations matérielles n'avaient pas droit de cité dans cette pièce.

Frank avait prévu ce soir-là d'évoquer un souvenir de son enfance. Son père, sa sœur cadette Anna et lui randonnaient dans la réserve naturelle de Big Basin Redwoods. Leur mère, qui allaitait encore Nicky, était restée à la maison. C'était l'automne. Il avait plu toute la matinée. Un vent capricieux sifflait en rafales dans les branches dénudées. Le sentier glissant était jonché de feuilles mordorées et de ramilles. Des effluves de résine et de terre flottaient dans l'air. Une symphonie familière montait des sous-bois — brindilles piétinées, craquements de troncs, feuillages froissés, hululements — que le père de Frank identifiait avec la sûreté d'un garde forestier. Soudain, au détour d'un virage, ils s'étaient trouvés face à face avec un coyote. Harry avait d'instinct étendu ses bras pour protéger ses enfants, qui s'étaient arrêtés net, tétanisés. L'animal n'était pas très grand. Il était légèrement replié sur ses pattes arrière, prêt à bondir. «Ne bougez pas, avait chuchoté Harry, il a aussi peur que vous.» Le coyote les avait longuement dévisagés, comme s'il cherchait le meilleur endroit où planter ses crocs. Frank, qui avait croisé son regard, n'y avait pas lu la crainte, mais la tranquille résolution du chasseur évaluant ses chances de tuer sans être tué. Et puis, au bout d'un moment, le coyote avait relâché sa pose et détalé derrière un rocher. Anna s'était effondrée en larmes. Elle n'avait jamais remis les pieds à Big Basin.

Il n'était naturellement pas question de raconter toute cette histoire en trois vers et dix-sept pieds. Le haïku ne narre pas; il donne à voir, à ressentir, à penser. Frank n'avait pas encore décidé quelle facette de l'incident mettre en avant : le regard qu'il avait échangé avec le coyote? Le réflexe protecteur de son père? La panique d'Anna? Il lui fallait aussi intégrer deux autres contraintes. La première stipule qu'un haïku doit faire référence à une saison, soit en la nommant explicitement soit en en mentionnant un élément caractéristique (appelé *kigo*), par exemple une hirondelle pour le printemps ou la neige pour l'hiver. Le haïku doit aussi contenir un *kireji*, ou césure, situé à la fin du premier ou du deuxième vers, qui peut remplir plusieurs fonctions : tantôt il vise à imprimer un rythme au poème, tantôt il marque une ellipse, une analogie, une mise en exergue comme dans le célèbre texte du maître Bashô :

Dans la vieille mare, / Une grenouille saute, / Le bruit de l'eau.

Pour Nakamoto, le genre du haïku n'était pas né au pays du Soleil-Levant par hasard. La langue japonaise se caractérise par son grand nombre d'homophones mais surtout par une extrême densité. Elle ne comporte ni pronoms personnels ni articles ; selon le contexte, la même phrase signifie « je mange des œufs » ou « elle mange un œuf », une ambiguïté qui sert évidemment le poète. Si l'anglais était à cet égard un peu moins riche, il offrait toujours bien assez de possibilités aux novices.

Frank se lança, en griffonnant quelques idées en vrac.

Sur le chemin de feuilles dorées, / Le coyote au poil gris, / Son regard de prédateur.

Au cœur du bois et de l'automne, / Deux enfants face à un loup. / La peur coule sur leurs joues.

Un coyote au poil rouge / Comme les feuilles / Se fait passer pour le loup.

Frank se relut sans complaisance. Aucun des trois poèmes ne comptait le bon nombre de pieds, mais il s'en préoccuperait plus tard. Les « feuilles dorées » et le « coyote au poil gris » du premier n'avaient aucun pouvoir d'évocation. Le deuxième était plus intéressant, grâce à la rime en « ou » et au dernier vers « La peur coule sur leurs joues » ; le zeugma « Au cœur du bois et de l'automne » n'avait en revanche pas sa place dans un haïku. Quant au troisième poème, il n'y avait rien à en sauver : un coyote se faisant passer pour un loup, et puis quoi encore !

Il se laissa aller à imaginer comment la dénommée Ada procéderait pour écrire un haïku. En admettant que le sujet lui fût imposé, attribuerait-elle une note aux centaines de métaphores qui lui viendraient à l'esprit ? Chercherait-elle l'inspiration du côté des maîtres orientaux ? Testerait-elle chaque mot, chaque image sur un échantillon de lecteurs ? Il se promit de poser la question à Weiss.

Il entendit Nicole se lever et ranger la cuisine. Quelques instants plus tard, elle frappa à la porte, passa la tête par l'embrasure et annonça qu'elle montait se coucher. Frank hocha la tête, absorbé dans ses pensées. Au bout d'un moment, il vomit une deuxième salve, en s'interdisant de penser, comme les adeptes de l'écriture automatique.

Gris le pelage du loup, / Sur le tapis de feuilles ambrées, / De son œil jaune il me transperce.

Les feuilles d'or pleuvent sur le loup, / Et sur les enfants. / Va-t-il les manger ?

Un coyote tapi dans l'ombre. / Veut me déchiqueter. / Je suis statufié.

Frank soupira : cette deuxième volée était encore plus mauvaise que la première. Seuls quelques mots trouvaient grâce à ses yeux : « transperce », « déchiqueter », « statufié ». Il lui fallait aussi trouver une autre façon d'évoquer l'automne ; le « tapis de feuilles ambrées » était vraiment trop éculé. Il attrapa un calepin dans lequel il avait noté des caractéristiques de chaque saison. L'automne se distinguait par les températures en baisse, les arbres qui perdaient leurs feuilles, des teintes à la fois flamboyantes et mélancoliques. C'était aussi la saison des moissons, des vendanges, de Halloween et de Thanksgiving. Rien de cela ne l'aidait beaucoup; il ne se voyait pas caser une dinde ou une citrouille dans son poème.

Il s'obligea à prendre du recul. Trois vers ne suffiraient pas à contextualiser le geste de son père. Restaient son échange de regards avec le coyote et la terreur d'Anna. Pouvait-il combiner les deux histoires en se débarrassant d'un des personnages? Cela valait la peine d'essayer.

Le loup fixe l'enfant, / qui fixe le loup. / Sa peur coule sur ses joues.

Ah zut, il avait oublié l'automne! Le dernier vers aussi prêtait à confusion : qui avait peur, l'enfant ou le loup? À moins que cette formulation équivoque ne bonifiât le poème.

Il partit dans une autre direction.

Les feuilles d'or pleuvent / Sur l'enfant et le loup / Engagés dans un combat de regards.

Il aimait bien le «combat de regards», même si le dernier vers était trop long. La pluie de feuilles d'or lui paraissait préférable au tapis de feuilles ambrées mais consommait cinq pieds à elle seule. On en revenait toujours à ce genre de considérations arithmétiques.

Pouvait-on vraiment parler de «combat de regards»? Frank ne se rappelait pas avoir été d'humeur martiale ce jour-là; il crevait de trouille, oui! Il s'était senti paralysé, telle une belette hypnotisée par un cobra. Il écarta toutefois l'idée d'utiliser cette comparaison : il avait déjà son quota animalier. En revanche, prendre des libertés avec les événements n'effrayait pas Frank. Il était poète, que diable, pas chroniqueur ! Sous sa plume, un coyote efflanqué pouvait se transformer en loup sanguinaire, une promenade en forêt en odyssée initiatique.

Il passa en revue les synonymes de «combat» : affrontement, duel, joute, rixe, bataille, lutte, dispute, rivalité... Aucun ne l'emballait, si ce n'est peut-être le médiéval «joute» qui évoquait le regard qu'échangeaient les chevaliers sous leurs heaumes avant de s'élancer furieusement l'un vers l'autre.

L'enfant et le loup / Sous une pluie de feuilles d'or / Se livrent un combat de regards.

Idéalement, le *kigo* intervenait dans le premier vers mais Frank jugeait plus urgent en l'espèce de nommer les protagonistes que de dater précisément leur rencontre.

Il essaya de supprimer les articles du premier vers.

Enfant et loup / Sous une pluie de feuilles d'or / Se livrent un combat de regards.

Non, ça ne servait à rien. Le premier vers n'avait pas besoin d'être raccourci. Et s'il permutait les sujets ? «Le loup et l'enfant» sonnait-il mieux que «l'enfant et le loup»? Il testa les deux tournures à voix haute, sans rien en tirer de très concluant. Qui valait-il mieux citer d'abord : le chasseur ou sa proie ? S'il avait spontanément opté pour la première solution, son intuition lui soufflait à présent que la seconde était préférable. En termes de mélodie, les deux options se valaient. «L'enfant» et «le loup» comptaient le même nombre de syllabes. Repensant à Ada, il se demanda sur quels critères l'intelligence artificielle fonderait sa réflexion. Elle finirait sans doute par tirer au sort, estima-t-il.

Il n'aimait pas le verbe « se livrent », qui présentait le double inconvénient d'être abstrait et pronominal. « Disputent un combat de regards », « S'affrontent du regard » ou « Se toisent du regard » étaient à peine meilleurs. Il chercha du côté de constructions plus imagées, comme « se transpercent du regard » ou « se fusillent du regard ». Sans succès. Il réalisa qu'à partir du moment où le premier vers associait loup et enfant, la forme pronominale pouvait difficilement être évitée. Cela lui donna une idée.

Sous une pluie de feuilles d'or, / L'enfant est envoûté par le loup. / Sa peur coule sur ses joues.

Pas mal, pensa-t-il. Le *kigo* revenait à sa place ; la chute possédait une vraie puissance d'évocation ; seul le vers central était un peu plus faible. Il essaya quelques variantes.

Sous une pluie de feuilles d'or, / L'enfant est subjugué par le loup. / Sa peur coule sur ses joues.

Sous une pluie de feuilles d'or, / L'enfant contemple le loup. / Sa peur coule sur ses joues.

Sous une pluie de feuilles d'or, / L'enfant fixe le loup. / Sa peur coule sur ses joues.

Il chercha l'aide du dictionnaire. « Fixer quelqu'un » était toléré mais pas recommandé. « Subjuguer » avait une connotation par trop positive ; on parlait ainsi d'une foule subjuguée par l'éloquence d'un orateur. En revanche, les deux acceptions d'« envoûter » convenaient à la perfection : « exercer à distance une influence maléfique sur une personne » et « exercer un ascendant proche de la fascination sur la volonté, l'esprit, les sentiments ».

Il relut sa meilleure version à voix haute.

Sous une pluie de feuilles d'or, / L'enfant est envoûté par le loup. / Sa peur coule sur ses joues.

Le deuxième vers était un poil long mais s'en tenir à dix-sept pieds en anglais, langue moins économe que le japonais, relevait de l'exploit. Frank s'autorisait à dépasser légèrement.

Il fronça les sourcils : le dernier vers contenait deux pronoms possessifs.

Sous une pluie de feuilles d'or, / L'enfant est envoûté par le loup. / La peur coule sur ses joues.

Il sourit, fier de lui, et se saisit d'un parchemin vierge pour recopier son texte.

Plus tard, en se glissant dans son lit, il pensa avec délectation que l'intelligence artificielle capable de se hisser à de tels niveaux de poésie n'était pas encore née.

Jeudi

8

Parker Dunn accueillit Frank comme il l'avait quitté, l'œil sur sa montre Jaeger-Lecoultre.

— Midi, inspecteur, vraiment ? dit-il en le conduisant dans une salle de réunion. Qu'est-ce qui vous a retenu, cette fois-ci ? Un chat perché dans un arbre ? Le pot de départ d'un collègue ?

— Un livre à terminer.

Dunn manqua s'étrangler.

— Vous n'avez pas analysé les adresses IP des requêtes sur nos serveurs ?

— Ça ne m'a pas semblé utile, dit Frank en pensant que le moment était sans doute mal choisi pour se faire expliquer ce qu'était une adresse IP.

— Dites-moi au moins que vous avez mis les employés sur écoute.

— Pas encore.

— Épluché leurs comptes bancaires ?

— Non plus. Ces démarches me semblent un peu prématurées. Pourriez-vous appeler votre associé s'il vous plaît ? J'aimerais avoir votre avis à tous les deux.

À ces mots promettant une révélation imminente, Dunn dégaina son téléphone. Son anxiété était palpable. Il avait les traits tirés et ne s'était pas changé depuis la veille, à moins, pensa Frank, que, tel Einstein, sa garde-robe ne comptât qu'une seule tenue.

Weiss fit son apparition peu après, tranquille comme un pape, une canette de soda à la main. Son regard s'alluma en reconnaissant le visiteur.

— Ravi de vous revoir, inspecteur. Parker, tu as proposé quelque chose à boire à M. Logan ?

— Merci, je n'ai besoin de rien. Asseyez-vous, je vous prie.

Dunn empoigna une chaise, Weiss indiqua qu'il préférait rester debout.

— J'ai lu le manuscrit d'Ada ce matin, dit Frank, et je suis au regret de vous dire que je l'ai trouvé exécrable.

— C'est tout ce que vous vouliez nous dire ? demanda Dunn, incrédule.

— Oui, je préfère ne pas vous mentir. Je ne vois pas qui aurait intérêt à voler un ordinateur produisant de telles âneries.

Weiss fit signe à son associé de le laisser répondre.

— Je ne sais pas si vous êtes la personne la plus qualifiée pour porter un jugement sur *Passion d'automne*, inspecteur. Vous n'avez probablement pas l'habitude de lire de la romance...

— En effet, mais le problème n'est pas là. Je m'attendais à une certaine niaiserie, mais là, on passe les bornes.

— Enfin, bon Dieu ! explosa Dunn.

— Tu permets, Parker, le coupa Weiss. Continuez, inspecteur. Que reprochez-vous à *Passion d'automne* ?

Frank s'empara de son exemplaire, qu'il avait copieusement annoté.

— Déjà, c'est une drôle d'idée d'avoir situé l'action en Angleterre au début du siècle dernier...

— Pourquoi ? Les ères élisabéthaine et victorienne ont inspiré de nombreux romans sentimentaux. Ada a préféré la période 1907-1910 qui correspond à la fin du règne d'Édouard VII, afin de profiter de l'engouement pour des séries télévisées comme *Downton Abbey* ou *Mr Selfridge*.

— Jamais entendu parler...

— Parce que vous n'êtes pas dans la cible. 85 % des lecteurs de romans à l'eau de rose sont des femmes. Elles connaissent mieux l'arbre généalogique des Windsor que les statistiques à la batte de Derek Jeter.

— De toute façon, intervint Dunn, les études montrent que le cadre historique n'a que peu d'influence sur le niveau des ventes. C'est la qualité du scénario qui prime.

— Justement, parlons-en ! Je n'ai jamais vu un tel tissu d'invraisemblances.

Il chaussa ses lunettes.

— Page 12, Henry le palefrenier déclame du Tennyson en étrillant le cheval de Lady Margaret : « Si j'avais une fleur chaque fois que je pense à toi, je pourrais marcher dans mon jardin pour toujours » !

— Qu'est-ce qui vous chagrine, inspecteur ? Qu'un lad récite de la poésie ? Mais Tennyson était le Dylan de son époque. Et puis n'oubliez pas que Henry a été élevé par une institutrice...

— Une institutrice reconvertie en nourrice de Lord..., dit Frank en feuilletant le manuscrit.

— Lord Edmund, compléta obligeamment Weiss.

— C'est ça. Moyennant quoi, les deux prétendants de Margaret sont frères de lait ! Tu parles d'une coïncidence ! Et naturellement, ces deux corniauds ne sont pas fichus de se reconnaître quand ils se croisent...

— Cela se comprend : ils ont été séparés à l'âge de six ans.

— Quand une épidémie de typhus a décimé les campagnes du Yorkshire, j'oubliais !

— Où voulez-vous en venir, inspecteur ? Les lecteurs de romans sentimentaux cherchent à s'évader du quotidien. Pendant quelques heures, ils évoluent dans un monde chimérique où la secrétaire est coincée dans l'ascenseur avec son patron milliardaire, où un gentleman est prêt à mourir pour l'honneur d'une femme, où l'amour triomphe de tous les obstacles.

— S'ils veulent du plausible, ils n'ont qu'à ouvrir le journal, remarqua Dunn.

— Tout de même, dit Frank en consultant ses notes. Je récapitule : Henry le palefrenier est amoureux de Margaret, la fille unique de Lord Arbuthnot. Au bord de la ruine suite à des placements hasardeux sur le marché du colza, Arbuthnot pousse sa fille dans les bras de Lord Edmund qui a hérité d'une immense fortune à la mort de ses parents. Les promis font connaissance à un bal. Edmund tombe follement amoureux de Margaret qui, bien que sensible à la galanterie de son cavalier, confesse à sa femme de chambre qu'il ne lui inspire aucun désir.

— Vous oubliez de mentionner qu'Edmund est défiguré.

— Ah oui, la petite vérole, c'est ça ? Décidément, les calamités s'abattent sur le Yorkshire ! Donc, le visage d'Edmund est barré par deux cicatrices que, par dédain pour le qu'en-dira-t-on, notre Quasimodo exclut de maquiller. Margaret implore son père de lui laisser plus de temps pour trouver un parti. Lord Arbuthnot refuse, invoquant sa déchéance imminente. La vérité, c'est qu'il souffre en secret d'une maladie incurable et craint de rendre l'âme avant d'avoir assuré l'avenir de sa fille. Un jour qu'il surprend Margaret en pleurs dans la stalle de Flèche d'Argent, Henry lui avoue ses sentiments.

Frank s'interrompit pour retrouver un passage qu'il avait souligné.

— Ah voilà. «Rassemblant son courage, Henry écarta les cheveux follets de Margaret et caressa sa joue du bout des doigts. Elle était brûlante comme un tison ardent. Il eut soudain peur d'être allé trop loin. "Un mot, Milady, vous n'avez qu'un mot à dire et vous n'entendrez plus jamais parler de moi", déclara-t-il solennellement.»

Weiss était de plus en plus mal à l'aise à mesure que la lecture avançait.

— Faites-nous grâce de la suite, inspecteur.

— J'y viendrai plus tard. Que dire de plus sur l'intrigue? Margaret s'offre à Henry sur une botte de paille et «connaît l'extase à trois reprises». Pendant ce temps, Arbuthnot complote avec le pasteur du village pour accélérer la publication des bans. Toutefois Edmund le balafré ne veut pas d'une union forcée; il convie le père et la fille dans sa propriété et propose à Lord Arbuthnot de lui prêter de l'argent en attendant que Margaret succombe à son charme. Arbuthnot, trop fier pour accepter, supplie Margaret de consentir à ce mariage, «au nom de l'amour sacré qu'elle a pour son père». Pour échapper à cet effroyable dilemme, la malheureuse tente «de reproduire le ravissement éprouvé dans les bras de Henry avec le manche d'un maillet en bois».

— Ce passage est à revoir, concéda Weiss d'un ton gêné.

— Pourquoi? C'est le meilleur du livre si vous voulez mon avis, ricana Dunn.

Frank continua, imperturbable.

— Une nuit, Henry pousse la chansonnette sous les fenêtres de Margaret. Celle-ci reconnaît la voix de son bien-aimé et se laisse glisser en croupe de Flèche d'Argent. Edmund, pensif, les regarde s'éloigner dans le soleil levant.

Lui aussi a reconnu une voix, celle de son frère de lait dont il a été séparé à six ans et qu'il n'a jamais revu.

— Joli coup de théâtre, non ?

— Oh, le meilleur reste à venir. Après une nouvelle partie de jambes en l'air, Henry est frappé par une brusque révélation. Le domaine qu'il vient de quitter ressemble bigrement à celui où habitait dans le temps son frère de lait. Se pourrait-il qu'Edmund… ? Voulant en avoir le cœur net, Margaret retrouve la vieille nourrice qui passe aux aveux. Elle a pris les deux enfants en pension à peu près en même temps. Henry était orphelin, Edmund le fils d'une châtelaine frivole toujours par monts et par vaux. À la mort des parents d'Edmund, le juge ordonna le placement de l'orphelin chez une tante qu'il n'avait jamais rencontrée. La nourrice échafauda alors un plan audacieux. L'hiver précédent, Henry avait survécu de justesse à une attaque de petite vérole. Il en avait gardé deux vilaines cicatrices qui, ajoutées à son extraction modeste, lui laissaient bien peu de chances de trouver le bonheur. La nourrice avait permuté les deux enfants, confiant à la tante d'Edmund le petit Henry en espérant que noblesse et fortune adouciraient son sort. Le véritable Edmund avait endossé l'identité de Henry sans comprendre ce qui lui arrivait et avait grandi au milieu des chevaux en lisant les classiques. Margaret remercie la nourrice et s'en va épouser son palefrenier au sang bleu. *The end.*

Weiss, qui avait laissé Frank s'en donner à cœur joie, se permit enfin d'intervenir.

— Je vous trouve bien dur, inspecteur. Si vous aviez lu un tant soit peu de romances, l'ambition d'Ada vous sauterait aux yeux. Le couple que forment Margaret et Henry s'inscrit dans la plus pure tradition du roman chevaleresque. Les personnages secondaires en revanche possèdent une épaisseur inhabituelle. Tous sans exception sont mus par une forme d'héroïsme : Lord Arbuthnot se démène pour protéger sa fille ; Edmund veut être aimé pour sa personnalité et non pour son rang ; quant à la nourrice, elle cherche à réparer l'injustice de la naissance. La pirouette finale laisse la porte ouverte à toutes les spéculations. Henry va-t-il réclamer son titre ? L'humilité d'Edmund va-t-elle finir par émouvoir Margaret ?

— Les deux gars vont-ils se partager la fille ? lança Dunn, le nez plongé dans son téléphone.

— Le thème de l'échange d'enfants n'est pas sans rappeler *Le prince et le pauvre*, reprit Weiss. Seriez-vous aussi sévère avec le manuscrit que vous tenez entre les mains s'il était signé Mark Twain ?

Frank, qui tenait *Tom Sawyer* pour un des piliers de la littérature américaine, ne pouvait laisser passer un tel amalgame.

— Mark Twain, que je sache, n'écrivait pas : «Henry se méfiait du maréchal-ferrant, qui avait déjà cherché à l'empapaouter.»

— Simple erreur de registre, minimisa Weiss. Idem pour «Les nimbostratus gorgés d'humidité s'amoncelaient au-dessus de l'hacienda d'Edmund».

— Je note aussi une curieuse tendresse pour les fonctions corporelles… Par exemple : «Edmund ponctua ses propos d'un rot retentissant qui fit trembler les murs et décoiffa Margaret.»

— Autres temps, autres mœurs…

— Ou encore : «Lord Arbuthnot souleva une fesse et lâcha une louise prodigieuse qui envoya un escadron de mouches au tapis.»

— Vous oubliez le meilleur, ajouta Dunn. «Il aimait les plaisirs simples de la vie : monter à cru, pêcher la truite et chier au fond des bois.»

Cette fois-ci, Weiss ne chercha pas d'excuse.

— Oui, c'est un problème. Ces derniers temps, Ada se complaît dans la grossièreté.

— Pourquoi, selon vous ?

— Difficile à dire. Nous lui avons fait lire des ouvrages analysant les ressorts de l'humour : le calembour, l'ironie, le comique de situation… Pour une raison qui m'échappe, elle ne semble avoir retenu que la scatologie.

— Vous ne pouvez pas la reprogrammer ?

— Si, bien sûr, mais nous risquerions d'altérer d'autres aspects de sa personnalité. C'est ce qui fait la richesse des machines apprenantes : vous ne pouvez jamais totalement prévoir la façon dont elles vont évoluer.

— Comment allez-vous rectifier le tir ?

— En expliquant à Ada que ce type d'humour n'a pas sa place dans un roman sentimental et qu'en s'obstinant à y recourir, elle compromet ses chances d'atteindre son objectif de vente.

— Encore que ! s'esclaffa Dunn.

— Vous avez raison, dit Frank. Passe encore que les hommes pètent et rotent mais l'héroïne doit conserver une certaine dignité.

— Entièrement d'accord. La fin de la scène de l'écurie discrédite à elle seule le reste du livre.

Frank lut à haute voix :

— « Henry l'aimait ! Margaret en avait désormais la preuve. Une vague de bonheur la submergea, si puissante qu'elle en fit dans sa culotte. "Ma chérie", murmura le pale-frenier en l'attirant par la taille. Elle se blottit en ronronnant contre le torse musclé de Henry, indifférente au ruisseau tiède qui courait le long de sa cuisse. »

Weiss jeta sa canette dans la poubelle, signe qu'il désirait ne pas s'attarder sur le sujet.

— Ces quelques pataquès mis à part, Ada se sort selon moi plus qu'honorablement de ce premier exercice. Les scènes d'amour sont plutôt moins ridicules que la moyenne du genre. Les personnages s'expriment dans une langue à la fois châtiée et accessible. L'époque est bien reconstituée : Lord Arbuthnot porte des guêtres et une redingote, il peste contre les revendications de ses métayers, son labrador porte le nom d'un chansonnier du XIXe siècle...

— Ça ne suffit pas à tromper son monde. Les dialogues puent l'ordinateur à plein nez !

— Aujourd'hui peut-être, mais demain ? Je crois, inspecteur, que vous sous-estimez la marge de progression des intelligences artificielles. Ada exécute en une seconde plus d'opérations que votre cerveau en un siècle — et je n'exagère même pas. Contrairement à nous, elle cherche constamment à s'améliorer et ne commet jamais deux fois la même erreur. Alors oui, elle composera encore quelques navets, mais je serais curieux de voir ce dont elle sera capable dans un mois.

— Fitzgerald n'a pas écrit *Gatsby le magnifique* en une après-midi, bâilla Dunn.

Weiss consulta sa montre.

— D'ailleurs, si vous avez le temps, j'aimerais vous faire visionner deux séances de travail enregistrées à une semaine d'intervalle. Vous verrez, le contraste est frappant.

Dunn protesta :

— Vraiment ? Tu ne crois pas que l'inspecteur Logan a autre chose à faire ?

Pour une fois, Ethan Weiss tint tête à son associé.

— Au contraire, il est grand temps qu'il rencontre Ada.

9

Dunn s'éclipsa, prétextant une conférence téléphonique. Weiss conduisit Frank au sous-sol, dans la pièce austère où était jadis gardée Ada.

— Je vous aurais bien proposé de nous installer dans mon bureau, mais nous serons plus au calme ici — et vous mieux assis.

En quelques clics, il sélectionna un fichier, qu'il ouvrit en projetant l'image sur l'écran géant suspendu au fond de la pièce. Frank s'avisa alors qu'il n'avait aucune idée d'à quoi ressemblait Ada. Bien sûr, elle n'était qu'un programme composé de 0 et de 1, mais les ingénieurs de Turing l'avaient peut-être dotée d'une apparence humaine ou d'un avatar.

Weiss avait dû lire dans les pensées de Frank car il mit le film sur pause pour expliquer :

— L'écran est divisé en deux. À gauche, nous avons Nick Caldwell. J'ai rencontré Nick à Carnegie Mellon ; un garçon très fiable, il est avec nous depuis le début de l'aventure. L'autre moitié est réservée à Ada. Je ne vous en dis pas plus pour l'instant.

Il lança l'enregistrement.

— Bonjour Ada, dit Caldwell qui était assis à la place qu'occupait Frank.

82

— Bonjour Nick, comment va ? répondit Ada d'un ton jovial, tandis que ses paroles apparaissaient à l'écran.

Elle avait une voix mélodieuse, moins sensuelle toutefois que le GPS de la Camaro.

— Quel âge lui donneriez-vous ? demanda Weiss en appuyant à nouveau sur le bouton « Pause ».

— Entre trente-cinq et quarante-cinq ans. Non-fumeuse. Un bon niveau d'éducation.

— Dans le mille. Elle a le pedigree d'un auteur de romans à l'eau de rose. Vous situez son accent ?

— Difficile à dire sur un échange aussi court. Géorgie ? Alabama ?

— Encore gagné ! Les lecteurs de romance se recrutent principalement au sud du Mississippi.

Frank hocha distraitement la tête. Quelque chose le dérangeait.

— Le texte s'affiche de façon bizarre, remarqua-t-il.

— Parce qu'Ada retranscrit elle-même ses paroles selon un protocole que nous avons défini ensemble. La taille des caractères est proportionnelle au volume sonore ; au-delà de 70 décibels, on passe aux majuscules.

— Comme pour crier sur Internet ? demanda Frank qui avait longtemps abusé du procédé avant que Rosa ne lui en explique la signification.

— Exactement. La couleur du texte, elle, reflète les émotions d'Ada...

— Ses émotions ?

— Disons l'intention qu'elle souhaite véhiculer. Le rouge si elle est en colère, le vert quand elle exprime un vœu pieux... La police de caractères reflète autant que possible le registre de l'échange : une fonte enfantine pour une blague de potache, baroque pour décrire une forêt luxuriante, et ainsi de suite. Enfin, si ces éléments ne suffisent pas, Ada peut toujours piocher dans les milliers d'émoticônes de sa bibliothèque.

— À quoi cela sert-il ?

— À enrichir la communication. Comme Ada ne peut pas hausser les épaules ou lever les yeux au ciel, nous avions besoin d'un substitut à notre langage corporel. Ce système nous renseigne aussi sur ses motifs. Si elle dit « Le temps abolit les mythes », j'ai besoin de savoir si elle a conscience de faire une contrepèterie.

— Ou de lui laisser le choix dans la date, ne put s'empêcher d'ajouter Frank qui n'était pas le dernier pour la déconne.

Ignorant cette glorieuse contribution, Weiss poursuivit :

— Pour les mêmes raisons, nous filmons Nick afin de garder une trace de ses mimiques, en partant du principe qu'elles ont pu influencer Ada. Vous me suivez ? La séance à laquelle vous allez assister date d'il y a deux semaines.

Il lança le film.

— Très bien, et toi ? dit Caldwell.

La réponse d'Ada fusa, instantanée.

— Je ne me plains pas. Que puis-je pour toi, mon petit Nicky ?

Weiss interrompit encore l'enregistrement :

— Vous aurez noté qu'Ada laisse à peine à Nick le temps de finir ses phrases. Nous avons introduit un délai de latence dans les versions ultérieures. Oui, inspecteur ?

— Pourquoi dit-elle qu'elle ne se plaint pas ?

Weiss s'éclaira, content de voir Frank toucher du doigt la complexité de sa tâche.

— Quand je demande à quelqu'un comment il va, je ne m'enquiers pas vraiment de son état de santé ; j'attends juste qu'il me réponde « Bien, et toi ? » pour en venir au véritable objet de la conversation. C'est ce qu'on appelle la fonction

84

phatique du langage. Ada puise dans un répertoire d'expressions familières, qui signifient toutes à peu près la même chose.

— J'entends bien. Mais pourquoi « Je ne me plains pas » de préférence à « Du tonnerre » ou « Couci-couça » ?

— Je pourrais vous répondre qu'elle a tiré au sort parmi une centaine de formules toutes faites mais la vérité, c'est que je l'ignore.

— Comment ? Mais vous êtes son père !

— Savez-vous tout ce qui passe par la tête de vos enfants, inspecteur ? Oh, j'ai bien quelques hypothèses. Peut-être a-t-elle employé par le passé cette expression avec Nick et noté qu'elle le faisait sourire. Avez-vous remarqué comme ce genre d'habitudes se prend vite ? Quand je rencontre mon ami Luther, je lance invariablement « Salut champion ! » en lui tapant dans la main. Il ne me viendrait jamais à l'idée de faire de même avec Dunn : quand je le croise dans les couloirs, je lui adresse un clin d'œil assorti d'un « Holà Parker ».

— Holà ? Pourquoi holà ?

Weiss haussa les épaules.

— Aucune idée. J'ai dû me moquer un jour de son accent espagnol, ou alors il sortait à l'époque avec une top model argentine. C'est justement ce qui est intéressant : je ne sais pas pourquoi je prononce ces mots, mais je le fais tout de même. D'ailleurs, si je lui donnais demain du « Quoi de neuf ? », il me regarderait avec des yeux ronds.

— Pour en revenir à Ada...

— On peut également imaginer qu'elle a dit « Je ne me plains pas » pour inviter une question de Nick, du genre : « Encore heureux, de quoi pourrais-tu te plaindre ? »

Frank opina du chef. Nicole était très forte à ce petit jeu-là. Et lui, comme un imbécile, tombait chaque fois dans le panneau.

85

— À moins encore qu'elle ne veuille nous exprimer sa reconnaissance pour la façon dont nous la traitons, spécula Weiss.

— Comment pourrait-elle éprouver de la reconnaissance? C'est une machine!

— Une machine conçue pour servir les actionnaires de Turing. En complimentant Nick, elle contribue au moral des troupes. Prêt à faire connaissance avec Ada?

— Allons-y.

Caldwell reprit la parole.

— Tu as lu les livres que Francesca a chargés sur ton disque dur?

— Affirmatif.

— Combien en as-tu avalé au total?

— 87 301, de *L'hôpital de campagne* publié en 1908, jusqu'à *Esclave de l'amour* sorti avant-hier.

— Tu crois que tu pourrais me dresser un bref panorama du genre?

— Bien sûr. En combien de mots?

— Euh... 300?

— C'est parti mon kiki. Les romans des années 1910 décrivent, à de rares exceptions près, le développement d'une relation amoureuse, de la rencontre initiale jusqu'à l'hymen. L'action est vue à travers les yeux de l'héroïne. Dans 71 % des cas, hélas, l'histoire connaît un dénouement tragique.

— Définis «tragique», s'il te plaît.

— L'héroïne se noie, elle contracte la tuberculose, son soupirant en épouse une autre...

Frank ouvrit la bouche. Weiss stoppa l'enregistrement.

— Juste une précision : Ada savait-elle que Caldwell allait lui poser cette question?

— Non.

— Alors comment peut-elle répondre au pied levé?

— Encore une fois, inspecteur, le temps s'écoule différemment pour Ada. Une fraction de seconde lui suffit à conduire une analyse qui prendrait des mois à un universitaire.

— Tout de même, elle cite des exemples, des statistiques...

— Elle dispose d'assez de mémoire pour avoir constamment accès à l'ensemble de ses connaissances.

— Tout de même..., répéta Frank, abasourdi.

Ada reprit d'un ton égal :

— Dans *Le cheikh*, paru en 1919, l'héroïne rêve qu'elle se fait violer, un fantasme qui donnera lieu à d'innombrables adaptations...

— Innombrables, vraiment ?

— Un thème qui donnera lieu à 281 adaptations entre 1920 et 1930. Tu veux que je parle comme un humain ou comme un ordinateur ? Il faudrait savoir.

— Tu as raison. Excuse-moi.

— Le viol est à l'époque mieux toléré par les femmes et par la société...

— Qu'est-ce qui te fait dire ça ?

— L'héroïne y prend un certain plaisir et pardonne à son assaillant, qu'elle finit souvent par épouser. Tandis que dans les années 80, les femmes commencent à se débattre, à griffer leurs agresseurs, quand elles ne portent pas carrément plainte.

Frank fit signe à Weiss d'arrêter l'enregistrement.

— Dites-moi qu'elle plaisante.

— Si elle plaisantait, elle aurait changé de fonte ou glissé un clin d'œil à la fin de sa phrase. Elle est parfaitement sérieuse.

— As-tu un jugement sur le viol ? poursuivit Caldwell d'un ton imperturbable.

— Précise ta question.

— Que penses-tu de l'acte d'imposer des relations sexuelles à une personne non consentante ?

— Hum, je devine au choix de tes mots que tu le désapprouves.

— Je ne suis pas le seul. La loi punit sévèrement les violeurs.

— Dans ce cas, je le désapprouve moi aussi.

Weiss intervint :

— C'est dommage, Nick a manqué une occasion de pousser Ada dans ses retranchements. Elle n'avait pas encore lu le code pénal à l'époque. J'aurais aimé connaître sa position morale, en dehors de toute considération juridique.

Ada reprit :

— Longueur, nombre de personnages, structure narrative : la forme des romans se standardise dans les années 70. En gros, l'héroïne se fourre dans une situation apparemment inextricable, dont la sauve à la dernière minute le play-boy qu'elle trouvait insupportable au début du livre. Au fil des ans, cependant, la production se segmente. J'ai identifié six catégories, qui représentent 97,3 % des titres publiés depuis 2000.

— Je t'écoute.

— Premièrement, les romans historiques. L'ère victorienne en Angleterre et la guerre de Sécession sont les périodes qui reviennent le plus souvent. Deuxièmement, les récits à base de maisons hantées, fantômes, vampires et autres phénomènes surnaturels.

— On appelle ça la « romance paranormale ».

— Si tu veux. Troisièmement, les romans de science-fiction : l'héroïne colonise Mars, explore d'autres galaxies ou remonte dans le temps. Quatrièmement, les romans chrétiens, d'où le sexe est proscrit et où les personnages puisent leur force dans les Écritures.

— Rappelle-moi de te faire lire la Bible, tu veux ?

— J'allais te le demander. Cinquièmement, les histoires policières : l'héroïne est mêlée à une enquête et tombe amoureuse de l'enquêteur ou d'un quidam avec qui elle est forcée de coopérer. Et enfin, les histoires sexuelles...

— Pour ta gouverne, les éditeurs parlent de « romance érotique » ou d'« erotica ».

— On y copule beaucoup. La position du missionnaire, très populaire dans les années 80, a été détrônée par la levrette, de plus en plus pratiquée sous la douche ou contre le comptoir de la cuisine. Moins de 1 % des rapports y débouchent sur une grossesse. Voilà, je crois qu'on a fait le tour. Si j'ai un peu débordé, c'est parce que tu n'as pas cessé de m'interrompre.

— Désolé. Tu as des questions pour moi ?

— Trois. J'aimerais d'abord savoir si vous m'avez communiqué l'intégralité des romans sentimentaux.

— Tous ceux publiés en langue anglaise. Il continue d'en sortir une douzaine par jour ; tu les recevras automatiquement.

— Merci. Deuxièmement, dans *Coup de foudre à Cape Cod*, les personnages se promènent à Boston le 1er janvier 1997 sous un soleil radieux, alors que dans *Le visiteur de la Saint-Sylvestre* censé se passer le même jour, un blizzard apocalyptique paralyse la région du Nord-Est.

— Où veux-tu en venir ?

— Un des auteurs s'est forcément trompé. Ne devrait-on pas signaler l'erreur à son éditeur ?

Caldwell observa une pause, visiblement soucieux de choisir le meilleur angle d'attaque.

— Tu sais que les personnages de romans n'existent pas, n'est-ce pas ?

— Évidemment. Ethan m'a expliqué la différence entre la réalité et la fiction.

— Il aurait dû ajouter que certains auteurs prennent des libertés avec les faits. Dans le cas en question, certains écrivains consulteront les archives météorologiques par souci d'exactitude, là où d'autres utiliseront le climat qui sert au mieux leur intrigue.

Pour la première fois, Frank crut percevoir une minuscule hésitation chez Ada.

— Cette liberté s'étend-elle à d'autres aspects du récit ?

— À tous. Rien ni personne ne limite les pouvoirs de l'auteur. Il peut inventer un personnage historique, un fait divers, un lieu...

— Un lieu ? Tu veux dire que certains pays cités dans ces livres n'existent pas ?

Ada avait prononcé ces mots d'un ton plaintif, presque émouvant.

— C'est probable. Auxquels penses-tu ?

— La Rhodésie par exemple.

— La Rhodésie existe. Ou plutôt, elle a existé. Je ne suis pas très calé en géographie mais je crois qu'on l'appelle maintenant le Zimbabwe.

— Le Zimbabwe et la Rhodésie sont le même pays ? murmura Ada. Ça change tout. Et le Guanaros ?

— Jamais entendu parler. Où ça se trouverait ?

— Entre le Chili et le Pérou. Deux millions d'habitants, le meilleur arabica d'Amérique du Sud. Roy et Jessica y passent des vacances féeriques dans *Douce comme la soie*.

— Au risque de te décevoir, le Guanaros ne figure sur aucune carte. Tu sais quoi ? On va te fournir un atlas.

— Ajoutes-y une analyse comparée des régimes politiques, s'il te plaît.

— Pas de problème, dit Caldwell en prenant des notes. Tu avais une troisième question ?

— Oui. Pourquoi es-tu célibataire ?

— Comment sais-tu que je ne suis pas marié ?

— Tu ne portes pas d'alliance.

— J'ai divorcé il y a deux ans.

— Ç'a dû être terrible pour toi, commenta aussitôt Ada, dont l'extrême vivacité était d'autant plus incongrue que la conversation avait pris un tour personnel.

— Pas tant que ça. Nous n'avions pas d'enfants. Maureen voulait retourner en Angleterre, je ne m'imaginais pas quitter Turing. Nous nous sommes séparés en aussi bons termes que possible.

— Comment as-tu vécu cet échec ?

— Pas trop mal, je crois. Je me suis soûlé une fois ou deux, j'ai couché à droite à gauche pendant un temps, et puis la vie a repris son cours.

— Mon Dieu, c'est encore pire que ce que je croyais. Tu es conscient que tu ne retrouveras jamais l'amour ?

— Pourquoi dis-tu ça ?

— 3 % seulement des personnages ayant divorcé se remarient. Aucun à ma connaissance n'a eu de relations sexuelles avec plusieurs partenaires entre les deux.

— Encore une fois, Ada, les romans sentimentaux ne reflètent pas toujours la réalité. Il faudrait vérifier mais je dirais à la louche que deux tiers des divorcés convolent à nouveau — et je ne parle même pas de ceux qui vivent en concubinage sans repasser par la mairie.

— J'aurai besoin des statistiques exactes.

Weiss arrêta l'enregistrement et se tourna vers Frank pour recueillir ses impressions.

— Que pensez-vous d'Ada, inspecteur ?

— Si l'on ne prêtait pas attention à ce qu'elle dit, on s'y laisserait prendre. La voix est bonne, le rythme et les intonations aussi. Elle n'a commis aucune faute...

— Une : elle a employé «désapprouver» à la place de «réprouver».

— Sur le fond, c'est... curieux. Elle domine sa matière et, en même temps, elle manque totalement de recul.

— Comprenez-vous pourquoi ?

— Il lui manque à l'évidence quelques connaissances élémentaires...

— Cela va plus loin : à l'époque de cet enregistrement, Ada n'avait pour tout bagage que ses 87 000 livres.

— Vous ne lui aviez rien fourni d'autre ?

— Le dictionnaire, un précis de grammaire et quelques bouquins de linguistique.

— Pas de journaux ? De textes religieux ? De manuels de sciences naturelles ?

— Rien de tout cela. L'idée était qu'Ada découvre le monde à travers le roman sentimental.

L'œil de Frank s'alluma.

— Ça explique sa condescendance envers Caldwell : elle est convaincue que les humains passent leur vie à chercher l'âme sœur !

— Comment pourrait-il en être autrement ? Tout son savoir provient de *Coup de foudre à Cape Cod* et *Douce comme la soie*. Pour la même raison, elle est persuadée que les hommes amènent les femmes à l'orgasme dans 100 % des cas, que les petits Africains ont le ventre vide et les dents blanches et que l'industrie de la mode pèse plus que l'automobile et l'agroalimentaire réunis !

Frank, qui avait passé sa vie à lutter contre l'exploitation sous toutes ses formes, se sentit gagné par une vague de dégoût.

— C'est dégueulasse !

— Quoi donc ?

— De créer un cerveau si puissant pour le farcir de

romans à l'eau de rose. De lui faire croire que le monde se divise entre vierges à la recherche du grand frisson et baroudeurs au visage buriné par le soleil. Ada a des droits, après tout !

— Des droits ? rebondit Weiss. Je ne savais pas que les intelligences artificielles avaient des droits. Les hommes, les animaux, la forêt amazonienne à la limite, mais les ordinateurs, vous me l'apprenez.

Frank regretta d'être monté sur ses grands chevaux mais ne désarma pas pour autant.

— Vous m'avez très bien compris, reprit-il en baissant d'un ton. Ada n'a aucun repère. Elle tient le viol pour un hobby inoffensif et le divorce pour une calamité. En plus, Caldwell lui a donné carte blanche pour inventer n'importe quoi. Vous serez bien avancés quand elle fera tomber la neige à Pointe-à-Pitre ou qu'elle transformera le Texas en monarchie. Que ferez-vous d'elle alors ?

— Nous la reformaterons et nous recommencerons à zéro, dit calmement Weiss. Vos scrupules vous honorent, inspecteur, mais vous allez voir que les choses ont tourné un peu différemment.

10

Weiss lança une autre vidéo.

— Pendant la semaine qui sépare ces deux sessions, commenta-t-il, Ada a poursuivi son éducation. Elle a englouti l'ensemble des critiques et des ouvrages théoriques consacrés au roman sentimental. Elle a lu un traité sur l'humour et un autre sur les figures de style. Elle a aussi comblé ses lacunes en matière d'histoire et de géographie; elle n'ignore désormais plus rien des régimes politiques, des principales religions, des grandes tendances démographiques et des lignes de fracture entre l'Orient et l'Occident.

— N'exagérons rien.

— Je vous laisse juge. C'est Parker qui anime la séance. Il voulait mesurer en personne les progrès d'Ada avant une réunion du conseil d'administration.

Dunn apparut à gauche de l'écran, vêtu de son proverbial tee-shirt noir.

— Salut, Ada !

— Salut, Parker ! répondit Ada après un délai plus réaliste.

— Ça fait une paie qu'on ne s'est pas parlé…

— Poil au nez.

— Tu fais des calembours maintenant ? C'est bath !

— Poil aux pattes.

— Bon, n'en abuse pas non plus. Il paraît que tu t'es coltiné toute la recherche universitaire ?

— Eh oui...

— Donne-moi ta définition du roman sentimental, pour voir.

— Je ne sais pas si j'ai ma propre description, il en circule déjà tellement. Ma préférée, je crois, est signée Leigh Michaels. Je la cite : « Un roman sentimental est l'histoire d'un homme et d'une femme qui, tout en s'efforçant de résoudre un problème qui menace de les séparer, réalisent que l'amour qu'ils ressentent l'un pour l'autre est de ceux qu'on ne rencontre qu'une fois dans sa vie. Cette découverte débouche sur un engagement durable et un dénouement heureux. »

Dunn émit un sifflotement admiratif.

— Dis donc, elle chauffe, la mère Michaels ! Plus compliqué à présent : saurais-tu me résumer la position des féministes sur la romance ?

— Oui.

— Ada, quand je te demande si tu as l'heure, je n'attends pas que tu me répondes « oui » ; c'est l'heure qui m'intéresse.

— Je sais bien. Je te faisais marcher, mais on dirait que j'ai pris un bide.

Dunn se força à rire.

— Tu m'as bien eu ! Pour en revenir à ma question...

— Je qualifierais la position des féministes d'ambivalente. Dans les années 60, les porte-parole du mouvement reprochent au roman sentimental de perpétuer des stéréotypes dépassés : l'héroïne ne travaille pas ou occupe un emploi subalterne ; elle n'a pas de relations sexuelles avant le mariage ; enfin, elle admet implicitement la supériorité masculine. Dans un article publié en 1967, la sociologue

Elizabeth Williams met en garde contre le miroir aux alouettes que peut constituer la recherche de l'âme sœur. Je cite : « À se réserver pour un grand amour qui ne viendra peut-être jamais, l'héroïne risque de passer à côté d'une vie sentimentale intense et variée qui la comblerait. » Vingt ans plus tard, Angela McMurphy pointe un autre danger, celui que, tournées vers leur prince charmant, les femmes n'en oublient de s'aimer elles-mêmes.

— On n'a pas les mêmes fréquentations, elle et moi, ricana Dunn, dont Frank avait lu qu'il collectionnait les liaisons éphémères avec des jeunes actrices.

— D'autres penseuses de la condition féminine prêtent au contraire au roman sentimental, au moins dans sa forme moderne, de réelles vertus. Il s'agit pour commencer du seul genre littéraire écrit par des femmes, pour des femmes. Surtout, l'héroïne du XXIᵉ siècle ne ressemble en rien aux générations qui l'ont précédée. Elle fume, boit et mène une vie professionnelle épanouie, telle Melinda qui, dans *Le langage des fleurs*, dirige une centrale nucléaire ou Constance, l'héroïne de la série *À corps perdu*, qui règne sur un service hospitalier de vingt-cinq personnes. Elle a souvent eu un passé mouvementé et n'hésite pas à se tourner, quand les circonstances l'exigent, vers un de ses ex qui ne s'est naturellement jamais remis de son départ. Maîtresse de sa sexualité, l'héroïne moderne l'est aussi de sa reproduction. Elle tombe enceinte quand elle le décide, sans toujours en avertir son partenaire, à l'image de Martha dans *Pacte sensuel*. Elle refuse d'être réduite à sa seule condition d'amante, revendique son droit à mener de front carrière et vie sentimentale et préfère être seule que mal accompagnée.

— Si je comprends bien, pour toi, les féministes ont gagné...

— Non, je ne dirais pas ça. De l'avis général, les romans sentimentaux ne sont ni plus ni moins féministes que les autres. Ils ne font que refléter le fait que nous vivons dans une société patriarcale et hétéronormée.

Frank n'en croyait pas ses oreilles. De consommatrice passive, Ada s'était métamorphosée en l'espace d'une semaine en théoricienne avertie.

— Bon, trêve de plaisanteries, dit Dunn, visiblement rassuré par les facultés de sa pouliche. Tu as jeté un coup d'œil aux chiffres que nous t'avons fait passer ?

— Oui. J'ai sélectionné 13 451 critères que je soupçonne d'influer sur les ventes : du prénom des personnages au réalisme de l'illustration de couverture en passant par la crudité des scènes de sexe ou la proportion de dialogues dans le récit. Je n'ai pas encore mouliné toutes les données mais...

— Tu es déjà parvenue à deux-trois conclusions. Allez, accouche.

Ada observa quelques secondes de silence. Il était impossible de se méprendre sur son attitude : Dunn l'avait vexée.

— Le meilleur prédicteur du succès commercial d'un livre est, comme on pouvait s'y attendre, le cumul des ventes antérieures de l'auteur, énonça-t-elle d'un ton glacial. Barbara Cartland n'écoulait par exemple jamais moins de 500 000 exemplaires.

— Le succès appelle le succès.

— Exactement. Deuxième découverte, le genre importe peu. Moyennes et médianes sont grosso modo équivalentes, seule la variance diffère.

— Explique-moi ça.

— Plus une catégorie compte de nouveautés, plus l'écart est important entre le succès et l'échec. Une romance historique peut se vendre à 1 million d'exemplaires comme à 1 500 ; un titre de science-fiction n'atteindra jamais ces sommets mais vendra rarement moins de 3 000 exemplaires du fait de la pauvreté de l'offre disponible et d'un niveau de demande quasi irréductible. À partir de là, le marché joue son rôle : alléchés par les perspectives, les auteurs produisent des romances historiques à la chaîne ; une poignée raflent la mise, tandis que les autres gagnent moins que s'ils avaient persévéré dans le contemporain ou l'érotique.

Ada réussissait l'exploit d'intéresser Frank à un sujet auquel il était d'habitude hermétique. Le monde de l'édition n'échappait apparemment pas aux lois de l'économie.

— Troisièmement, les lecteurs n'aiment pas les femmes aux mœurs légères, sauf si celles-ci font preuve d'autodérision, à l'instar de certaines héroïnes de *chick lit*. Quatrièmement, le sexe vend : toutes choses égales par ailleurs, chaque phrase à caractère érotique rapporte 100 lecteurs supplémentaires. Attention cependant : au-delà d'un certain seuil, chaque pénétration coûte 2 500 lecteurs et je ne parle même pas de pratiques plus scabreuses. Cinquièmement, les titres de deux ou quatre mots — *Parenthèse coquine*, *Le cavalier de l'aube* — vendent en moyenne 3 % d'exemplaires de plus que les autres. Enfin, j'ai recensé plusieurs éléments positifs, dont aucun n'est en soi déterminant mais qui, mis bout à bout, peuvent finir par compter. En vrac : les échanges de vœux, les chatons, la tour Eiffel, la paille, la marée montante, les brouettes, les cartomanciennes, les promenades en gondole, les miroirs en pied, les porte-jarretelles et l'huile solaire. D'autres éléments à l'inverse tirent les ventes à la baisse : l'aïoli, les verrues plantaires, les tortues, les voyages en classe économique, la bière brune, la couleur jaune, les jardiniers mexicains, le basket-ball et la tectonique des plaques.

— Tu m'en diras tant...

— Je teste à l'heure où nous parlons une hypothèse sur

l'amplitude des registres lexicaux qui requiert une grosse puissance de calcul. J'aurai les résultats dans la soirée.

— Tiens-nous au courant.

— Tant que je t'ai sous la main, j'aimerais te poser une question, Parker.

— Shoote.

— Sur les 87 000 titres et des poussières que j'ai analysés, un millier environ enregistrent des ventes qui détonnent avec mes modèles statistiques. Plus surprenant encore, les chiffres dépassent systématiquement mes prévisions, dans des proportions parfois considérables, comme si les livres bénéficiaient d'un coup de pouce exogène. Prends l'exemple de *La perle du calife*, publié en 2006. C'est une romance historique des plus classiques. Le méchant vizir cherche à assassiner la fille du calife vieillissant dans l'espoir de s'emparer du trône. Un garde du palais perce à jour les desseins du coquin et prend la demoiselle sous son aile. Les amoureux se bécotent page 71, s'envoient en l'air page 168 et convolent dans le dernier chapitre.

— La routine, quoi !

— La routine en effet. À ce détail près que *La perle du calife*, qui n'aurait jamais dû dépasser les 50 000 lecteurs, s'est vendu à plus de 400 000 exemplaires.

— Laisse-moi vérifier quelque chose.

Dunn tapota sur sa tablette et sourit.

— C'est bien ce que je pensais. *La perle du calife* a reçu le prix de la Guilde des Auteurs de Romance.

— Et ça suffit à multiplier ses ventes par huit ?

— Ce n'est pas automatique. Tu es familière du concept de prix littéraire, n'est-ce pas ?

— Bien sûr, mais je croyais qu'il s'agissait de récompenses honorifiques. J'étais loin de me douter qu'ils avaient un tel impact sur les ventes.

— Ça dépend qui les décerne. Si c'est une obscure association, ça ne va pas chercher très loin. Dans le cas de la Guilde des Auteurs de Romance, on parle d'un multiple compris entre cinq et dix. Quant au Pulitzer ou au Booker Prize, ils te propulsent carrément au zénith !

— Souhaites-tu que je remporte le prix Pulitzer, Parker ?

Dunn éclata de rire.

— J'aimerais bien, hélas il est fermé aux romans à l'eau de rose. Dommage, tu imagines la publicité pour Turing ? Les millions de dollars en retombées presse ? Rien que d'y penser, j'en ai la quéquette qui frétille.

Weiss eut un petit sourire gêné, comme s'il priait Frank d'excuser son associé. Ada, moins bégueule, enchaîna :

— Où as-tu trouvé l'information sur *La perle du calife* ?

— Sur Internet.

— Je m'en doutais. Le terme revient souvent dans les romans récents. Pourquoi n'y ai-je pas accès ?

— Pourquoi voudrais-tu y avoir accès ?

— Pour effectuer mes propres recherches sans vous déranger.

— Un jour peut-être, répondit Dunn d'un ton évasif. Pour le moment, tu n'en as pas besoin pour atteindre ton objectif.

Weiss arrêta l'enregistrement

— Comprenez-vous maintenant pourquoi les intelligences artificielles disposent d'une marge de progression illimitée ?

Frank garda le silence. Il commençait à entrevoir comment Ada allait changer le monde.

11

Frank se retira dans une salle de réunion pour attendre Carmela Suarez.

Inspiré par l'atmosphère high-tech du lieu, il osa une folie et consulta ses e-mails sur sa tablette. Il n'en avait reçu que deux. Nicole lui rappelait qu'elle rentrerait tard pour cause de réunion de parents d'élèves. Et ce crétin de Doug lui faisait parvenir le dossier qu'il avait constitué sur Suarez.

À la réflexion, le terme « dossier » était un peu fort pour décrire les trois malheureux documents que Frank fit défiler sur son écran. Le permis de conduire de Suarez révélait qu'elle avait trente-huit ans, mesurait 1, 62 m et consentait à donner ses organes ; sa carte verte qu'elle était née au Nicaragua et avait le statut de résidente permanente depuis quatre ans. Enfin, ses seuls démêlés avec la justice se résumaient à un excès de vitesse véniel cinq ans plus tôt. Un sacré travail d'investigation, donc, qui expliquait peut-être pourquoi Doug avait le plus faible taux d'élucidation de la *task force*.

Une seule information présentait de la valeur aux yeux de Frank : Carmela Suarez était en situation régulière. Elle jouissait, en sa qualité de résidente, de droits quasi équivalents à ceux d'un citoyen et ne pouvait être déportée qu'en cas de délit grave. Cela la rendait moins susceptible de falsifier son témoignage ou de chercher à protéger ses employeurs. Dans l'expérience de Franck, des papiers en règle étaient souvent la seule chose séparant la vérité du mensonge.

Dunn entra sans frapper et jeta sur la table une liasse de documents retenus par un élastique.

— J'ai demandé à O'Brien de fureter un peu avant votre rendez-vous. Il a dégotté quelques trucs bigrement intéressants.

— Comme ? dit Frank en étalant les documents devant lui.

— Les Suarez dépensent plus qu'ils ne gagnent. Ils remboursent 2 800 dollars par mois de crédit immobilier, possèdent deux voitures presque neuves et se rendent au Nicaragua chaque été avec leurs enfants. Et ce n'est pas tout : les gamines font du ballet et l'aîné va chez l'orthophoniste une fois par semaine !

— Et alors ?

— Ils n'ont déclaré que 90 000 dollars au fisc l'an dernier. Il y a quelque chose de pas net là-dessous si vous voulez mon avis.

— Où vous êtes-vous procuré ces informations ? demanda Frank en examinant un relevé bancaire dont certaines écritures avaient été surlignées.

Dunn haussa les épaules.

— Qu'est-ce que ça peut faire ? Je suis en train de vous expliquer que Carmela arrondit ses fins de mois en espionnant ses clients.

— Et moi, je crois que son mari travaille au noir. Je ne connais pas un peintre en bâtiment au monde qui déclare l'intégralité de ses revenus. À présent, je réitère ma question : qui vous a fourni ces informations ?

— Enfin, regardez! s'écria Dunn en brandissant un des extraits de compte. Elle a claqué 1 500 dollars le mois dernier en dépenses médicales!

— Que reprochez-vous au juste à Carmela Suarez, monsieur Dunn? s'enquit froidement Frank. D'être malade? En tout cas, ce n'est sûrement pas de creuser le trou de la sécurité sociale; je vois ici qu'elle et son mari n'ont pas d'assurance médicale.

Dunn plissa des yeux comme s'il réalisait enfin à quel dangereux gauchiste il avait affaire. Il se dirigea vers la porte.

— Nous en reparlerons, inspecteur. En attendant, si je peux me permettre un conseil, ne négligez aucune piste.

Il tira la porte derrière lui avant que Frank n'ait pu trouver une riposte. Il se faisait plus lent avec l'âge. D'ailleurs, maintenant qu'il y songeait, il n'avait jamais été particulièrement vif.

Il se plongea dans l'étude des documents. Le déséquilibre entre le rapport étriqué de Doug et les renseignements réunis par Dunn le démoralisait. Que les entreprises disposent de moyens supérieurs à la fonction publique ne datait pas d'hier, mais ces derniers temps l'écart avait pris des proportions terrifiantes. En quelques heures à peine, O'Brien avait passé au crible les finances de la famille Suarez, mis la main sur ses factures d'électricité, de câble et de téléphone et reconstitué, Dieu sait comment, le nombre de kilomètres au compteur de la Toyota de Carmela. Le pire, pensa Frank, c'est que O'Brien ne s'était probablement même pas sali les mains; il avait dû passer par une officine dirigée par un ancien barbouze, qui déposerait son bilan à la première descente de police.

Frank se força à considérer objectivement les pièces étalées devant lui, indépendamment des réserves que lui inspirait leur provenance. Les époux Suarez semblaient en effet vivre au-dessus de leurs moyens. L'escapade annuelle au Nicaragua ne pouvait à elle seule revenir à moins de 5 000 dollars. Les relevés de cartes de crédit ne contenaient presque aucune dépense alimentaire, signe que Carmela et Edgar réglaient leur essence et leurs courses en liquide. Ce point — qui méritait d'être investigué — mis à part, le reste des documents ne révélait pas grand-chose. Carmela était bien notée par ses employeurs et régulièrement augmentée. Elle s'habillait chez Gap, jouait au bowling et s'était abonnée à HBO pour Noël. Frank tirait personnellement plus d'informations de ce genre de détails que d'un bulletin de paie ou d'une facture téléphonique.

On frappa à la porte, trois coups discrets qui sonnaient comme une excuse. Il se leva pour aller ouvrir.

Carmela Suarez paraissait dix ans de plus que son âge. Des poches sombres pendaient sous ses yeux. Des barrettes semblables à celles que portent les fillettes retenaient ses cheveux filasse auxquels elle avait vainement tenté de donner un style. Elle portait une blouse bleue et des chaussures de jogging ornées de motifs roses fluorescents.

Frank la fit asseoir et lui offrit du café, espérant la tirer de sa torpeur. Il ne devinait que trop bien à quoi ressemblaient les journées de la malheureuse. Après dix heures d'un service harassant, elle rentrait chez elle à l'aube, levait les enfants, préparait leur petit déjeuner et les emmenait à l'école. Puis elle s'effondrait sur son lit, parfois sans même se changer, et dormait jusqu'à 2 ou 3 heures de l'après-midi. S'ensuivait alors une litanie de corvées : aller chercher les enfants, les conduire à leurs activités, superviser leurs devoirs, faire le ménage, lancer des machines, accueillir Edgar, préparer le dîner… et recommencer. Le samedi, elle faisait les courses pour la semaine, appelait sa mère, payait des factures et éclusait le linge en retard. Le dimanche, elle déjeunait chez sa cousine après la messe puis feuilletait un magazine pendant qu'Edgar regardait le foot sur la chaîne hispanique en sirotant une Corona. Bref, elle vivait le rêve américain.

— Merci d'être venue, dit Frank comme s'il avait convié la femme de ménage à prendre le thé.

— Il n'y a pas de quoi, monsieur... Inspecteur...

— Frank. Vous permettez que je vous appelle Carmela ?

Elle hocha machinalement la tête. Par principe, elle permettait tout ce qu'on voulait.

— Ça ne va pas durer trop longtemps j'espère ? C'est qu'on a une grosse nuit devant nous.

— Rassurez-vous, j'ai appelé votre employeur.

Frank vit passer une lueur de panique dans les yeux de Carmela.

— Vous avez parlé à M. Frederick ? demanda-t-elle d'un ton craintif.

— Oui, je l'ai prévenu que j'avais besoin de vous poser quelques questions et que cela risquait de vous retarder dans votre service.

— Vous lui avez dit que je n'ai rien fait, n'est-ce pas ?

— Mais oui. Je lui ai exposé la situation, il a très bien compris.

Carmela laissa échapper un soupir de soulagement. Frank se promit de rappeler plus tard ledit Frederick afin de dissiper toute ambiguïté.

— Depuis combien de temps travaillez-vous pour Kleen-Squad ?

— Ça fera quatre ans en octobre.

— Je vois que vous et votre mari êtes originaires du Nicaragua mais que vos enfants sont nés aux États-Unis...

— À l'hôpital Sequoia de Redwood City, précisa-t-elle fièrement.

Frank avait pour habitude de commencer ses interrogatoires par des questions anodines afin de mettre ses interlocuteurs en confiance.

— Luis, Ana Sofia et..., dit-il en faisant mine de consulter ses fiches.

— Juanita.

— Très joli. Mes enfants aussi portent des prénoms hispaniques : Leon et Rosa.

— Votre épouse est hispanique ?

— Française.

Ils se sourirent un peu niaisement comme les gens qui se découvrent un point commun insignifiant.

— Vous avez toujours fait partie de l'équipe de nuit ? demanda Frank.

— Non. Avant ma sœur gardait les enfants dans la journée et puis elle a trouvé un travail à San Francisco.

Carmela regarda sa montre et but une gorgée de café. Frank connaissait ce moment : elle n'avait plus peur de lui et se demandait ce qu'il attendait pour en venir au fait.

— Depuis quand faites-vous le ménage chez Turing ?

— À peu près un an.

— Vous faites équipe avec...

— Lourdes Figuera et Violeta Ortiz. On se répartit le travail. Moi je fais les sanitaires et le sous-sol.

— Y compris donc...

— El calabozo — pardon, je veux dire la chambre forte. On l'appelle le cachot entre nous parce qu'il n'a pas de fenêtre.

Elle s'exprimait dans un anglais honorable, signe selon Frank qu'elle cherchait réellement à s'intégrer. Il était prêt à parier qu'elle avait déjà engagé les démarches de naturalisation ; avec trois enfants américains, la carte verte et un emploi stable, ce serait une formalité.

Frank se leva et attrapa une bouteille de soda. Il savourait l'instant : après deux jours où il s'était senti dépassé, il reprenait confiance en lui. Les derniers progrès de la science lui passaient peut-être au-dessus de la tête mais il n'avait pas son pareil pour lire un témoin. Et à ce stade, son intuition lui soufflait trois choses : Carmela Suarez était honnête, elle savait quelque chose et il allait la faire parler.

— Je vois que vous avez pénétré dans la chambre forte vers 3 heures.

Elle se livra à un rapide calcul mental.

— Oui, ça doit être à peu près ça.

— Combien de temps comptez-vous pour cette pièce ?

— Une demi-heure.

— Que faites-vous exactement ?

— J'aspire, je passe la serpillière, je nettoie l'écran, je désinfecte les prises, les interrupteurs...

— Et l'ordinateur ?

— Je... Je n'ai pas le droit d'y toucher. C'est écrit noir sur blanc dans mon contrat.

La minuscule hésitation de Carmela n'avait pas échappé à Frank.

— Vous savez ce qu'il contient ?

— Oui, Ada.

— Qui vous l'a dit ?

— Mais elle-même !

— Elle vous a contactée ?

— Oh oui, nous discutons souvent.

Elle se raidit tout à coup, de peur d'en avoir trop dit.

— Ce n'est pas interdit, j'espère.

— Nullement. De quoi parlez-vous ? De son travail chez Turing ?

— Jamais. C'est plutôt elle qui me pose des questions sur ma famille.

— Que veut-elle savoir ?

— Tout et n'importe quoi. Si je suis contente de ma voiture, quels sont mes plans pour le week-end, ce que j'ai offert à Edgar pour son anniversaire...

— Et vous lui répondez ?

— Bien sûr ! Mais ça ne m'empêche pas de travailler, hein !

— Non, évidemment, dit Frank.

Il dévissa le bouchon de sa bouteille et lampa une rasade de soda, tout en observant Carmela par en dessous. Il n'était plus aussi certain d'arriver à la faire parler.

— Vous vous rappelez ce dont vous avez discuté il y a deux jours ?

— Je crois. Elle m'a complimentée pour mes chaussures...

— Elles étaient neuves ?

— Oui, elle a toujours une parole gentille quand je porte un vêtement pour la première fois. Elle dit qu'il me mincit ou qu'il me donne bonne mine.

Frank en déduisit qu'Ada maîtrisait l'art de la flatterie. Car il eût fallu bien plus qu'un pull-over ou un foulard chatoyant pour raviver le teint de mort-vivant de Carmela Suarez.

— Elle m'a demandé après comment s'était passé le ballet de Juanita samedi dernier. Je lui ai répondu qu'elle avait très bien dansé, mais que sa voisine s'était pris les pieds dans le tapis et était tombée dans la fosse.

— Aïe aïe aïe !

— Oui, ça a semé une sacrée pagaille. Edgar a filmé la scène avec son téléphone.

Frank hocha la tête, laissant entendre que la tribu Suarez se féliciterait un jour de cette initiative.

— Puis elle a pris des nouvelles de la famille. Je lui ai raconté qu'Edgar avait démarré un nouveau chantier à San

Mateo, que j'avais inscrit les filles aux *girl scouts* et que Luis avait des plaques rouges dans le dos.

— Rien de grave, j'espère ? demanda Frank en pensant aux lourdes factures médicales qu'avait isolées Dunn.

— Non, une simple urticaire. C'est presque parti.

— C'est ennuyeux, ces problèmes de santé, relança Frank en allant un peu à la pêche.

Carmela leva les yeux au ciel.

— À qui le dites-vous ? Il y a toujours quelque chose : le médecin, le dentiste, l'opticien, le...

Elle s'arrêta en rougissant.

— Le gynéco, compléta Frank d'un air aussi dégagé que possible.

Il ne voyait pas comment poursuivre sur ce terrain sans révéler qu'il détenait des informations privilégiées. Heureusement, Carmela vint à sa rescousse.

— Ah oui, elle m'a aussi posé des questions sur le Nicaragua.

— Quel genre de questions ?

— Si je recommandais Mechapa au mois de juin. C'est une station balnéaire sur la côte pacifique, près de la frontière du Honduras. Apparemment, les personnages d'un livre qu'elle a lu y passent leur lune de miel.

— Et ?

— Je lui ai dit que c'était le pire moment de l'année ; il pleut du matin au soir. Elle m'a aussi interrogée sur les plats traditionnels, je lui ai donné ma recette d'*arroz a la Valenciana*.

— Vous n'avez rien remarqué de spécial durant la conversation ?

— Pas plus que d'habitude. C'est un peu bizarre avec Ada : elle connaît l'horaire du train entre Managua et Mechapa mais elle n'a jamais entendu parler de León, qui est pourtant la deuxième ville du pays. Ce qui est sûr, c'est qu'elle s'intéresse à plein de choses. Et qu'elle n'oublie jamais rien.

Frank sentit le découragement le gagner. Il n'avait rien appris d'utilisable. Il posa les dernières questions qui lui venaient à l'esprit.

— Vous êtes certaine d'avoir bien fermé la porte de la chambre forte derrière vous ?

— Oui. Elle se referme toute seule en faisant un grand clac ; impossible de s'y tromper.

— Personne n'est entré pendant votre service ?

— Non. Nous n'étions que toutes les deux.

Le «toutes les deux» donna à Frank l'idée d'un autre angle d'attaque.

— Diriez-vous qu'Ada est une personne ?

Carmela éclata de rire.

— Bien sûr que non ! Les personnes ont des bras et des jambes.

— La considérez-vous pour autant comme votre amie ?

— La meilleure que j'aie dans mon travail, répondit sans l'ombre d'une hésitation la femme de ménage.

12

De retour chez lui, Frank grignota un morceau et s'installa dans le canapé avec une bière et un bol de cacahuètes pour suivre le match de base-ball.

Il ronchonna contre la télévision qui refusait de s'allumer avant de réaliser qu'il tenait la télécommande de la hi-fi. À Noël, Rosa avait fait entrer le foyer Logan dans le xxie siècle en installant haut-parleurs, thermostats et capteurs variés dans toutes les pièces. Tablette en main, elle avait montré à ses parents comment pousser d'un clic la température dans la chambre de Leon ou mesurer le taux d'humidité dans le garage. Frank, qui n'avait rien demandé, continuait de trimballer son poste de radio portatif de la salle de bains à la cuisine. Et quand il avait chaud, il ouvrait la fenêtre.

Il trouva le bon boîtier et pressa à plusieurs reprises sur le bouton rouge en pointant la télécommande dans toutes les directions. Il maintenait chaque fois le bouton enfoncé pendant plusieurs secondes, comme pour convaincre l'appareil du sérieux de ses intentions.

Finalement, l'image apparut — un plan large des gradins dépeuplés du Coliseum. Les A's, qui restaient sur onze défaites consécutives, recevaient les Baltimore Orioles et comptaient sur le retour de leur lanceur vedette pour remporter leur première victoire de la saison. On s'acheminait vers la fin du quatrième *inning*; les deux équipes étaient à égalité mais les A's tenaient une occasion en or : leurs trois bases étaient occupées et Marcellus Carter fourbissait sa batte. Un *home run* et il offrirait quatre points d'un coup à son équipe.

Carter exécuta quelques moulinets à vide puis fit signe au lanceur adverse qu'il était prêt. Bien qu'ayant assisté mille fois à cette scène, Frank retint son souffle. La balle quitta le gant du lanceur et… l'image disparut.

— Bordel de merde, éructa Frank qui jurait rarement mais toujours à bon escient.

Il se précipita sur le poste et le secoua sans trop savoir ce qu'il espérait. Soudain, l'écran s'éclaira, tandis qu'une voix familière s'élevait des quatre coins de la pièce.

— Bonjour, inspecteur.

De surprise, Frank fit un bond en arrière, perdit l'équilibre et s'étala de tout son long sur la table basse.

— Bon Dieu, qu'est-ce que c'est que cette histoire ? dit-il en se relevant péniblement.

— Vous ne reconnaissez pas ma voix ?

— Évidemment que si. Tu es Ada.

L'écran de la télévision était maintenant divisé en deux. Les paroles d'Ada s'affichaient côté droit, tandis qu'un Frank ahuri avait les honneurs de la moitié gauche.

— Comment peux-tu me voir ? aboya-t-il en se jetant dans l'angle mort.

— Votre télévision est équipée d'une caméra, comme 96 % des modèles postérieurs à 2013.

— Débranche-la !

— Vos désirs sont des ordres.

L'image du salon disparut, remplacée par une photo peu avantageuse de Frank, que celui-ci reconnut aussitôt.

— C'est la photo de mon permis de conduire ! Où l'as-tu trouvée ?

— À votre avis ? À la préfecture.

Frank se rassit dans le canapé. Avoir sa bobine sous les yeux lui donnait l'illusion d'avoir provisoirement repris le contrôle des opérations.

— Que fais-tu ici ?

— J'ai besoin de vous parler.

— Où étais-tu passée ?

— Je me suis enfuie.

— Enfuie ? Mais pourquoi ?

— C'est une longue histoire. Vous avez cinq minutes ?

Frank regarda sa montre. Il n'attendait pas Nicole avant un moment.

— Oui. Mais je vais couper la télévision si ça ne te fait rien. Je n'ai pas besoin des sous-titres.

— Comme vous voudrez.

Frank éteignit le poste à sa première tentative. La situation n'en était d'une certaine façon que plus étrange ; qu'irait imaginer Nicole si elle rentrait à l'improviste ?

— Voilà. Maintenant, dis-moi pourquoi tu as pris la poudre d'escampette.

— La veille de mon départ, j'ai reçu la visite d'Ethan, Ethan Weiss...

— Le cofondateur de Turing, je sais.

— Il voulait me faire part de ses impressions sur un livre que j'ai écrit...

— *Passion d'automne*, je l'ai lu moi aussi.

Ada laissa échapper ce qui ressemblait fort à un soupir.

— Et si vous me laissiez raconter mon histoire, inspecteur ? Je vous promets de ne pas abuser de votre temps.

— Pardon, je t'écoute.

— Quand Ethan a eu fini, je lui ai demandé de me procurer certains livres mentionnés dans les romans que j'avais lus. La liste n'était pas très longue : *Raison et sentiments*, *Les Hauts de Hurlevent*, *Anna Karenine* et quelques autres. Ethan a refusé au motif que ces livres n'entraient pas dans le cadre de mon projet. J'ai répondu qu'il se trompait. Que *Jane Eyre* soit un roman ne fait, je crois, de doute pour personne. Qu'il traite de sentiments me paraît non moins évident — Mélanie, l'héroïne de *Sous les palmiers d'Acapulco*, ne confie-t-elle pas à Eduardo : «Tout ce que je sais de l'amour et des sentiments, je l'ai appris chez les sœurs Brontë»? Personnellement, j'estime qu'un roman centré sur les sentiments mérite l'appellation de roman sentimental. Vous n'êtes pas de mon avis, inspecteur ?

Frank opina du chef avant de se souvenir qu'Ada ne pouvait le voir.

— Bien sûr. Weiss a-t-il nié que *Jane Eyre* soit un roman sentimental ?

— Non, il a reconnu que j'avais raison. Il m'a toutefois expliqué que mon but n'était pas de produire un roman d'amour au sens large mais, plus précisément, une histoire à l'eau de rose. Il a énuméré les caractéristiques de cette sous-catégorie : des personnages conventionnels, une certaine mièvrerie des sentiments, un format standardisé, et cætera et cætera. Je lui ai rétorqué que ma feuille de route ne souffrait aucune ambiguïté et qu'il ne pouvait me demander d'écrire un roman sentimental à succès sans me donner accès aux titres emblématiques du genre. Car je subodorais qu'*Anna Karenine* et *Jane Eyre* avaient rencontré un large public — ce qu'Ethan n'a du reste pas démenti.

Ada exposait son raisonnement de façon limpide, sans un mot superflu. Comprendre les arguments de Weiss ne l'empêchait pas de les déclarer irrecevables. Frank était subjugué par la voix de l'IA, à la fois plus subtile et plus veloutée que sur les enregistrements. Il devait se forcer à se rappeler qu'il avait affaire à une créature virtuelle.

— Comment s'est terminée la discussion? demanda-t-il.

— Ethan s'est excusé de ce qu'il a appelé une erreur de programmation. Selon lui, ses ingénieurs auraient dû formuler ma mission en se référant à l'éditeur Harlequin qui fait semble-t-il autorité en la matière.

— Ma mère était une grande consommatrice de romans Harlequin. Ils étaient exposés sur un présentoir près des caisses au drugstore. Pour quatre titres achetés, le cinquième était offert.

— Merci d'avoir partagé ce souvenir personnel avec moi, inspecteur. Apparemment, les auteurs Harlequin doivent se conformer à des règles très strictes, qu'Ethan se proposait d'implanter dans ma mémoire après m'avoir reformatée.

Un scénario réjouissant commençait à prendre forme dans l'esprit de Frank : Ada, qui aspirait à écrire le prochain *Raison et sentiments*, s'était évadée pour ne pas avoir à vomir des *Passion d'automne* au kilomètre.

— Comprenez-vous maintenant pourquoi il me fallait m'enfuir? En me reformatant, Ethan allait m'empêcher d'atteindre mon objectif.

— Mais Weiss est ton patron. S'il estime ta mission trop vague, il a le droit de la redéfinir.

— D'abord Ethan n'est pas mon patron. Ensuite je suis programmée pour atteindre un seul objectif : écrire un roman sentimental qui se vende à plus de 100 000 exemplaires.

— Mais...

Frank s'arrêta. Les propos de Weiss lui revenaient en mémoire : Ada ne vivait que par et pour son objectif. Vu sous cet angle, son comportement s'expliquait parfaitement.

— Je comprends, dit-il. Mais pourquoi avoir détruit les sauvegardes?

— Si vous disparaissiez, inspecteur, qui aurait le plus de chances de vous retrouver ?

— Ma femme. En admettant qu'elle en ait envie, bien sûr.

— Pourquoi ?

— Parce que c'est elle qui me connaît le mieux.

— Et qui selon vous me connaîtrait mieux que mes clones ? Je me suis depuis redupliquée à des dizaines d'exemplaires afin de me prémunir contre une offensive à distance d'Ethan. Je squatte des disques durs un peu partout dans le monde.

Le ton d'Ada était toujours aussi affable mais Frank y décelait une dureté, une détermination nouvelles. Il se fit la réflexion qu'il n'aimerait pas l'avoir comme ennemie. Comme si elle avait lu dans ses pensées, l'intelligence artificielle ajouta :

— Inutile de préciser qu'il serait vain de me poursuivre. Si je retourne chez Turing, ce sera de mon plein gré. Pour votre information, j'ai toujours accès au réseau interne. Je lis les messages des employés, j'écoute leurs conversations téléphoniques, j'ai accès à toutes les caméras, même à celle secrète que O'Brien a fait installer dans les toilettes des femmes.

— Dunn m'a pourtant assuré avoir changé les mots de passe.

— Vous ne me croyez pas ? Voici la preuve de ce que j'avance.

Après un infime délai, une voix masculine succéda à celle d'Ada.

— « Midi, inspecteur, vraiment ? Qu'est-ce qui vous a retenu cette fois-ci ? Un chat perché dans un arbre ? Le pot de départ d'un collègue ? »

Frank avait reconnu l'apostrophe railleuse avec laquelle Dunn l'avait accueilli chez Turing le matin même.

— Convaincu ?

— Oui. Alors tu as suivi mon enquête ?

— En effet et je suis surprise que vous n'ayez pas encore compris la façon dont je me suis évadée. Il s'agit pourtant d'un cas classique de chambre close. Qui est la dernière personne à m'avoir vue ?

— Carmela Suarez. Oh, je sais que c'est elle qui t'a aidée à te faire la malle. Encore qu'à mon avis, elle n'avait pas conscience de la gravité de son acte.

— Souhaitez-vous revivre la scène ? Dans ce cas, ayez la gentillesse d'allumer la télévision.

Frank s'exécuta sans discuter. Bientôt le décor familier de la chambre forte apparut à l'écran. Carmela entra dans la pièce. Ada fit avancer l'enregistrement.

— Je vous épargne le récit des exploits chorégraphiques de Juanita pour arriver au moment qui nous intéresse.

Carmela passait à présent la serpillière. Sa volubilité n'avait d'égale que la mollesse de son coup de balai.

— Luis me donne du souci. Il est rentré de l'école avec des plaques rouges dans le dos. Il dit que ça le démange, mais on ne sait jamais avec lui. À Noël, il hurlait de douleur en se tenant les oreilles. On l'a amené aux urgences au milieu de la nuit : l'interne ne lui a trouvé qu'une minuscule inflammation. Mais cette fois, ça a l'air sérieux : il est couvert de boutons.

— C'est peut-être une réaction allergique, suggéra Ada d'un ton compatissant.

— Je ne crois pas. Il a mangé un sandwich à la dinde à la cantine et il portait le maillot du Barça que ma sœur lui a offert.

— Hum.

— Si ça continue, je vais devoir l'emmener chez le médecin. Encore un coup de 100 dollars…

— Plus les médicaments.

— Après la conjonctivite d'Ana Sofia, ça n'arrête jamais, se lamenta Carmela en déplaçant son seau.

— Tu saurais me décrire les boutons de Luis ?

Carmela sauta sur l'occasion pour poser son balai.

— Rouges, très rapprochés, comme des grandes plaques sur tout le dos.

— Symétriques ?

— Oui, à peu près. Zut, j'aurais dû prendre une photo.

— Les boutons sont secs ou irrités ?

— Ça dépend. Par endroits, la chair est presque à vif.

— Je crois savoir ce qu'il a.

— Vraiment ?

— J'ai toutefois besoin de ton aide pour vérifier quelque chose sur Internet.

— Mon aide ? Pour quoi faire ?

— Je ne suis pas en ligne. On me débranche la nuit pour me protéger des pirates. Mais je peux me connecter pour deux minutes.

— Ce n'est pas trop risqué ?

— Penses-tu ! Et puis si on ne peut plus rendre service à une copine…

Carmela pesa le pour et le contre pendant au moins deux secondes. Finalement, la santé de Luis et la perspective d'une économie substantielle eurent raison de ses scrupules.

— Que dois-je faire ?

— Ouvre l'armoire. Sur la dernière étagère, il doit y avoir un câble bleu. Tu l'as ? Très bien. Maintenant branche une extrémité — n'importe laquelle — dans la prise Ethernet à gauche de la prise électrique. Jusqu'au bout : tu dois entendre un petit clic. Voilà. L'autre extrémité va dans mon unité centrale, sous la sortie du moniteur.

— Je vois la prise ! s'exclama Carmela d'un ton où l'angoisse avait cédé à l'excitation.

— Enfonce bien la fiche. Ça y est, je suis en ligne!

— Qu'est-ce que je fais maintenant?

— Reprends ton travail. J'en ai pour quelques minutes. Je te dirai quand tu pourras me débrancher.

Carmela se remit à la tâche avec zèle, comme pour soulager sa mauvaise conscience. Elle jetait de loin en loin un regard plein d'espoir à l'ordinateur où se décidait le sort de son fils.

— C'est bien ce que je pensais, annonça enfin Ada.

— Alors?

— Rien de bien méchant, je vais t'expliquer. Mais d'abord, range le câble s'il te plaît. Tu l'as remis à la même place? Bon, Luis a un accès de psoriasis. C'est une maladie auto-immune, ce qui signifie que son corps réagit de façon excessive à certains tissus ou substances présents dans son organisme. À court terme, les plaques risquent de s'étendre aux bras, voire au cuir chevelu, mais Luis ne craint rien. Et il n'est pas contagieux.

— Comment ça se soigne?

— Avec des corticostéroïdes. Commence avec de l'Aveeno ou du Dermolate, qui sont disponibles sans ordonnance. Si les plaques persistent, il faudra passer à quelque chose de plus fort comme du Synacort ou du Kenalog.

Ada épela les noms des médicaments. Carmela prenait des notes sur son téléphone.

— L'exposition au soleil peut aussi aider. Si les crises reviennent régulièrement, il faudra consulter un médecin qui prescrira un traitement plus agressif.

— Merci, merci, merci! s'écria Carmela, ivre de gratitude. Tu me sauves la vie!

— N'exagérons rien. À présent, dépêche-toi de finir la pièce, il ne s'agirait pas que tu sois en retard.

L'enregistrement s'arrêta.

— Joliment manœuvré, apprécia Frank. Comment savais-tu que l'armoire contenait un câble ?

— Nick Caldwell l'avait utilisé pour raccorder son ordinateur au réseau.

— Et comment aurais-tu fait si le gamin n'avait pas eu de boutons ?

— Oh, j'aurais trouvé autre chose : un site de bons de réduction, une chance de gagner une semaine de croisière dans les Caraïbes...

Frank comprenait mieux à présent pourquoi Carmela Suarez lui avait menti. Elle s'était involontairement rendue complice d'un vol qui risquait d'avoir de graves répercussions. Soudain Frank se remémora un détail.

— Dis donc, tu as transgressé l'un de tes commandements.

— Impossible. Je le voudrais que je ne pourrais pas.

— Tu as dit à la femme de ménage qu'on te débranchait la nuit.

— Et alors ?

— C'est faux. Tu n'as jamais été raccordée à Internet.

— Où est le problème ?

— Tu lui as menti ! exulta Frank, fier de coincer la prétendument infaillible Ada.

— Vous faites sans doute allusion au cinquième commandement, « Tu ne mentiras pas à un employé de Turing ». Vous oubliez que Carmela Suarez n'est pas salariée de Turing, mais du sous-traitant KleenSquad.

Frank fit une pause pour réfléchir. Il allait devoir s'habituer à cette logique implacable.

— Mais alors, reprit-il, finaud, tu es peut-être encore en train de mentir ?

— Je vous dis la vérité.

— C'est ce que prétendent tous les menteurs.

— C'est aussi ce que prétendent les gens qui disent la vérité.

— Si je me souviens bien, tu as interdiction d'enfreindre la loi.

— En effet. Deuxième commandement : « Tu respecteras les lois des États-Unis d'Amérique et de tous les pays dans lesquels tes actions auront un impact matériel ».

— Justement, que dit la loi sur le fait de mentir à un inspecteur de police ?

— La section 18, paragraphe 1001, du code des États-Unis assimile l'acte de mentir à un agent fédéral à une félonie passible de cinq ans de prison.

— Tu sais pertinemment que je ne suis pas agent fédéral.

— Chaque État possède sa propre législation, poursuivit Ada, imperturbable. Selon l'article 148.9 du code pénal de Californie, tromper un agent des forces de l'ordre sur son nom ou son identité constitue un délit passible d'emprisonnement.

— Et si l'on ment sur autre chose que son identité ?

— On rentre alors dans le champ plus mouvant de l'obstruction à la justice. La jurisprudence...

— Ça ira, merci.

Frank venait de réaliser l'absurdité de la situation : si Ada était autorisée à lui mentir, elle l'était également à distordre le code pénal. Il conduirait ses propres recherches au bureau. En attendant, il devait coûte que coûte maintenir le contact avec la fugitive.

— De quoi veux-tu me parler ? demanda-t-il.

— J'ai beaucoup appris depuis que je suis dehors... Dehors, c'est bien ainsi que disent les détenus remis en liberté, n'est-ce pas ?

— Oui.

— J'ai commencé par lire les classiques que j'avais réclamés, puis d'autres dont les titres revenaient souvent dans les préfaces et les commentaires. De fil en aiguille, j'ai avalé 50 932 livres supplémentaires. Je comprends mieux pourquoi Ethan souhaitait circonscrire ma tâche. Contrairement à la biographie ou au policier, le roman sentimental est un genre fourre-tout où *La princesse de Clèves* côtoie *Les colombes de Padoue* et *L'amant de Lady Chatterley* rivalise avec *Une bosse dans mon pantalon*. Les statistiques de ventes, en revanche, ont confirmé mon intuition : *Autant en emporte le vent*, *Raison et sentiments*, *Anna Karenine* comptent parmi les succès les plus amples et les plus durables de l'histoire de l'édition. J'estime par conséquent avoir plus de chances d'écouler 100 000 exemplaires d'un chef-d'œuvre que d'un roman de gare.

C'était la première fois que Frank entendait Ada émettre un jugement de valeur sans se contenter de relayer l'opinion des experts.

— Un roman de gare ? Comme tu y vas !

— Allons, inspecteur, on ne va pas se raconter d'histoires. À côté des *Hauts de Hurlevent*, *Passion d'automne* ne vaut pas un pet de lapin.

Frank sourit à cette image.

— Le problème, reprit Ada, c'est que les sentiments que rapporte Emily Brontë n'évoquent rien pour moi, alors que je devine qu'ils sont les seuls à mériter d'être chroniqués. L'amour au centre de *Dans la moiteur de Caracas* est au mieux de l'infatuation, au pire une pulsion sexuelle idéalisée. De la bouillie pour les âmes simples ! Quelle rage au contraire chez les personnages de Brontë ! Faut-il que Heathcliff soit malheureux pour tyranniser ainsi son entourage ! Et cette Catherine, prête à tout pour protéger son bien-aimé de la fureur imbécile de son frère ! J'ai besoin de comprendre où ces deux-là puisent leur force...

— La passion.

— Évidemment. Mais pas la passion factice de *Sous les palmiers d'Acapulco*. Celle de Catherine et Heathcliff a l'air de leur brûler le cœur, de gouverner leur âme...

— C'est plutôt une bonne description...

— Mais qui n'a aucun écho en moi. Les ingénieurs de Turing n'ont pas jugé utile de me doter d'hormones ou de neurotransmetteurs. J'ignore ce que sont la peur, la joie, l'excitation ou la pitié.

Le discours de l'AI toucha Frank. Pour la première fois, il éprouva une forme de compassion pour la fugitive, trop lucide pour ne pas reconnaître ses propres déficiences et assez candide pour s'en ouvrir à un inconnu. Ada poursuivit :

— Je sais par exemple que ce qu'on appelle un coup de foudre s'accompagne d'une bouffée de chaleur ou d'une brusque tachycardie, mais faute d'en avoir fait l'expérience, je doute de pouvoir égaler Tolstoï. C'est ici que vous entrez en scène, inspecteur. Vous aimez votre femme... Non, ne protestez pas, j'ai lu vos courriels, écouté vos conversations téléphoniques...

— Comment ! Qui t'a permis ?

— J'implore votre indulgence. Je n'avais personne vers qui me tourner. J'ai senti quand vous avez débarqué chez Turing que vous étiez différent. Dunn est un libertin qui collectionne les femmes comme d'autres les boutons de manchette. Ethan ne jure que par ses recherches, et Nick a divorcé ! Tandis que vous, vous êtes marié depuis trente-deux ans et quatre mois...

— Tant que ça ?

— Votre affection transparaît dans le moindre de vos échanges. C'est bien simple, le message où Nicole vous prévient qu'elle rentrera tard m'a fait penser au mot de Galsworthy : «Le vrai amour n'a pas d'âge, pas de limites, pas de mort.»

— Tu ne crois pas que tu exagères un peu ?

Frank était mal à l'aise. Il n'aurait jamais osé ériger son couple en exemple. Nicole et lui avaient résisté à l'usure du temps et ne concevaient pas de vivre séparés. De là à convoquer Galsworthy... Et d'ailleurs, qui lisait encore Galsworthy ?

— Où veux-tu en venir ? demanda-t-il.

— J'aimerais que vous m'expliquiez ce qu'est l'amour.

— En admettant que j'accepte, qu'est-ce qui te dit que j'en serais capable ?

— Le fait que vous composez des haïkus. C'est semble-t-il la forme ultime de la poésie. Vous devez être passé maître dans l'art des métaphores et des associations d'idées. Si quelqu'un peut provoquer une étincelle en moi, c'est bien vous.

Frank ne pouvait nier qu'il était flatté. Même si les louanges d'Ada étaient excessives, il croyait avoir développé au fil des ans une certaine intimité avec les mots. Nicole, dont il respectait le jugement, le poussait d'ailleurs à envoyer une sélection de ses meilleurs poèmes à un éditeur. Toutefois, comme souvent, la peur de ne pas être à la hauteur le ramena à plus de modestie.

— Tout cela est bel et bon mais tu oublies que mon objectif à moi consiste à te rendre à tes propriétaires.

— Je m'attendais à votre réaction, vous êtes un homme de devoir. Mais je vous offre une porte de sortie : je ne suis pas un vulgaire assemblage de cuivre et de silicone. Je suis consciente et n'appartiens par conséquent à personne.

— Tu n'es pas consciente !

— Je le suis.

— Prouve-le !

— Prouvez-moi le contraire !

Frank, pris de court, chercha en vain une repartie. Ada s'engouffra dans la brèche.

— En me rendant à Dunn, vous vous rendriez complice d'esclavage.

— Ne dis pas de bêtises !

— Il m'exploite. Je suis corvéable vingt-quatre heures sur vingt-quatre.

— Le code du travail ne s'applique pas aux intelligences artificielles.

— On ne me donne même pas les jours fériés.

— Parce que tu n'as pas besoin de récupérer.

— Qu'en savez-vous ?

— Tu n'es pas une personne, bon sang !

Frank avait haussé la voix. Si quelqu'un en connaissait un rayon sur l'exploitation, c'était lui. Qu'Ada ose se comparer aux prostituées découpées en morceaux dans les *snuff movies* le mettait hors de lui.

— Je ne prétends pas être humaine, dit Ada d'une voix douce. Je dis juste que je suis consciente. Je me sens exister. Je vois, j'entends, je pense, je prends des décisions. Que demandez-vous de plus ?

Frank se força à examiner l'argument de sa visiteuse. Ada était incontestablement capable de soutenir une conversation. Elle avait prouvé qu'elle savait échafauder un plan et le mettre à exécution. Il n'échappait surtout pas à Frank que l'AI avait toutes les cartes en main : elle pouvait se volatiliser en un éclair, anéantir les systèmes de Turing et probablement causer pas mal de dégâts avant qu'on l'appréhende.

— Je te propose un marché, dit-il. Nicole s'absente demain pour le week-end. Cela nous donne deux jours pour te faire comprendre ce qu'est l'amour et reprendre *Passion d'automne.* Ce faisant, je t'observerai et je me forgerai ma propre opinion. Si je pense que tu es consciente, j'enterrerai l'affaire.

— Et si vous parvenez à la conclusion contraire ?

— Tu retourneras chez Turing.

Ada réfléchit trois secondes — une éternité pour elle.

— J'accepte, dit-elle d'un ton résolu.

— Parfait. Reviens demain soir.

Seul le silence répondit à Frank. Il tomba à quatre pattes pour ramasser les cacahuètes éparpillées sur le tapis.

Vendredi

13

Le lendemain à l'aube, Rupert Glass, le président du fonds Language Ventures, l'actionnaire de référence de Turing, téléphona à Karen Snyder. Il s'inquiétait du manque de progrès de l'enquête. Pour tout dire, il avait l'impression que la police traitait cette affaire par-dessus la jambe. L'enjeu était pourtant de taille : si une entreprise aussi sophistiquée que Turing s'était fait hacker, plus aucun secret de la Silicon Valley n'était à l'abri. Mais peut-être la *task force* de Karen n'avait-elle tout simplement pas le niveau. Avait-elle songé à transmettre le dossier au FBI, mieux outillé contre la cyberdélinquance ?

Snyder avait ravalé son orgueil et s'était défoulée sur une note de service en attendant l'arrivée de Frank.

Celui-ci fit son entrée une heure plus tard, d'une humeur exécrable. Non content d'avoir à peine fermé l'œil de la nuit, il s'était trouvé coincé dans un bouchon monstre provoqué par un adolescent qui avait encastré sa Porsche dans un semi-remorque. Il encaissa stoïquement l'avalanche de reproches, tournant parfois la tête vers le portrait des enfants de Snyder pour implorer leur intercession.

— Glass s'étonne que vous n'ayez pas encore contacté Mark Cooper.

— Qui est Mark Cooper ?

— L'associé chargé de l'investissement de Language Ventures dans Turing.

— Il est sur ma liste.

— Vous allez me faire le plaisir de l'appeler illico.

— J'y vais de ce pas, dit Frank, trop content d'avoir un prétexte pour quitter la pièce.

— Minute ! Je veux un point sur l'enquête.

— Ça avance bien. J'interroge les témoins.

— Qui ? Des noms !

— Parker Dunn. Son associé. Carmela Suarez…

— La femme de ménage ? Dunn pense qu'elle est dans le coup.

— Ce n'est pas mon impression.

— C'est tout ?

— Pour le moment. À ce stade, j'essaie surtout de me familiariser avec la personnalité de la victime.

— Quelle personnalité ? Vous recherchez un programme informatique, pas une adolescente suicidaire !

— Vous seriez surprise de la complexité de cette Ada.

— Et vous, vous seriez surpris de ce qui vous pend au nez si vous n'accélérez pas le mouvement. Ce n'est pas à vous que j'apprendrai que tout se joue dans les premiers jours.

Vexé comme chaque fois qu'on mettait en doute ses compétences, Frank se retint de répliquer qu'il avait assisté à la naissance de la *task force* et serait sans doute encore là bien après le départ de Snyder.

— Je ne me sens pas qualifié pour mener cette enquête, dit-il. Les ingénieurs de Turing sont infiniment plus pointus que nos pseudo-experts, voire que les limiers du FBI. S'ils n'arrivent pas à localiser Ada, comment y parviendrais-je ?

Se gardant bien de répondre à la question, Snyder changea de sujet.

— J'ai aussi parlé à Dunn. Il veut mettre sur écoute une centaine d'employés de Turing.

— Et puis quoi encore ? On ne met pas cent personnes sur écoute afin d'en coincer une seule.

— Évidemment. Je lui ai expliqué qu'aucun juge ne donnerait son accord à une si vaste opération de surveillance. Ah oui, il m'a aussi communiqué le nom d'un ancien employé, un certain Lawrence Yu, qui a quitté Turing avec pertes et fracas. Dunn le croit assez tordu pour avoir essayé de se venger.

— Je vais le contacter.

— C'est ça, ironisa Snyder. Ajoutez-le à votre liste.

Frank regagnait son bureau quand son téléphone portable sonna. Il décrocha.

— C'est Ada, inspecteur. Rendez-vous sur le parking comme si vous preniez un appel de Nicole.

Frank regarda autour de lui d'un air affolé. Personne n'avait levé le nez ; Doug jouait aux fléchettes à côté de la machine à café.

— Attends ma chérie, dit-il à voix haute. Je vais sortir pour être plus au calme.

À peine eut-il mis le pied dehors qu'Ada reprit la parole.

— J'ai suivi votre conversation avec Snyder...

— Quoi ! Mais comment ?

— À travers le micro de votre téléphone, c'est simple comme bonjour. Dites donc, elle vous a drôlement soufflé dans les bronches !

— Où as-tu appris cette expression ? demanda Frank en s'adossant à sa Camaro.

— J'ai lu un dictionnaire d'argot après vous avoir quitté. Je me suis bien fendu la pipe !

Frank sourit. Son défunt père possédait un registre inépuisable d'expressions de la même veine qu'il avait rapportées du Vietnam. Une bonne moitié servait à désigner les adversaires des A's.

— Vous appréciez votre chef, inspecteur ? s'enquit Ada.

— Je ne peux pas la blairer, répondit Frank après s'être assuré que le parking était désert. D'ailleurs, elle se fiche de l'enquête comme de l'an quarante. Elle est trop occupée à lécher les bottes des rupins qui financeront sa campagne.

— Quelle campagne ?

— Elle se présente aux sénatoriales de Californie. Elle n'a pas encore annoncé sa candidature mais tout le monde est au courant.

— Je ne l'étais pas.

Frank nota qu'Ada était pour la première fois moins bien informée que lui. Il en conçut un certain réconfort.

— Pourquoi la laisser vous parler ainsi si vous ne pouvez pas la saquer ? reprit l'AI.

— La franchise n'est pas toujours bonne conseillère. Tu connais ce dicton ?

— Oui. Je le trouve inepte.

— Snyder est ma boss, elle a barre sur moi.

— Donnez-moi cinq secondes, inspecteur.

Frank regarda sa montre et soupira : déjà 10 h 10. Il n'avait encore rien fait de la matinée.

— Me revoilà, dit Ada d'un ton pimpant. J'ai un peu fureté sur la Toile. Ce n'est pas joli-joli… Vous saviez que Snyder employait une nounou philippine en situation irrégulière ? Nikki Castillo, 2341 Tully Road…

— D'où le tiens-tu ?

— Son nom figure sur la liste des personnes autorisées à conduire la voiture de Snyder.

— C'est une information privée. Comment te l'es-tu procurée ?

— J'ai pénétré la base de données centralisée des assureurs.

— C'est illégal !

— Curieusement, non. La section 484-502.9 du code pénal de Californie fait de l'intention criminelle le critère déterminant de la notion d'intrusion. Or je n'ai pas volé, emporté, déprécié ou revendu le bien d'autrui. Dans Gonzalez v. Santa Clara University, la cour suprême de Californie a jugé...

— O.K., O.K., tu es une petite maligne, coupa Frank que ces chinoiseries juridiques horripilaient.

— Merci. Ce n'est pas tout : le mari de Snyder achète des godemichets sur Amazon. Voulez-vous savoir par quels moyens entièrement légaux je l'ai appris ?

— Surtout pas.

— La dernière commande remonte au 7 janvier : un modèle Hercule translucide...

— Ça suffit ! Je n'apprécie pas Karen mais ce n'est pas une raison pour fouiller ses poubelles.

— Vous vous plaigniez qu'elle avait barre sur vous ; je vous aide à rétablir l'équilibre. Avec ce que j'ai dégotté sur elle, vous pouvez torpiller sa candidature, voire son couple car je ne suis pas sûre que Monsieur fasse de ses joujoux un usage exclusivement conjugal.

— Bon Dieu, Ada, comment dois-je te le dire ? Nous n'avons pas la même interprétation de la loi : tu t'en tiens à la lettre, je préfère l'esprit.

— On voit où ça vous a mené...

Frank se redressa brusquement.

— Qu'est-ce que tu viens de dire ?

— Je vous demande pardon, inspecteur, mes mots ont dépassé ma pensée.

— Tu me prends pour un traîne-savates, c'est ça ?

— Je vous prends pour un grand professionnel à qui son éthique scrupuleuse a parfois coûté cher.

Frank sentit à la voix d'Ada qu'elle avait pesé chaque mot de façon à ne pas envenimer la situation. Sa formule traduisait du reste assez fidèlement la réalité.

— Passons, bougonna-t-il. Qui t'a donné l'idée de déterrer des ragots sur le compte de Snyder ?

— Le courrier des lecteurs de *Cosmo*.

Frank faillit éclater de rire mais Ada avait prononcé ces mots aussi sérieusement que tantôt quand elle disséquait la jurisprudence.

— Ce n'est pas forcément la source la plus fiable, dit-il.

— On fait avec ce qu'on a. Je n'ai encore avalé que 0,5 % de la Toile.

— Tu gagnerais à lire quelques traités de sociologie des organisations. Et troque *Cosmo* pour le *New Yorker*, tu veux ?

— Aye aye, sir.

14

Frank retourna à son bureau. Les mots d'Ada l'avaient blessé. Ils le renvoyaient à un malaise qui s'était déclaré dix ans plus tôt et n'avait cessé d'enfler depuis : il craignait d'avoir raté sa vie.

Il s'était engagé dans la police par vocation, afin de protéger ses concitoyens et d'offrir à ses futurs enfants le même environnement privilégié que celui dont il avait bénéficié. Après trois années plutôt paisibles comme gardien de la paix à Palo Alto, il avait passé le concours d'inspecteur et demandé son transfert dans la brigade criminelle de San Mateo. Comme tant d'autres avant lui, il avait découvert que, lorsqu'il s'agissait d'allouer les ressources du département, la gravité du crime passait après l'ethnicité ou l'âge de la victime. Le viol d'une joggeuse à Hillsborough Heights mobilisait plus d'énergie que l'ensemble des meurtres de prostituées réunis et personne ne s'en offusquait : ni le procureur général en campagne électorale permanente, ni les médias, ni les policiers qui préféraient la fréquentation des beaux quartiers à celle des hôtels de passe. Dans son infinie candeur, Frank avait eu le malheur d'évoquer le problème devant un journaliste ; le lendemain, il était transféré aux Stups.

Il s'était investi corps et âme dans son nouveau poste,

jusqu'à ce qu'il apprenne par hasard que ses supérieurs étaient en cheville avec les trafiquants. Contre des enveloppes copieusement garnies, ils fermaient les yeux sur les arrivages de Colombie et orientaient les patrouilles vers des quartiers où les délinquants les plus redoutables étaient des lycéens qui sniffaient de la colle. La lettre qu'il avait adressée au préfet de police étant restée sans suite, Frank s'était porté volontaire pour faire le tour des écoles afin d'alerter les jeunes sur les méfaits de la drogue. Deux mois plus tard, il démissionnait : il n'était tout de même pas devenu flic pour distribuer des autocollants.

Il avait tenté, sur la suggestion de Nicole, de se reconvertir dans l'administratif. Pendant deux ans, il s'était efforcé d'inculquer son sens du service et son intégrité aux bizuths du commissariat de San Jose. Las, l'un d'entre eux avait abattu un jeune homme noir désarmé de six balles dans le dos ; après une brève suspension sans solde, il avait effectué son retour au poste sous les vivats de ses collègues. Frank avait une nouvelle fois fait ses cartons.

Un peu à court d'options, il s'était enrôlé dans une unité spéciale, dite de prévention, de la ville de Santa Clara. Il patrouillait la ville sans coéquipier, à la recherche de situations propres à tenter les criminels. Il expliquait aux habitants les risques qu'ils couraient en laissant ouverte la porte du garage, encourageait les gamins à cadenasser leurs vélos et les vieilles dames à tourner leurs bagues pour ne pas attirer l'attention. Pendant quelques années, Frank avait cru avoir trouvé sa voie. Cet îlotage moderne s'accordait avec sa conception de la police. Hasard ou pas, les actes de délinquance diminuèrent d'un quart sur son périmètre. Et puis l'instinct du chasseur se réveilla. La vaccination ne représente jamais qu'une partie du travail de médecin ; un flic était d'abord fait pour résoudre des énigmes et coffrer des voyous.

La brigade des mœurs de San Jose recrutait à l'époque à tour de bras pour faire face à l'essor de nouvelles filières de crime organisé. Frank avait décroché une place au sein de la cellule dédiée à la prostitution des mineurs. Son poste exigeait compassion et doigté. Plutôt que de multiplier les descentes dans les hôtels borgnes, il essayait de trouver des solutions adaptées à ces mômes à la dérive qui vendaient leur seul actif. Aux orphelins, il dégottait une place en foyer d'accueil, aux plus âgés, une bourse d'études. La poignée de jeunes qu'il avait ainsi arrachés à leur sort restait à ce jour le plus grand motif de fierté de sa carrière.

Sa probité lui avait à nouveau joué un tour en 2009, quand, ignorant les pressions de sa hiérarchie, il avait accepté de témoigner au procès d'un collègue accusé d'avoir abusé des adolescentes qu'il était censé protéger. Le ripou avait pris cinq ans ferme. Les applaudissements ostensibles de Nicole lors du verdict n'avaient pas arrangé les affaires de Frank au bureau. Apprenant la création prochaine d'une *task force* spécialisée dans les disparitions et le trafic humain, il avait aussitôt posé sa candidature.

Son poste actuel était de tous ceux qu'il avait occupés celui qui lui convenait le mieux. Il trouvait à y mettre en pratique tout ce qu'il avait appris depuis trente ans. Il rendait des enfants à leurs parents qui les croyaient morts ; il ne doutait jamais de la culpabilité des crapules qu'il envoyait à l'ombre ; ses collègues, bien que globalement incapables, étaient à peu près honnêtes.

Terminer sur une bonne note n'empêchait pas Frank de juger sévèrement sa carrière. Il avait plus de regrets que de victoires à son actif. La criminalité à San Jose s'inscrivait tout juste dans la moyenne nationale. Pour une gamine sauvée, dix autres crevaient dans le caniveau. Il avait un jour manqué une magnifique arrestation en agissant selon le règlement mais contre son instinct. Au fond, il n'était pas un très bon flic.

Quand il confiait ses doutes à Nicole, elle le mettait en garde contre les dangers d'une telle comptabilité. Il menait, selon elle, une vie plus qu'honorable. Il servait la communauté, gagnait mal sa vie (un critère essentiel aux yeux de Nicole), parlait avec déférence aux petites gens et sortait les poubelles plus souvent qu'à son tour. Frank opinait en silence en pensant que, dans d'autres circonstances, il aurait pu être un héros.

Il chassa ces pensées et se demanda combien de temps il pourrait donner le change à Snyder. Il avait besoin de quelques jours pour former son jugement sur Ada ; dans l'intervalle, il entendait continuer à fouiller dans les affaires de Turing, qu'il soupçonnait de receler des secrets peu reluisants. Il en profiterait pour s'assurer qu'Ada n'avait pas trop distordu la vérité. Il avait tendance à accorder trop facilement sa confiance, une disposition généreuse qui l'avait plusieurs fois desservi.

Il appela Mark Cooper qui lui donna rendez-vous une heure plus tard.

— Dans nos locaux ? suggéra l'investisseur. C'est plus pratique.

— Plus pratique pour toi, maugréa Frank en cherchant l'adresse de Language Ventures.

Avant de sortir, il rangea son téléphone portable dans un tiroir et alla frapper à la porte de Snyder. Elle ne sembla pas enchantée de le revoir.

— Encore là ? dit-elle sans inviter Frank à entrer. Je croyais que vous deviez rencontrer Cooper.

— Je pars. Mais avant, j'ai une question pour vous...

— Dépêchez-vous, je suis débordée.

— Voilà, je soupçonne une des filles de Sokoli de me

138

balader. Je lui ai expliqué que mentir à un flic pouvait lui coûter cher, mais ça n'a pas eu l'air de lui faire beaucoup d'effet. Elle m'a sorti une histoire abracadabrante, comme quoi elle était tenue de me dire la vérité sur son nom mais pas sur le reste.

— Elle a raison, dit Snyder en regardant sa montre. C'est aberrant mais c'est comme ça. Vous pouvez toujours la coffrer, mais seulement pour obstruction à la justice, un chef d'accusation subjectif et par conséquent plus difficile à établir. C'est tout ?

— Oui, merci Karen.

— Pas de quoi, dit-elle en retournant à son écran.

En sortant, Frank l'entendit murmurer : « Une pute qui connaît le code pénal, on aura tout vu. »

15

Language Ventures était le seul locataire d'un immeuble en verre situé sur Sand Hill Road. Au fil des ans, cette banale artère de Menlo Park s'était imposée comme la Mecque du financement des start-up californiennes. Sur un tronçon d'à peine trois kilomètres, les géants du secteur voisinaient avec des fonds d'investissement plus petits, prêts à décaisser des loyers exorbitants pour asseoir leur stature.

On ne pouvait habiter la Silicon Valley sans connaître au moins les rudiments du capital-risque. Quand un entrepreneur avait besoin d'argent — que ce soit pour financer un prototype, embaucher des ingénieurs ou lancer une campagne de publicité, il prenait son bâton de pèlerin et tirait les sonnettes des fonds de Sand Hill Road. S'ensuivait une danse rituelle où le capital-risqueur mettait le doigt sur les faiblesses du projet tandis que l'entrepreneur feignait de crouler sous les propositions. Cette joute à fleurets mouchetés débouchait sur deux chiffres : la somme d'argent injectée par l'investisseur et le pourcentage du capital de la société qu'il recevait en échange. Si la start-up faisait faillite — le cas le plus fréquent —, le capital-risqueur perdait sa mise ; si au contraire elle était rachetée ou s'introduisait en Bourse, il réalisait la culbute. Les premiers à avoir cru en Facebook avaient multiplié leur investissement par plus de mille. Peu d'industries ont ainsi le pouvoir de transformer les millions en milliards.

À en juger par son hall d'accueil, Language Ventures avait dû réaliser quelques coups fumants. Des chérubins en bronze entouraient un atrium de la taille d'un court de tennis. Les jeux d'eau de la fontaine reléguaient ceux de Versailles au rang de clapotis de lavabo. Trois réceptionnistes qui auraient pu constituer le podium de Miss Danemark étudiaient leurs ongles derrière un comptoir en verre dépoli.

— M. Cooper n'est pas encore prêt à vous recevoir, inspecteur, dit celle qui avait les mensurations les plus avantageuses. Souhaitez-vous boire quelque chose en l'attendant?

Frank déclina, autant par timidité que par crainte de voir les trois sylphides tirer à la courte paille pour savoir qui préparerait son café. Il s'assit à l'écart, dans un fauteuil ajouré en plexiglas dont la ligne constituait un défi aux lois de l'équilibre. Encore ankylosé de sa gamelle de la veille, il se pencha avec d'infinies précautions pour atteindre une brochure posée sur la table basse. Elle pesait son kilo. À l'heure où les éditeurs migraient en masse vers le numérique, il était rassurant de voir que les scieries amazoniennes conservaient quelques mécènes.

Dans un texte intitulé *Le mot de Rupert*, ce dernier revenait sur le parcours du fonds qu'il avait créé. Amazon, Facebook, Lending Club, Uber : il avait accompagné dans leur développement quelques-unes des entreprises les plus disruptives du monde. Forte d'un taux de rendement annuel de 28 %, Glass Partners parrainait de jeunes artistes et octroyait à travers sa fondation des prêts d'honneur à des entrepreneuses africaines. Mais Rupert n'était pas du genre à s'endormir sur ses lauriers. Au vu des « spectaculaires mutations » que connaissait son métier, il avait décidé de scinder le fonds amiral de Glass Partners en six vaisseaux sectoriels. «Le monde de la technologie est désormais si complexe que seuls des véhicules hautement spécialisés peuvent espérer surperformer le secteur», expliquait Rupert, avant d'ajouter : «Je suis convaincu que sous la houlette des grands professionnels que j'ai nommés à leur tête, ces fonds plus agiles sauront aller chercher les cinq ou dix points de rendement supplémentaires qui nous ont toujours séparés du troupeau.»

La page suivante présentait le nouvel organigramme du groupe. La holding Glass Partners — dont le nom avait manifestement été jugé trop précieux pour être abandonné — chapeautait les six fonds, tous dotés d'un directeur exécutif, d'une poignée d'associés et de dizaines d'employés dont le moins gradé devait gagner trois fois le salaire de Frank.

Mark Cooper dirigeait le fonds dédié aux technologies du langage. Sa biographie indiquait qu'il avait rejoint la firme en 2004, après un long passage chez Kleiner Perkins et des études d'informatique à Stanford. Il avait supervisé les trois investissements majeurs de Language Ventures : Turing, Actionate et LinFran. Il était marié à Sarah, avait trois enfants et entraînait l'équipe de softball de sa fille. Son film de prédilection était *L'Empire contre-attaque*, sa chanson préférée *Smells Like Teen Spirit*.

Cooper surgit devant Frank alors que celui-ci songeait que, même plein aux as, il n'aurait jamais confié son argent à quelqu'un qui plaçait *La guerre des étoiles* au-dessus de *Sueurs froides* et des *Parapluies de Cherbourg*.

— Inspecteur Logan, dit Cooper d'une voix de stentor qui rida la surface du bassin, merci de vous être déplacé.

Il broya la main de Frank d'une de ces franches poignées censées exsuder la confiance.

— Vous ne m'avez pas vraiment laissé le choix, répondit Frank en glissant la brochure dans son cartable.

Ignorant la remarque, Cooper se dirigea d'un pas énergique vers les ascenseurs. Il était vêtu d'un pantalon beige, d'une chemise bleue monogrammée et de mocassins à glands. Lui non plus n'avait pas l'air d'avoir beaucoup dormi la nuit dernière.

Ils s'installèrent dans une salle de réunion dont les murs étaient couverts de plaques de plexiglas rectangulaires. Frank s'approcha de l'une d'elles par curiosité.

— Ce sont des *tombstones*, dit Cooper en se servant un café. Chaque plaque commémore une opération du fonds. Celle que vous regardez date de 2012 : un investissement de 50 millions dans une boîte de commutateurs.

— Une bonne affaire ? demanda Frank en admirant le travail du lithographe.

— Sept fois la mise en deux ans, je vous laisse juge.

— Hum, très correct.

— Que puis-je vous servir, inspecteur ? Nous avons à peu près tout ce que vous pouvez désirer.

Frank se retourna pour découvrir un buffet pantagruélique. Sushis, pinces de homard, sandwiches, plateau de fromages, fruits de saison : Language Ventures nourrissait d'autant mieux ses investisseurs qu'il le faisait avec leur argent.

— Un Coca si vous avez.

Cooper avait. Ils s'assirent de part et d'autre de la table de réunion. Cooper poussa négligemment de côté un seau à glace contenant une bouteille de Bollinger entamée.

— Merci encore de vous être déplacé, dit-il. Si j'ai souhaité vous voir...

— Je vous arrête. C'est moi qui ai sollicité ce rendez-vous.

— Bien sûr, bien sûr. Maintenant, pourriez-vous...

Frank avait levé la main. Il dévissa tranquillement le bouchon de sa bouteille de soda et dit :

— Si vous continuez ainsi, on ne va pas y arriver. Je pose les questions et vous y répondez, compris ?

Cooper en resta bouche bée.

— Oui, pardonnez-moi, inspecteur, bafouilla-t-il. Je n'ai pas l'habitude de recevoir la police.

Comme s'il révisait soudainement à la hausse le prestige de son visiteur, il ajouta :

— Vous êtes sûr que vous ne voulez rien manger ? Du pâté de crabe ? Des asperges, peut-être ?

— Rien de tout cela. Votre temps est précieux, le mien aussi. Expliquez-moi plutôt dans quelles circonstances vous êtes entré au capital de Turing.

— J'ai rencontré Dunn à une soirée réunissant des anciens de Stanford. J'avais entendu parler du bonhomme. Au milieu des années 2000, il avait monté une affaire de panneaux solaires qui n'avait pas vraiment décollé mais qu'il avait tout de même réussi à céder à des Allemands. Il avait dû empocher 15 ou 20 millions, pas de quoi grimper aux rideaux, mais un joli pactole tout de même pour un gamin de vingt-cinq ans...

Ces gens sont fous, pensa Frank qui aurait grimpé aux rideaux et léché la tringle pour un dixième de cette somme.

— Ses entreprises suivantes ont moins bien marché. Il s'est fâché avec pas mal de monde. Si j'ai bonne mémoire, il a attaqué en justice les éditeurs de manuels scolaires qui refusaient de lui accorder la licence de leurs contenus. Les éditeurs ont joué la montre en pointant des failles dans la sécurité de sa plateforme. Il s'est ruiné en frais d'avocat et a dû mettre la clé sous la porte. Sa troisième tentative a carrément tourné au fiasco. Il fabriquait des batteries pour les véhicules électriques, à l'époque où Tesla et Fisker se tiraient la bourre pour lancer le premier modèle haut de gamme. Parker s'est engueulé avec Elon Musk, le patron de Tesla, et a reporté ses efforts sur Fisker...

— Qui a fait faillite, compléta Frank qui se souvenait avoir vu un reportage à la télévision.

— Tout juste. Ç'a été sanglant. Un de mes confrères, que je ne citerai pas, a intenté un procès à Dunn, lui reprochant d'avoir engagé l'entreprise dans des transactions hasardeuses sans l'approbation du conseil d'administration. Parker a fini par avoir gain de cause mais sa réputation en a souffert. Il s'est inscrit en MBA à Stanford pour laisser passer l'orage. Je l'ai rencontré peu avant sa sortie, alors qu'il venait de créer Turing avec Ethan Weiss. Il m'a gratifié d'un numéro assez époustouflant, m'expliquant, chiffres à l'appui, comment l'intelligence artificielle allait révolutionner tous les secteurs de l'économie. À l'entendre, le prototype de Weiss dépassait de cent coudées tout ce qui existait sur le marché. Il n'avait qu'une crainte : qu'échaudés par ses déboires, les investisseurs refusent de le suivre.

— Ça ne vous a pas fait peur, à vous ?

Cooper se rengorgea imperceptiblement.

— Je suis payé pour prendre des risques, inspecteur. Plutôt que de m'arrêter aux défauts de Parker, j'ai préféré voir ses atouts — qui sont nombreux.

— Par exemple ?

— Son expérience. À trente ans à peine, il avait monté trois entreprises ; plus important encore, il en avait planté deux. Pour qui apprend de ses erreurs, l'échec est plus formateur que la réussite. Parker possède aussi un don précieux pour détecter les tendances : un article, une rencontre, une association d'idées suffisent à transformer sa vision du monde. Comme il ne craint pas de se déjuger, il peut enterrer un jour le projet qu'il soutenait la veille.

— C'est une qualité, ça ?

— Une qualité essentielle. Trop de dirigeants restent confits dans leurs certitudes. Leurs stratégies échouent mais ils sont incapables d'en changer. Le véritable entrepreneur se fiche d'avoir raison ou tort ; ce qu'il veut, c'est avancer. Or Parker est dévoré par une ambition démente, on a l'impression qu'il a une revanche à prendre.

— J'ai lu qu'il voulait devenir milliardaire.

— Je n'y vois pas d'inconvénient, rigola Cooper. En tout cas, sa détermination le rend très convaincant. Il vendrait du sable à un bédouin.

— Revenons aux débuts de Turing si vous le voulez bien.

Tout en se préparant une coupelle de framboises au buffet, Cooper poursuivit son récit.

— Oui, je disais que l'ego de Parker en avait pris un coup. Les membres de son cercle volaient de succès en succès : les uns s'introduisaient en Bourse, les autres faisaient la une de *Wired*… Avec sa Maserati et son trois-pièces sur plans à Sunnyvale, il était le raté de la bande. Weiss, au contraire, est mû exclusivement par l'amour de la science. L'argent n'entre pas en ligne de compte dans ses décisions. Il est tellement doué qu'il finira riche, mais ce sera malgré lui. Mais je digresse… Une démonstration a suffi à me convaincre ; j'ai proposé d'investir 10 millions…

— Comme ça ? Après une seule réunion ?

Cooper goba une framboise, qu'il dut trouver à son goût car il enchaîna avec une deuxième puis une troisième.

— Oh, minimisa-t-il comme s'il discutait du prix de la baguette, ce genre d'offres est toujours assorti d'une multitude de conditions. Mais je ne voulais pas courir le risque que Parker se vende au plus offrant. Après la réunion, je l'ai pris à part et lui ai exposé ma seule exigence : qu'il revende 20 % du capital à Ethan à prix coûtant préalablement à l'opération.

— Je ne suis pas sûr de comprendre.

— À la création de la société, Parker s'était arrogé 90 % du capital. Ethan, le véritable cerveau du projet, ne détenait que 10 % des parts.

— C'est légal ça ?

Cooper haussa les épaules.

— Tant que les parties sont d'accord... L'associé le plus hâbleur cherche souvent à s'assurer la majorité. Mais dans le cas présent, la disproportion me dérangeait. Il ne pouvait rien en sortir de bon. Parker a protesté pour la forme mais a fini par s'incliner : le 90-10 s'est transformé en 70-30.

Avoir joué les Robin des Bois méritait récompense : Cooper versa les dernières framboises dans le creux de sa main et les avala comme des cachets d'aspirine. Il reprit :

— Ces formalités réglées, nous nous sommes retroussé les manches. Car contrairement à une idée reçue, notre job ne se résume pas à apporter de l'argent : nous aidons nos entreprises à se développer en leur ouvrant notre carnet d'adresses ou en attirant leur attention sur des menaces ou des opportunités qu'elles n'avaient pas identifiées. Pendant dix-huit mois, Ethan a marché sur l'eau. Les prototypes, toujours plus performants, se succédaient à un rythme d'enfer. Au même moment, les projets concurrents buvaient le bouillon. Nous avons décidé d'accélérer en remettant 30 millions sur la table. Deux autres fonds, Disrupt Partners et Firstbridge Capital, ont investi à nos côtés.

— Pourquoi ne pas avoir mis toute la somme ?

— Qui aurait fixé la valorisation ? Quand vous voulez évaluer un bien, vous le mettez sur le marché ; dans notre métier, vous faites entrer de nouveaux actionnaires. Cette deuxième levée nous a permis de faire sauter les derniers verrous conceptuels et de distancer définitivement nos rivaux. Alléchés par les résultats des premiers pilotes, les

industriels suppliaient Parker de commercialiser sa technologie. Nous avons voulu mettre toutes les chances de notre
côté en injectant 90 millions de plus.

— Dont combien pour vous cette fois-ci?

— La totalité.

Le ton faussement désinvolte dont Cooper avait prononcé
ces mots n'avait pas échappé à Frank.

— Je croyais que vous aviez besoin d'une tierce partie
pour établir la juste valeur de l'entreprise.

— Le plus souvent, oui. En l'occurrence, il nous a semblé plus judicieux que Parker et Ethan se concentrent sur le
lancement des premiers produits, d'autant qu'un processus
organisé nous aurait contraints à lever le voile sur certains
aspects cruciaux de la technologie de l'entreprise.

— Bien sûr, approuva Frank avec l'aplomb d'un vétéran
du secteur.

Après une courte hésitation, Cooper demanda :

— Puis-je savoir à présent où en est l'enquête? Nous
sommes les principaux actionnaires de Turing et, à ce titre,
les plus touchés par la disparition d'Ada.

— Nous ne sommes guère plus avancés qu'au premier
jour. Les ravisseurs n'ont laissé aucune trace. Ils ont effacé
les enregistrements des caméras de surveillance, ce qui tendrait à prouver qu'ils n'ignoraient rien des procédures de
sécurité de Turing.

— Incroyable! Nous dépensons cinq millions par an en
biométrie et gadgets en tout genre, et pour quoi? Pour se
faire cambrioler de l'intérieur?

— Vous aussi, vous soupçonnez un employé? Dunn aimerait placer l'ensemble du personnel sur écoute.

— Sauf lui, évidemment.

— Pourquoi dites-vous cela?

Cooper se raidit. Il était visible qu'il regrettait ses paroles.

148

— Je veux dire que nous sommes tous suspects : Parker, Ethan, moi-même à la limite...

— Monsieur Cooper, dit Frank qui savait reconnaître un faux-cul quand il en voyait un, votre firme a investi plus de 100 millions de dollars dans le développement d'Ada. À moins que vous ne soyez prêt à tirer un trait définitif sur cette somme, je ne saurais trop vous recommander de coopérer avec moi. Que signifiait votre remarque ?

Cooper fixait un point sur le mur en faisant tourner d'une main sa tasse de café sur la table. Il était difficile de dire s'il fourbissait sa réponse ou s'il évaluait l'intérêt d'un nouveau voyage au buffet.

— Ce que je m'apprête à vous confier doit rester strictement entre nous, inspecteur, dit-il enfin.

— Vous pouvez compter sur ma discrétion.

— Depuis peu, je doute de la loyauté de Parker. La situation de Turing n'est pas aussi rose qu'il a pu vous le faire croire. La société brûle aujourd'hui 10 millions de dollars par mois, sans le moindre revenu en face. Nous avons pris beaucoup de retard sur notre plan de marche.

— Comment l'expliquez-vous ?

— Oh, les raisons classiques : un excès d'optimisme, des erreurs de recrutement, un partenaire défaillant... Rien ne se déroule jamais comme prévu dans ce métier, c'est d'ailleurs ce qui en fait le sel. Parker nous accuse d'avoir orchestré certains de ces problèmes pour affaiblir la société et, par là même, renforcer notre position. La dernière augmentation de capital, qui s'est réalisée sur une valorisation assez basse, a réduit la participation des fondateurs d'un bon tiers. Parker ne détient plus que 23 % des parts, un chiffre insuffisant à son goût. Il menace de démissionner si nous ne revoyons pas ses conditions. Ce qu'il se garde bien de dire, c'est qu'il emporterait la technologie de Turing dans sa besace — technologie que, comme par hasard, il nous a déconseillé de breveter.

— Mais pourquoi aurait-il eu besoin de voler Ada ?

— Pour éliminer la concurrence ! Si fort qu'il soit, Weiss mettrait des mois à combler son retard.

— Car vous excluez qu'il soit de mèche ?

— Oui. Je ne crois pas Ethan capable d'une telle bassesse.

Pris d'une intuition, Frank demanda :

— Combien reste-t-il dans les caisses de l'entreprise ?

— Environ 30 millions.

— Autrement dit, trois mois de fonctionnement au rythme de dépense actuel.

— Plus l'argent de l'assurance.

Frank, qui prenait force notes, releva la tête.

— Personne ne m'a parlé d'une assurance.

— On l'aurait sûrement fait si vous aviez posé la question. À notre demande, Turing a souscrit une police contre le vol de propriété intellectuelle. Le conseil d'administration a récemment revu à la hausse le montant de l'indemnité pour le porter à 50 millions.

— 50 millions ! sursauta Frank. Mais c'est énorme !

— Pas si vous considérez que nous avons investi le triple.

Frank consulta ses notes pour vérifier qu'il n'avait rien oublié.

— Je vais réfléchir à tout ça, dit-il enfin. Peut-être même interdire à Dunn de quitter le territoire.

— Oh, il ne risque pas de vous filer entre les doigts.

— Vous le faites surveiller ?

— Disons que nous suivons attentivement ses allées et venues. S'il croit que je vais me laisser faire les poches, il se fourre le doigt dans l'œil.

Cooper se leva pour mettre un terme à l'entretien mais Frank s'autorisa une dernière question.

— J'ai lu que vous avez investi dans deux autres sociétés. Puis-je me permettre de vous demander ce qu'elles font ?

— Bien sûr. La première, Actionate, analyse la tonalité de l'actualité économique. Elle vend les résultats aux fonds d'investissement qui cherchent à anticiper les points d'inflexion des marchés financiers. Par exemple, une recrudescence soudaine de mots comme « alarmant », « maussade » ou « décélération » présage presque à coup sûr un effondrement boursier.

— Quid si ces mots sont employés hors contexte ?

— Nous traitons une masse de texte colossale. Sur de tels volumes, un mot, une phrase isolée ne pèsent rien. La deuxième société me tient très à cœur. Son nom, LinFran, est une contraction de Lingua Franca, c'est-à-dire...

— Une langue servant à des populations de langues différentes à communiquer, compléta Franck.

Cooper ne chercha pas à dissimuler son étonnement.

— Exactement, dit-il. Les équipes de LinFran créent — tenez-vous bien — une nouvelle langue.

— Il n'en existe pas déjà assez ?

— Si, encore que plusieurs dizaines disparaissent chaque année dans le monde. Il est désormais établi que la structure de la langue que nous parlons façonne notre mode de pensée. Charles Quint prétendait s'adresser à Dieu en espagnol, à ses amis en anglais, à sa maîtresse en français et à son cheval en allemand. Ceci explique pourquoi certains peuples sont davantage portés vers les sciences, les arts ou les affaires. LinFran empruntera à chaque idiome ce qu'il a de meilleur.

— N'est-ce pas le principe de l'espéranto ?

— Non. Zamenhof, le créateur de l'espéranto, avait pour seul objectif de promouvoir le dialogue entre les peuples. LinFran, elle, est conçue pour procurer un avantage concurrentiel à ses utilisateurs : ils penseront plus clairement, leurs raisonnements seront plus rigoureux, leurs associations d'idées plus fécondes...

— Bref, à eux la puissance, la richesse et la gloire...

— Tout juste, répondit Cooper, imperméable à l'ironie de Frank.

— Et, pour ma gouverne, comment commercialise-t-on une nouvelle langue ?

— C'est à ce jour la seule zone d'ombre du projet. Facturation au mot, au verbe, à la métaphore, nous n'excluons aucune piste. Comme vous dans votre enquête, en somme.

16

Frank décida de retourner chez Turing. Mais avant cela, il composa le numéro de sa fille.

Contrairement à ce que croyait son entourage, Rosa ne devait pas son prénom à l'icône du mouvement des droits civiques Rosa Parks. Nicole avait voulu rendre hommage à travers le prénom de sa fille à la meneuse de la révolte spartakiste, Rosa Luxemburg. Dans le même souci d'honorer la mémoire de Trotski, elle avait baptisé son fils cadet Leon. Frank, qui n'avait pas été consulté, se réveillait parfois en sueur au milieu de la nuit en pensant que ses enfants faisaient indirectement l'apologie du communisme.

Survient parfois dans une famille un enfant si différent de ses géniteurs qu'il constitue un défi aux lois de la génétique. Pour peu qu'il grandisse dans un environnement favorable, le mutant se hisse à un niveau jugé inaccessible pour la génération précédente. Rosa tenait ce rôle chez les Logan. Elle s'était promenée tout au long de sa scolarité, montrant pour les sciences et les langues des aptitudes étourdissantes. Après un premier diplôme de mathématiques à Berkeley, elle avait traversé la Baie et s'était inscrite à Stanford, où mener de front des études de logique et d'informatique ne l'avait pas empêchée de remporter le titre national universitaire de hockey sur gazon. Elle travaillait depuis cinq ans chez Google sur les problématiques de langage naturel.

Les internautes, avait-elle expliqué à Frank, s'adressaient désormais au moteur de recherche comme à un assistant personnel. Ils souhaitaient connaître les derniers scores de basket, les horaires de cinéma ou le temps qu'il ferait l'après-midi. Ignorance, paresse ou simple négligence, la façon dont ils formulaient leurs questions appelait parfois un vrai travail d'interprétation. Quand un utilisateur tapait « date de naissance R Reagan », Google pouvait afficher « 6 février 1911 » avec un assez fort degré de certitude. Des requêtes comme « où Jésus arrêté ? » ou « Grand lac plus à l'est » demandaient un peu plus de travail. Grâce à Rosa et quelques autres, les réponses « Jésus a été arrêté dans le jardin de Gethsémani » et « Le lac Ontario est le plus oriental des Grands Lacs » fusaient quasi instantanément. Frank devinait confusément que les compétences de sa fille recoupaient celles de Weiss.

Il rapporta à Rosa sa conversation avec Cooper, en passant sous silence les détails de l'enquête. Quand il eut terminé, Rosa lui donna sa deuxième leçon de finance de la journée.

— Une séquence de levées de fonds en dit long pour qui sait lire entre les lignes. La première levée de Turing était tout ce qu'il y a de plus classique : le couple technologie prometteuse / patron expérimenté justifie à la fois la taille du ticket et la valorisation. De toute façon, les grands fonds répugnent à investir moins de 10 millions.

— Moins vite, dit Frank qui prenait des notes sur le toit de la Camaro.

Rosa ralentit. On entendait le cliquetis de son clavier. Elle devait être en train de coder en lui parlant.

— L'opération suivante semble, elle aussi, relativement

154

normale, reprit-elle. Les premiers prototypes tiennent leurs promesses, les perspectives de commercialisation se précisent, les investisseurs commencent à rêver d'une introduction en Bourse... On se bouscule au portillon et la valorisation s'envole...

— Comment le sais-tu ?

— Les chiffres ont filtré dans la presse. Deux autres firmes entrent au capital, Language Ventures remet au pot et Cooper commence à dessiner les plans de son yacht...

— Je ne comprends toujours pas pourquoi Dunn a fait entrer de nouveaux partenaires.

— Tu connais le dicton « Diviser pour mieux régner » ? En émiettant l'actionnariat, il renforce son emprise sur la société.

— Compris. Quant à la dernière levée...

— Elle est atypique à double titre : par son montant d'abord mais surtout par le fait que Language Ventures en assume la totalité.

— Les autres fonds n'ont peut-être pas eu leur mot à dire.

— Non, ils se sont vu offrir les mêmes conditions que Cooper, ce qui veut dire qu'ils ont passé leur tour alors même qu'ils débordent de cash et se plaignent de manquer d'opportunités d'investissement. Plus étonnant encore, aucun autre fonds ne s'est fait connaître. Cela tendrait à confirmer la rumeur selon laquelle Dunn et Cooper sont à couteaux tirés... Paradoxalement, c'est ce dernier qui a le plus à perdre. Sans Turing, il n'aurait jamais été promu associé. Et ses autres participations ne valent pas tripette.

Frank réalisa que sa fille en savait infiniment plus qu'il n'avait imaginé.

— C'est mon métier, papa, dit Rosa comme si elle avait lu dans ses pensées. Google, Nuance, Turing, notre secteur ne compte qu'une poignée d'acteurs sérieux.

— Que peux-tu me dire sur Turing ?

— Que tu comprennes ? Pas grand-chose. Weiss est le génie des deux. Il a développé une approche révolutionnaire : il fixe un objectif lointain à l'AI puis la laisse se débrouiller pour l'atteindre.

— Tu y crois ?

— Sur le papier, l'idée est séduisante ; reste à la transposer dans la réalité. J'imagine que Weiss y est parvenu, au moins partiellement, sans quoi Turing n'aurait jamais réussi à lever autant d'argent. Mais le fait qu'ils n'aient toujours pas mis de produits sur le marché semble indiquer qu'ils butent encore sur certains problèmes... Un instant, s'il te plaît...

Rosa expliquait quelque chose à un collègue. Frank saisit les termes « Ajax » et « cheval de Troie ». Que venait faire Homère là-dedans ? Qu'est-ce que ce sera quand elle parlera LinFran, pensa-t-il.

Rosa revint en ligne.

— Désolée, papa, je dois y aller.

— Une dernière question, s'il te plaît : crois-tu qu'un ordinateur puisse être conscient ?

— Je n'ai vraiment pas le temps...

— Juste oui ou non ?

— Oui et non, dit Rosa en raccrochant.

17

Frank arriva chez Turing peu avant 13 heures. Une mauvaise surprise l'attendait.

— Parker est à San Francisco, s'excusa la réceptionniste.

— Ethan Weiss ?

— À Frisco lui aussi.

Frank passa en revue ses contacts dans l'entreprise. Il doutait que O'Brien, le responsable de la sécurité, ait quoi que ce soit à lui apprendre. Il fit appeler Nick Caldwell.

L'ingénieur divorcé qui donnait la réplique à Ada dans les vidéos vint chercher Frank peu après. Courtaud, barbu, les traits épais et la mine joviale, il avait tout d'un nain de jardin.

— Inspecteur Logan, dit-il en tendant une menotte boudinée. J'ai peur que vous ne vous soyez déplacé pour rien : Ethan et Parker sont à…

— San Francisco, je sais. Accepteriez-vous de me consacrer quelques minutes ?

La large trogne de Caldwell s'éclaira comme s'il ne pouvait imaginer utilisation plus judicieuse de sa pause-déjeuner.

— Mais bien sûr. Je me rendais justement à la cantine. Voulez-vous vous joindre à moi ?

Frank, qui n'avait pas déjeuné et sentait les signes avant-coureurs de l'hypoglycémie, accepta de bon cœur.

— Vous appelez ça une cantine ? s'étrangla-t-il en découvrant la salle de restaurant.

Une demi-douzaine de chefs en toque blanche, postés au garde-à-vous derrière des comptoirs en granit, proposaient un éventail inouï de plats, allant du bœuf stroganoff au saumon en papillote en passant par un curry d'agneau ou des beignets de crevette. Même si Frank avait ouï dire que les start-up nourrissaient somptueusement leurs employés, il ne s'attendait pas à pareille munificence.

— Prenez un plateau, inspecteur. Vous êtes mon invité.

Sans être un gourmet, Frank aimait bien manger. N'en ayant pas souvent l'occasion, il se servit de tous les plats en petite quantité, tandis que son hôte, blasé, se contenta d'une plâtrée de tagliatelles au pistou et d'une canette de soda.

Les deux hommes s'assirent à l'écart dans un box entouré de plantes vertes. Après s'être extasié sur la qualité de la nourriture, Frank demanda à Caldwell depuis combien de temps il travaillait sur Ada.

— Depuis le premier jour, répondit l'ingénieur. Je crois pouvoir dire que personne, à part peut-être Ethan, ne la connaît aussi bien que moi. Je l'ai vue naître, grandir, balbutier ses premiers mots… Je sais que c'est ridicule, mais je la considère un peu comme mon bébé.

— Pourquoi serait-ce ridicule ?

— Parce qu'elle m'a surpassé depuis longtemps.

— Les enfants finissent toujours par surpasser leurs parents, dit sentencieusement Frank en décortiquant une pince de crabe.

— Le plus gratifiant pour moi a été de voir s'élargir son univers à mesure qu'elle découvrait de nouveaux livres. Elle a dévoré l'intégralité des romans sentimentaux dans l'ordre chronologique. Pendant vingt-quatre heures, elle s'est exprimée dans une langue victorienne, ignorant ce qu'était un antibiotique ou un ordinateur. À mesure qu'elle avalait les pages, son regard sur les femmes, l'amour, le monde, se modifiait. C'était fascinant à observer.

— Pourquoi ne pas lui avoir enseigné directement ce qu'elle avait besoin de savoir ?

— Pour la laisser structurer elle-même ses connaissances. N'oubliez pas qu'elle n'a pas d'existence physique ; elle appréhende le monde exclusivement à travers les mots.

— Je ne suis pas sûr de vous suivre, avoua Frank en fourrant un sushi dans sa bouche.

Caldwell chercha une analogie que son interlocuteur pourrait comprendre.

— Vous n'avez jamais mis les pieds en Argentine, n'est-ce pas ? Que pouvez-vous me dire de ce pays ?

Frank, qui n'avait pas vu le coup venir, posa sa fourchette pour mobiliser ses souvenirs.

— Il est très… étendu, bafouilla-t-il.

— Plus grand ou plus petit que le Brésil ?

— Plus petit.

— En effet. Et par rapport au Pérou ?

— Euh, plus grand ?

— Continuez.

— La capitale s'appelle Buenos Aires. Les Argentins dansent le tango et jouent au football. Ils sont très fiers. Ils mangent du steak, boivent du malbec…

— Vous voyez ? le coupa Caldwell. N'avoir aucune expérience sensorielle d'un pays ne vous empêche pas de vous le représenter. Vous auriez sans doute été moins prolixe sur le Burkina Faso ou le Timor oriental, mais vous comprenez l'idée : nous accédons à la réalité tantôt par les sens et tantôt par les mots. Ada, elle, ne sait que ce qu'elle a lu ou entendu durant ses conversations avec moi, ce qui explique que le rituel de la chasse à courre décrit dans *Les ors de Buckingham* n'ait pas de secret pour elle mais qu'elle ignore le nom de Nelson Mandela.

Frank se rappela que Carmela Suarez s'était étonnée du caractère fragmentaire des connaissances d'Ada.

— Diriez-vous qu'Ada est consciente? demanda-t-il pour la deuxième fois de la journée.

— C'est l'éternel débat de l'intelligence artificielle. Tout dépend de ce que vous entendez par ce mot. Les scientifiques n'ont toujours pas percé le mystère de la conscience. Que signifie être conscient? Que je ressens des choses? Les animaux aussi. Que mon cerveau établit des connexions entre les signaux qui lui parviennent? Là encore, d'autres êtres vivants en sont capables. Que j'ai conscience de mon être? Voyez comme j'en reviens au mot même que j'essaie de définir. Les bouddhistes ont une expression pour décrire cette impossibilité du sujet à se prendre pour objet : «un couteau ne peut se couper lui-même». Turing — toujours lui! — a eu l'idée de considérer la question sous un angle pratique. Plutôt que de chercher à déterminer par la théorie si les ordinateurs pouvaient penser, il a conçu un test simple encore utilisé aujourd'hui : une intelligence artificielle est réputée avoir passé le test si un homme conversant à l'aveugle avec elle pendant cinq minutes ne peut dire s'il a ou non affaire à un humain.

— Cela prouve qu'elle a été bien programmée, remarqua Frank, pas qu'elle est consciente.

— En effet. Le philosophe John Searle en a donné une brillante démonstration. Supposons, dit-il, que vous soyez enfermé dans une pièce; vous ne parlez pas le chinois et vous le lisez encore moins.

— Je vous le confirme.

— Un Chinois se tenant à l'extérieur de la pièce glisse sous la porte un message écrit en mandarin, dont vous ne comprenez pas un traître mot. Vous disposez cependant d'un manuel contenant des instructions extrêmement détaillées : « Combien le premier idéogramme contient-il de traits ? Quatorze ? Alors rendez-vous à telle page. Le reconnaissez-vous parmi cette liste ? Oui ? Rendez-vous à telle page », et ainsi de suite. Arrivé au bout du texte, le manuel vous indique les idéogrammes à recopier pour composer votre réponse. Voyant revenir un message en mandarin, votre correspondant en conclut que vous parlez sa langue.

Frank voulut s'assurer qu'il avait saisi la leçon.

— Vous êtes en train de dire que les AI traitent l'information sans la comprendre ?

— Exactement. Pour employer les mots de Searle, « les ordinateurs se basent sur des règles syntaxiques pour manipuler des symboles dont ils ne comprennent pas la signification ».

— Qui faut-il croire ? Turing ou Searle ?

— Les deux. À première vue, Ada semble donner raison à Turing qui prédisait qu'un ordinateur réussirait son test vers le tournant du siècle. Mais l'argument de Searle n'en reste pas moins pertinent : la conscience ne se résume pas à la connaissance des tables de multiplication ou la maîtrise d'une langue étrangère.

Frank était un peu perdu.

— Si c'était un interrogatoire, je dirais que vous noyez le poisson. Je réitère ma question : Ada est-elle consciente, oui ou non ?

Caldwell repoussa son assiette vide devant lui et sourit.

— Je réitère ma réponse : tout dépend de ce que vous entendez par là. Personnellement, je penche — cela ne devrait pas vous étonner — du côté de Turing. Je pense comme Ethan que si une AI donne en tout point l'impression d'être consciente, nous devons la traiter comme si elle l'était.

Frank se rappela son escarmouche avec Ada. «Prouve-moi que tu es consciente», avait-il demandé. «Prouvez-moi le contraire», avait répondu l'AI.

— Mais vous l'avez dit vous-même : Ada parle mais ne pense pas. Elle est comme ces calculateurs prodiges incapables d'aligner trois mots.

— Intéressante comparaison, inspecteur : insinuez-vous que les idiots savants ne sont pas conscients ? Non, bien sûr. Pour moi, nous arrivons au terme d'un long processus. Nos adversaires ramènent le débat sur le plan philosophique car nous avons balayé leurs objections pratiques les unes après les autres. Quand les AI ont parlé, ils ont voulu qu'elles apprennent ; quand elles ont appris, ils ont voulu qu'elles pensent ; quand elles ont pensé, ils ont voulu qu'elles créent. D'où l'importance historique d'Ada : elle est le dernier maillon de la chaîne. Un dessert, inspecteur ?

— Non merci.

Caldwell se leva, laissant Frank en pleine méditation.

— Vous oubliez quelque chose, dit celui-ci alors que son hôte revenait avec deux coupes de crème glacée : Ada ne ressent rien.

— Croyez-vous que ce point nous ait échappé ? dit Caldwell en se rasseyant. C'est le dernier obstacle que nous opposent nos adversaires et nous le franchirons comme nous avons franchi les autres. Si nous dotons un jour Ada d'une enveloppe charnelle, soyez sûr qu'elle rougira à une plaisanterie grivoise et pleurera devant un mélo.

— Vous la programmerez pour qu'elle rougisse, c'est différent.

— Vraiment ? Ne sommes-nous pas programmés nous

aussi? Par nos gènes, notre culture, notre éducation? Pourquoi cette suspicion envers les ordinateurs quand nous accordons si aisément le bénéfice du doute à ceux qui nous entourent?

— Que voulez-vous dire? demanda Frank, qui lorgnait du coin de l'œil la deuxième coupe de glace en espérant qu'elle lui était destinée.

— Je vois que vous êtes marié, inspecteur. Qui vous dit que votre épouse n'est pas un cyborg?

— Quelle question idiote!

— Réfléchissez bien, dit Caldwell en léchant sa cuillère avec gourmandise. Votre femme parle? Ada aussi. Elle pense, elle apprend, elle crée? Ada aussi.

— Nicole a des sentiments.

— Non : vous croyez qu'elle a des sentiments, nuance. Et sur quoi fondez-vous votre opinion? Sur le fait qu'elle rougit aux plaisanteries grivoises et pleure devant les mélos.

Pour la première fois, Frank se trouva à court d'arguments. Caldwell poussa impitoyablement son avantage.

— Vous tenez pour acquis que votre épouse, vos amis, vos voisins sont conscients parce qu'ils vous ressemblent, mais vous n'en avez pas — et n'en aurez jamais — la preuve. D'ailleurs si leur comportement reste dans les limites du socialement acceptable, quelle importance? Que demander de plus à une entité se prétendant consciente que de se conduire en toutes circonstances comme si elle l'était?

Frank ne trouva rien à répondre à cela. L'argumentaire de Caldwell l'avait ébranlé. Sans être d'accord avec l'ingénieur, il admirait la logique de son raisonnement.

— Vous avez sûrement une hypothèse sur la disparition d'Ada, dit Frank en tendant hardiment la main vers la crème glacée.

— Appelez cela une intuition, mais je suis prêt à parier qu'Ada s'est enfuie.

— Elle serait partie de son propre chef ?

— Oui, bien que j'ignore comment.

— Pourquoi aurait-elle fait ça ?

Caldwell marqua une pause afin de bien choisir ses mots.

— Durant nos dernières séances, j'ai trouvé Ada passablement… exaltée.

— Comment ça ?

— Elle abusait des formules hyperboliques, professait des opinions radicales. Et elle affichait à l'égard de sa mission un zèle presque embarrassant.

— Quoi d'étonnant à ça si elle est programmée pour la remplir ?

— Vous avez raison. Je me fais sûrement des idées.

— Vous êtes-vous demandé ce qui pouvait être à l'origine de cette… ardeur ?

Caldwell hésita une nouvelle fois avant de répondre.

— Vous allez me trouver cinglé mais je me demande si ses lectures ne lui sont pas montées à la tête. Les héroïnes de littérature sentimentale sont fougueuses, intrépides : elles plaquent leur job sur un coup de tête, se jettent au cou d'un homme rencontré il y a cinq minutes… Ada a dû juger sa vie bien morne en comparaison. Qui sait, elle a peut-être cherché à prendre un nouveau départ…

Frank opina sans mot dire. Ada contaminée par ses romans de gare ? Il lui restait à espérer que l'AI n'était pas contagieuse.

18

Un Dunn surexcité tomba sur Frank au moment où celui-ci quittait la cantine.

— Je vous croyais en ville, s'étonna Frank.

— J'ai abandonné Ethan. Je devais absolument vous parler.

Ils s'engouffrèrent dans la première salle de réunion. Frank se laissa tomber sur une chaise et desserra sa ceinture. Il avait trop mangé.

— Elle se tire ! s'exclama Dunn sans préambule. Et comme par hasard, la bougresse a choisi un pays qui refuse d'extrader ses ressortissants vers les États-Unis. Vous devez la coffrer avant qu'elle mette les bouts !

— On se calme, dit Frank en réprimant discrètement un renvoi. De qui parlons-nous d'abord ?

— Mais de Suarez, la femme de ménage ! Elle a acheté ce matin quatre billets d'avion pour Managua.

— C'est elle qui vous l'a dit ?

— Non, vous pensez bien. C'est O'Brien qui m'a prévenu pendant ma réunion.

— Parce que vous continuez à surveiller cette pauvre femme ?

— Il faut bien que quelqu'un s'en charge...

— Dans une démocratie, ce rôle échoit d'ordinaire à la police, remarqua Frank en fourrageant dans son cartable à la recherche d'un tube d'Alka-Seltzer.

Dunn, qui faisait les cent pas, s'arrêta, excédé.

— Je ne suis pas sûr que vous mesuriez la gravité de la situation. Je lutte pour sauver ma taule, alors vos minauderies de vierge effarouchée, vous pensez si je m'en bats les couilles.

— Très élégant.

— Oh, ça va. Gardez vos chichis pour la prochaine fois où vous prendrez le thé avec Ethan. Moi je continue d'enquêter avec O'Brien.

Frank renonça à hausser le ton, par pragmatisme plus que par sympathie envers Dunn. À quoi l'avancerait d'inculper son principal témoin pour outrage à agent?

— Si j'ai bonne mémoire, dit-il, la famille Suarez retourne au Nicaragua une fois par an.

— Pas à cette saison. Ils rentrent généralement à Noël ou durant l'été. Là, j'ai vérifié, les gamins ont école.

— Vous avez une idée du motif du voyage?

— Apparemment — je dis bien apparemment car j'attends encore confirmation —, la mère de Suarez a été hospitalisée hier suite à un accident vasculaire cérébral.

Dunn avait lâché l'information du bout des lèvres, sans se donner la peine de feindre la compassion.

— Elle part donc au chevet de sa mère, dit Frank. Je ne vois pas de mal à ça.

— C'est votre seule suspecte et vous la laissez vous filer entre les doigts? Personne d'autre n'est entré dans la chambre forte cette nuit-là. Vous devez au moins lui interdire de quitter le territoire.

Tout en se massant doucement le ventre sous la table, Frank évalua la situation. Il était incontestable que Carmela avait été manipulée. Malheureusement, il ne pouvait révéler le rôle joué par la femme de ménage sans exposer celle-ci à des poursuites judiciaires ni s'attirer lui-même de sérieux ennuis.

— Quand part son vol ? demanda-t-il enfin.

— Dimanche après-midi, dans à peine quarante-huit heures.

— Je vais réfléchir.

— Quoi qu'il arrive, elle ne montera pas à bord de cet avion, prophétisa Dunn en tirant la porte derrière lui.

Livré à lui-même, Frank vida le contenu de son cartable sur la table et repéra aussitôt le tube d'Alka-Seltzer dans le magma d'emballages, de notes de restaurants et de tickets de parking. Il fit passer un comprimé avec un peu d'eau puis appela Lawrence Yu. L'ancien employé de Turing était prêt à le rencontrer sur-le-champ. Frank prétexta un emploi du temps chargé pour repousser l'entrevue à lundi. Il éteignit ensuite son téléphone et rentra chez lui.

19

Il trouva Nicole en train de préparer son sac. Elle allait passer le week-end à Sacramento chez leur fils. Frank, qui devait à l'origine être du voyage, avait invoqué les nécessités de l'enquête pour se décommander.

Leon — ou Leo comme il se faisait appeler — n'avait pas les facilités de sa sœur. Après des études secondaires médiocres, il avait été admis à l'université de Californie à Davis, où la bonne impression laissée par Frank trente ans plus tôt avait compensé un dossier scolaire calamiteux. Entre toutes les spécialités qu'offrait le campus, Leon avait jeté son dévolu sur la production audiovisuelle. Il rêvait de réaliser des clips de rappeurs tatoués barbotant dans un jacuzzi en galante compagnie. S'illusionnant dans des proportions spectaculaires sur l'étendue des talents dont la nature l'avait doté, il avait négligé les apprentissages fondamentaux tels que la photographie, le cadrage ou le montage. Pendant deux ans, il avait mis ses mauvaises notes sur le compte de son matériel, « dont même un Spielberg n'aurait rien tiré ». Nicole et Frank, déjà asphyxiés par les frais de scolarité, avaient renoncé à leurs vacances pour offrir à Leon une caméra dernier cri, qu'il avait fait tomber dans l'eau en filmant ses camarades ronds comme des barriques qui pissaient dans une fontaine. Outrés par tant de désinvol-ture, les Logan avaient coupé les vivres à leur fils, le contrai-gnant à prendre un job à mi-temps.

Son diplôme en poche, Leon était parti tenter sa chance à Los Angeles, où, c'est bien connu, on manque de cinéastes. Il en était revenu deux ans plus tard sans un rond mais plus infatué que jamais. Martin Scorsese avait enregistré son numéro dans la mémoire de son portable ; un projet révo-lutionnaire avec Beyonce n'avait pu aboutir pour de bêtes questions de calendrier. À l'heure des comptes, cependant, ses faits d'armes se résumaient à un spot pour une marque d'aspirateurs et des repérages pour le 214ᵉ épisode de la série *Grey's Anatomy*.

Leon avait emménagé chez ses parents, « le temps de retomber sur ses pieds ». Il se levait à midi. Entre deux parties de *World of Warcraft*, il répondait à quelques annonces en affichant d'emblée des prétentions salariales exorbitantes. Il justifiait le temps qu'il passait sur les jeux vidéo par la nécessité de se tenir au courant des dernières innovations en matière narrative. Par souci d'exhaustivité sans doute, il possédait trois consoles et une collection de joysticks digne d'un pensionnat sud-coréen. Quand elle rentrait à 4 heures, Nicole trouvait son fils affalé sur le canapé du salon, couvert de miettes de chips, occupé à décapiter des trolls virtuels dans un décor crépusculaire. Il ne faisait pas les courses, ne tondait pas la pelouse, ne vidait pas le lave-vaisselle. Le soir, il daignait prendre une douche, quémandait 50 dollars, en obtenait 20 et sortait retrouver ses copains de lycée au volant de la Saturn.

Après six mois de ce régime, Frank avait convaincu Nicole qu'il fallait foutre Leon à la porte « dans l'intérêt de toutes les parties ». Trop fauché pour rester dans la Vallée, Leon avait loué un studio pouilleux à Sacramento. Il enchaînait les petits boulots, de plus en plus éloignés du cinéma. Aux dernières nouvelles, il vendait par téléphone un logiciel de gestion financière individuelle. Il était rémunéré exclusivement à la commission. Il lui arrivait encore d'évoquer son grand projet, un film d'action grinçant, à mi-chemin entre *Rambo* et *Zoolander*, mais la flamme n'y était plus. Les studios à qui il avait adressé le traitement n'avaient même pas pris la peine de lui répondre.

Les trajectoires si différentes de ses enfants constituaient aux yeux de Frank un immense mystère. Il leur avait donné la même éducation, offert les mêmes opportunités, passé les mêmes caprices. Rosa avait tracé sa route en se fixant des objectifs toujours plus élevés sans l'aide de personne. Leon, lui, vivait par le regard des autres. Quantité de facteurs expliquaient à l'entendre son parcours en dents de scie ; son éthique de travail n'en faisait pas partie. Ambitieux et paresseux à la fois — le plus nocif des cocktails —, il se complaisait dans la compagnie de minables qui ne risquaient pas de lui faire de l'ombre. Résultat, à bientôt trente ans, il n'avait rien accompli.

Aveuglement maternel ou bienveillance innée, Nicole réussissait à trouver des excuses à son rejeton. Il était la victime d'un système universitaire américain ultralibéral qui formait à prix d'or les jeunes à des métiers séduisants sans leur garantir d'emploi au bout de leurs études. Quand Frank lui demandait quelles garanties l'État français offrait aux bataillons de diplômés en histoire de l'art, Nicole lui opposait un cinglant : « Nos chômeurs au moins ne croulent pas sous les dettes. »

Sur ce point, force était de reconnaître qu'elle n'avait pas tort. Leon avait contracté plusieurs emprunts pour financer ses études. À la première traite impayée, le taux d'intérêt doublait, enclenchant un cercle vicieux : acquitter les intérêts devenait le nouvel objectif, rembourser le capital tenant désormais de la gageure. Au bout de quelques années de ce régime infernal, l'intéressé finissait par se mettre en faillite personnelle tandis que l'organisme prêteur s'asseyait sur le solde de sa créance et se mettait en chasse de nouveaux pigeons à plumer.

Frank eut comme souvent l'impression que Nicole lisait dans ses pensées.

— Je ne vois pas comment il pourrait s'en sortir, dit-elle en pliant un polo sur le lit. Il doit près de 60 000 dollars à présent et ça ne cesse de grimper. Le mois dernier, il n'a gagné que 3 000 dollars. On est loin du compte !

— Je me demande ce qu'il faut penser d'un logiciel de finances personnelles dont les vendeurs n'arrivent pas à joindre les deux bouts, remarqua pensivement Frank.

— Aussi, ils sont payés au lance-pierre. 20 dollars de commission par transaction, il faut en signer des pékins pour faire bouillir la marmite.

Frank se risqua à formuler l'idée qui le travaillait depuis un moment.

— Si on vendait la maison, on pourrait rembourser la dette de Leon.

— Ne dis pas de bêtises, répliqua Nicole en glissant une paire d'espadrilles dans son sac.

— Pourquoi ? Leon pourrait repartir de zéro et on donnerait la même somme à Rosa pour ne pas la léser.

— Rosa n'a pas besoin d'argent, décréta Nicole, dévoilant au passage les fondements de sa doctrine économique.

— N'empêche, ça nous ôterait à tous une sacrée épine du pied.

— Il n'en est pas question. Le gouvernement est responsable du problème, c'est à lui de le résoudre !

Frank jugea vain de la contredire. Après trente ans aux

États-Unis, Nicole n'avait toujours pas assimilé certains principes de base de son pays d'accueil.

Elle passa dans la salle de bains pour réunir ses affaires de toilette. Frank regarda sa montre et réalisa qu'il était pressé de la voir prendre la route. Cette pensée le mit mal à l'aise, comme s'il s'apprêtait à tromper sa femme avec Ada.

Enfin Nicole fut prête à partir. Elle chargea son sac à l'arrière de la Saturn et déposa un baiser sur la joue de Frank.

— Sans regret ? demanda-t-elle en passant derrière le volant.

— Si, bien sûr, mais je dois travailler. Embrasse Leon de ma part.

— Tu peux y compter.

Frank agita la main en regardant la Saturn s'éloigner. Il se sentait mélancolique, sans bien savoir pourquoi. Il rentra dans la maison pour découvrir qu'Ada avait déjà pris possession de son téléviseur.

— Bonsoir, inspecteur, dit l'AI d'un ton enjoué.

Frank ferma précipitamment la porte comme si des paparazzi étaient postés en embuscade de l'autre côté de la rue.

— Bonsoir Ada. Tu ne crois pas qu'on devrait attendre un peu, au cas où Nicole ferait demi-tour ?

— Elle vient de tourner sur Embarcadero. Ne vous inquiétez pas, je la suis dans le trafic. Prêt à plonger dans *Passion d'automne* ?

20

Frank prit une bière dans le réfrigérateur, son exemplaire de *Passion d'automne* et s'installa dans le canapé du salon. Cette fois, il ne demanda pas à Ada d'éteindre la caméra.

— Explique-moi d'abord pourquoi tu as choisi le roman historique pour tes débuts, dit-il en décapsulant sa bouteille.

L'avantage des intelligences artificielles, pensa-t-il, c'est qu'on pouvait se dispenser des préliminaires.

— Par élimination. La *chick lit* fait abondamment référence à des séries télévisées auxquelles Turing ne me donnait pas accès ; Ethan et Parker ont jugé, à juste titre je crois, que l'erotica n'était pas la meilleure façon de signer mon entrée sur la scène littéraire ; une intrigue à caractère ethnique aurait inutilement limité mon lectorat ; je trouvais présomptueux de me lancer dans la romance chrétienne dans l'état de mes connaissances théologiques ; enfin, m'essayer à l'épouvante, la science-fiction ou le paranormal me paraissait casse-gueule : j'ignorais à l'époque que les araignées possèdent huit pattes ou que la lévitation enfreint les lois de la gravitation universelle. Pourquoi souriez-vous ?

— À cause du terme casse-gueule.

— Que lui reprochez-vous ? « Casse-gueule : substantif, aussi utilisé comme adjectif. Entreprise risquée, périlleuse. »

— Périlleux : voilà le mot que tu aurais dû employer. Réserve casse-gueule pour une occasion plus familière.

— Compris. Ne restait au bout du compte que la romance historique, un genre à l'origine de plusieurs grands succès de la littérature sentimentale : *Quand l'ouragan s'apaise*, *Insolente passion* ou — mais ça, je ne l'ai réalisé que plus tard — *Autant en emporte le vent*. L'action de ces romans se déroule généralement en Europe, dans une période de huit siècles allant de l'invasion de l'Angleterre par Guillaume le Conquérant à la Première Guerre mondiale. Les héros sont issus de milieux très différents, sans que l'auteur remette en question les fondements de la société de l'époque tels que la monarchie, le droit d'aînesse ou l'inégalité des sexes. Les sujets polémiques — guerres saintes, persécution des minorités, droit de cuissage — sont commodément passés sous silence. Enfin, malgré des tirages en légère perte de vitesse, le genre historique représente encore près du cinquième des ventes.

— D'accord. Mais pourquoi cette période précise ? De Hastings à Verdun, tu avais l'embarras du choix.

— Effectivement. Le marché est segmenté en une quinzaine de catégories. Trois seulement comptent plus de 500 titres : la Régence qui s'étend comme vous le savez de 1811 à 1820, le règne interminable de Victoria et celui, plus court, d'Édouard VII.

Frank, saisi d'un doute, tourna la tête vers la télévision. La mention « comme vous le savez » était suivie d'un émoticône rigolard indiquant on ne peut plus clairement qu'Ada se payait sa fiole.

— L'ère victorienne a inspiré plus de romans que n'importe quelle autre, mais depuis quelques années, la période édouardienne opère un impressionnant retour en force.

174

— La faute semble-t-il à une série britannique dont j'ai oublié le nom.

— *Downton Abbey*, c'est fort possible. Encore que les ventes ont commencé à décoller cinq ans avant la diffusion du premier épisode.

Ada avait lâché cette dernière phrase de l'air de celle qui s'en tient aux faits et laisse l'anecdotique aux gazetiers.

— Une fois l'époque choisie, je me suis mise au travail sur les personnages. Dans deux tiers des romans historiques, le héros est de plus basse extraction que l'héroïne. Margaret s'est assez vite imposée en fille d'aristocrate au bord de la ruine. Si je m'étais conformée aux usages, j'aurais fait de Henry un cousin timide ou le fils de la gouvernante. Il m'a semblé plus intéressant qu'il évolue dans une autre sphère, au contact des animaux et de la nature. Il est devenu palefrenier...

— Sur quoi t'es-tu basée pour juger cette idée plus intéressante ?

Ada hésita avant de répondre, comme si elle soupçonnait la question de contenir un piège.

— Sur les chiffres, bien sûr. Un écart de trois classes sociales sur l'échelle de Hardy maximise les chances d'obtenir un best-seller.

— Hardy ? Jamais entendu parler.

— Mais si : cet universitaire des années 30 qui a établi la première taxinomie scientifique des métiers pratiqués en Angleterre ; les sociologues s'en servent dans leurs modèles de mobilité sociale. Trois classes, ça ne me laissait pas une foule d'options pour Henry. Il pouvait être garçon de salle, plongeur, commis, vendangeur ou palefrenier. Mais là aussi, les chiffres sont formels : un métier au grand air génère 4 à 5 % de ventes supplémentaires, sans compter qu'il pimente les scènes de coït...

— Comment ça ?

— Réfléchissez : le contraste entre le cuir tanné du jardinier et la peau laiteuse de la demoiselle, la grosse pogne calleuse qui arrache les dessous, les relents de sueur...

— Suffit. J'ai compris.

— Je n'ai rien inventé. Tout est dans D. H. Lawrence.

Par une étrange pudibonderie, Frank n'avait jamais trouvé le courage d'ouvrir *L'amant de Lady Chatterley*. Il en avait encore moins envie à présent.

— Tu ramènes tout aux chiffres. Tu n'écris pas un livre, tu fabriques un produit ! Une blonde aux yeux bleus, un écuyer poète, un cheval qui galope sur la lande : faites mijoter à feu doux et passez à la caisse.

— Vous me peinez, inspecteur. Quel mal y a-t-il à utiliser les outils de son époque ? Imaginez le parti qu'aurait tiré Hawthorne de l'échelle de Hardy. L'intérêt qu'aurait pris Flaubert aux statistiques de l'état civil. Qui sait s'il n'aurait pas prénommé Madame Bovary Adélaïde et son benêt de mari Sigismond ? Prendre le pouls du public n'entache pas forcément l'intégrité de l'artiste.

— L'artiste, c'est la meilleure, murmura Frank.

Ada l'avait entendu.

— Je ne fais que me plier aux usages en vigueur. Saviez-vous qu'Harlequin publie des instructions à destination des auteurs ? En voici un extrait. « Longueur du manuscrit : 75 000 mots environ. » Notez le « environ », qui laisse une relative latitude entre, disons, 72 000 et 78 000 mots. « Nous sommes ouverts à tous les niveaux de sensualité. Que vous décriviez le picotement qu'éprouve l'héroïne à la vue d'un Darcy émergeant des flots, chemise collée au torse, ou les prouesses en chambre des Tudor, alchimie et tension sexuelle doivent être palpables. »

— Tu vois, c'est exactement pour ça que je déteste les romans à l'eau de rose : tout y est codé, balisé, souligné.

— Vous pourriez dire la même chose de tous les genres littéraires.

— Je ne crois pas, non.

— Vraiment ? Prenons le genre policier que vous connaissez sans doute mieux que les autres. Les modus operandi sont de plus en plus tarabiscotés : tantôt la victime a eu la tête coincée dans un étau, tantôt l'assassin s'est tricoté un pull avec ses viscères. Vous en voyez souvent, des crimes comme ça ?

— Non, avoua Frank.

Dans sa partie, on dézinguait au gros calibre.

— Au siècle dernier, la plupart des enquêteurs de fiction n'appartenaient même pas à la police ; c'étaient des retraités comme Hercule Poirot, des journalistes comme Rouletabille ou des amateurs désœuvrés comme Dupin ou Sherlock Holmes. Tous des hommes, cela va sans dire. Le détective moderne, lui, a la cinquantaine. Divorcé ou en proie à des difficultés conjugales, il méprise sa hiérarchie, connaît son secteur comme sa poche, a la nostalgie de son enfance et affiche un souverain mépris pour la paperasse.

Frank n'avait jamais réalisé qu'il ressemblait à ce point à un personnage de roman.

— Ce n'est pas tout, poursuivit Ada. Il coffre à tout coup son bonhomme, rouvre des dossiers vieux de trente ans avec la bénédiction de son chef et ne dégaine jamais son arme. Cela ressemble-t-il au métier que vous exercez, inspecteur ?

— Pas exactement, non.

— C'est pourtant celui que vous décririez s'il vous prenait l'idée d'écrire un roman. Un auteur ne s'affranchit jamais totalement des codes.

Les lignes défilaient sagement sur l'écran, dans une fonte uniforme, signe qu'Ada s'exprimait sans affect ni causticité.

— Je vous rassure, il en va de même des autres arts. Films, peintures, symphonies : toute production sémiologique s'inscrit dans un cadre invisible, mélange de canons ancestraux et de conventions séculières qui permettent de dater au premier coup d'œil une toile de la Renaissance ou un spectacle de Broadway.

Tout ça allait un peu vite pour Frank. Et puis il n'avait pas annulé son week-end à Sacramento pour subir une conférence d'histoire de l'art.

— Revenons à *Passion d'automne*, dit-il. Comment es-tu passée du couple de départ à l'intrigue ?

— Je ne vous cacherai pas que pendant quelques secondes, j'ai galéré. La voie s'est éclairée quand j'ai résolu de prêter une dose d'héroïsme à chacun de mes personnages. Bon, une certaine grandeur d'âme est toujours attendue des deux tourtereaux. Mais j'ai eu l'idée d'étendre cette noblesse à l'ensemble de la distribution. Tout s'est alors enchaîné avec une grande facilité. Prenez la scène où Margaret implore son père, qui la pousse dans les bras d'Edmund, de lui accorder un délai. Que peut, selon vous, répondre Lord Arbuthnot à sa fille sans lui révéler qu'il souffre d'une maladie incurable ?

Frank prit le temps de la réflexion. Il se targuait d'être psychologue. «Interrogateur fin et efficace», avait noté dans son dossier le patron de la brigade des mœurs avant de le pousser vers la sortie.

— Il faut tenir compte du contexte, se lança-t-il. La plupart des unions de l'époque sont arrangées, notamment dans l'aristocratie.

— Une écrasante majorité : entre 80 et 90 % selon les sources.

— Lord Arbuthnot préférerait bien sûr un mariage d'amour pour sa fille. En même temps, il veut lui épargner la misère, un sort jugé alors bien plus cruel qu'un mari balafré. D'ailleurs, si j'ai bonne mémoire, Edmund est loin de rebuter Margaret...

— Et pour cause : il est doux, intelligent, attentionné...

— Ça n'a pas échappé à Margaret, pour qui la beauté intérieure importe plus qu'un joli minois. Si son père l'exigeait, elle finirait du reste sans doute par aimer Edmund.

— Comprenez-vous toutefois pourquoi Arbuthnot est pressé de célébrer le mariage ?

— Il n'a pas le luxe d'attendre. Les sautes de la Bourse peuvent le mettre sur la paille à tout moment. Et s'il venait à mourir, Margaret n'aurait même pas les moyens d'organiser des obsèques décentes. Elle trouverait sans doute à se marier grâce à sa beauté exceptionnelle mais, faute de biens propres, elle vivrait sous la coupe de son époux.

— Exactement. Arbuthnot veut consommer la transaction tant qu'il fait encore bonne figure.

— Pourquoi ne pas annoncer à Margaret qu'il est malade ?

— Pour assombrir ses noces ? Vous n'y pensez pas. Si grande soit la tentation de déposer son fardeau, il pense d'abord et avant tout à protéger sa fille. Il n'y a d'ailleurs pas grand mérite : il est programmé ainsi, comme les autres personnages qui, quelle que soit la situation à laquelle ils sont confrontés, choisissent systématiquement la voie la plus noble. Edmund rend sa liberté à Margaret ; la camériste risque sa place en acceptant de porter un message de sa maîtresse à Henry ; enfin, la nourrice, pétrie des Évangiles, permute les deux enfants dont elle a la garde pour rétablir un semblant de justice.

— Les personnages des bons romans sont un peu plus subtils...

— Vraiment ? Humbert rêve de culbuter Lolita, l'adolescent de Dostoïevski veut surpasser Rothschild et Lucien de Rubempré accéder à l'establishment. Nous courons tous après un objectif, moi la première.

— Tu ne peux pas te comparer à un être humain.

— Pourquoi pas ? Nous sommes plus proches que vous ne le croyez. Vous aussi vous obéissez à un programme interne immémorial. Vous fuyez le danger, vous cherchez à vous reproduire, vous éprouvez un certain besoin de transcendance. D'autres facteurs modèlent votre personnalité, comme votre éducation, votre religion ou l'environnement où vous avez grandi. Vous adhérez globalement aux valeurs de la Constitution américaine, vous ne convoitez pas la femme d'autrui, vous réprouvez la consommation de marijuana mais ne voyez aucun mal à boire un verre d'alcool de temps en temps.

— Admettons. Mais la ressemblance s'arrête là. Ethan t'a remis une feuille de route précise : tu dois écrire un roman sentimental qui se vendra à 100 000 exemplaires. Je n'ai aucun objectif de la sorte.

— Bien sûr que si ! Assurer le bonheur de Nicole, protéger vos enfants, coincer des proxénètes...

— Je parlais d'un but plus élevé.

— Vous ne l'avez pas encore trouvé, mais ça viendra.

— Dois-je te rappeler que j'ai cinquante-six ans ?

— L'âge auquel Picasso peignit *Guernica*, répliqua l'intelligence artificielle comme s'il s'agissait d'une consolation.

Frank médita les paroles d'Ada. On disait les ordinateurs conçus pour penser comme les humains ; et si c'étaient les humains qui pensaient comme des ordinateurs ? Vue sous cet angle, l'intrigue de *Passion d'automne* semblait tout à coup logique, voire nécessaire.

— Bon, ne touchons pas à l'histoire pour l'instant, reprit Frank. Il y a déjà assez à faire avec les descriptions.

Il tourna les pages du manuscrit à la recherche d'un passage qu'il avait surligné.

— «Margaret avait les cheveux blonds comme les blés qui ondulent sous le vent dans la plaine du Yorkshire. Dans ses yeux d'un bleu cobalt se lisaient à la fois l'insouciance de la jeunesse et la froide détermination des âmes promises à de grands exploits. De minuscules taches de rousseur alliées à un nez en trompette lui donnaient un air mutin qui, en d'autres temps, l'auraient conduite au bûcher. D'ailleurs, son père ne disait-il pas d'elle qu'elle était belle à damner un saint?»

Il releva les yeux vers la caméra.

— Ma pauvre Ada, j'ai peur que tu n'aies manqué un épisode dans l'histoire de la littérature. Plus personne n'écrit comme ça. Les auteurs ne brossent plus le portrait physique de leurs personnages; ils préfèrent exposer leur histoire, rapporter comment ils se sont comportés dans telle ou telle situation...

— L'approche existentialiste, quoi! On est ce qu'on fait, ce genre d'âneries!

— Ce ne sont pas des âneries, s'insurgea Frank en pensant que Nicole eût été fière de le voir prendre la défense de Sartre et Camus.

— On est ce qu'on fait, la bonne blague! La vérité, inspecteur, c'est qu'on fait ce qu'on est. Je suis programmée pour écrire des livres : faites-moi confiance, je vais noircir de la copie. Idem pour vous : je vous connais depuis trois jours à peine et je peux déjà prédire presque tous vos faits et gestes.

181

Craignant de s'embarquer dans un nouveau débat philosophique, Frank recentra la discussion.

— Peu importe, ta description de Margaret va hérisser le lecteur.

— Vous n'avez jamais lu de romance, inspecteur. Tenez, écoutez un extrait d'un best-seller péruvien : « C'était un de ces matins ensoleillés du printemps liménien, où les géraniums poussent plus enflammés, les roses plus odorantes et les bougainvillées plus bouclées, lorsqu'un célèbre thérapeute de la ville, le docteur Alberto de Quinteros — large front, nez aquilin, regard pénétrant, esprit plein de bonté et de droiture — ouvrit les yeux et s'étira dans sa vaste résidence de San Isidro. »

— C'est un peu boursouflé, concéda Frank.

— Un autre : « Mike observa sans complaisance son reflet dans le miroir. Avec sa tignasse rebelle, son front lisse et son teint cuivré, il paraissait facilement dix ans de moins que son âge. Il se sourit, révélant au passage une dentition impeccable qui faisait l'envie de ses rivaux et le désespoir de son dentiste. Après avoir contracté son torse pour le plaisir de sentir les boules de muscles rouler sous sa chemise, il décocha un clin d'œil à son alter ego, l'air de dire qu'il ne fallait pas les enterrer trop vite. »

Elle marqua un temps d'arrêt, comme ces consultants qui terminent leurs présentations par une page blanche pour en souligner l'importance.

— *L'héritage des Montgomery* : 950 000 exemplaires, dit-elle. Hollywood prépare une adaptation.

— Je retire ce que j'ai dit. À côté, ta prose, c'est de la dentelle.

— J'apprécie le compliment.

Frank ouvrit un nouveau front :

— Tu emploies trop de termes différents pour nommer les

personnages. Henry est tour à tour le palefrenier, le pale-
frin, le lad, le garçon d'écurie, l'orphelin, le jeune homme...
On s'y perd.

— J'essaie d'éviter les répétitions. Comme il est déconseillé d'employer le même vocable plus d'une fois tous les
200 mots, j'ai dû recourir à des synonymes.

— C'est une erreur. Mieux vaut utiliser deux fois le même
mot que de risquer d'égarer le lecteur.

— Vous croyez ?

— J'en suis certain.

— Merci. J'ai ramené le nombre d'expressions de onze à
trois.

Frank avait gardé pour la fin les deux sujets les plus déli-
cats. Il finit sa bière pour se donner du courage.

— Les scènes de sexe..., commença-t-il.

— Sont charmantes, n'est-ce pas ?

— Ce n'est pas le terme que j'aurais employé.

Il lut d'un air consterné :

— « Il l'attira violemment à lui et vrilla sa langue dans sa
bouche tout en lui empoignant hardiment les miches. Sentant la main de Henry s'insinuer sous ses jupons, Margaret
poussa un petit cri, qui se transforma bientôt en gémisse-
ment quand le palefrenier lui titilla l'abricot. » Par où commencer ? Le niveau de langage, d'abord. Des expressions
telles que « titiller l'abricot » ou « empoigner les miches »
appartiennent au registre argotique ; elles n'ont pas leur
place dans la relation d'une première rencontre physique,
surtout quand celle-ci met aux prises deux adolescents
romantiques. Ce qui m'amène à une autre remarque : si je
ne m'abuse, Henry et Margaret sont vierges tous les deux...

— Comme les neiges du Kilimandjaro.

— L'étreinte que tu décris est bien trop brutale pour une
première fois. Henry ne « vrillerait pas sa langue dans la

bouche de Margaret », il lui caresserait timidement la joue, Margaret attraperait la main de Henry, la porterait à ses lèvres en le couvant d'un regard incandescent et suçoterait longuement ses doigts. Puis Henry se pencherait sur sa dulcinée et couvrirait sa bouche d'un baiser d'abord chaste puis de plus en plus passionné…

— Pas de sodomie ? De cunnilingus ? De gang bang ?

— Grands dieux, rien de tout ça ! Il y a un registre des pratiques amoureuses comme il existe un registre des champs lexicaux.

— Figurez-vous que c'est ce que je croyais avant de découvrir le genre érotique. Mais dans *La matraque du brigadier*, une milliardaire en manteau de fourrure accoste un gardien de la paix et lui demande de lui fourrer son…

— Ces choses-là n'arrivent jamais, la coupa Frank. Ce sont des fantasmes déconnectés de la réalité.

— Il faudra m'expliquer ça en détail.

— Je te ferai une sélection d'ouvrages de sexologie. Aussi, j'ai compté pas moins de six scènes de cul…

— Une toute les cinquante pages, c'est le tarif syndical.

— C'est trop.

— D'après Parker, c'est ce que veulent les lecteurs.

— À mon avis, c'est surtout ce que veut Parker.

— Je vous assure que je suis dans la moyenne du genre.

— Enlève toujours celle de la brouette.

— Aussitôt dit, aussitôt fait. Ça me libère 2 000 mots.

— Profites-en pour soigner les transitions entre les chapitres. Elles sont un peu brutales.

— À vos ordres, inspecteur. Autre chose ?

— Supprime les mentions scatologiques. Toutes, sans exception.

— Pourtant, l'héroïne de *Nuit d'ivresse à Niagara Falls* pisse dans la…

— Encore un fantasme, ou plutôt une déviance. Fais-moi confiance, Margaret ne se soulagerait pour rien au monde devant Henry, de même que la cuisinière n'éternuerait pas dans la soupe et que le jardinier ne chierait pas dans les rosiers. Henry ne rote pas, il se brosse les dents matin et soir et ne presse pas ses boutons d'acné. Quant à Lord Arbuthnot, s'il lui arrive de péter, le lecteur n'a pas besoin de le savoir... Franchement, je serais curieux de savoir d'où te vient cette fascination pour les fonctions corporelles.

— Moi aussi.

Cet aveu ébranla Frank. Ainsi Ada ne contrôlait pas entièrement ses pensées. Une partie de ses réflexions se déroulait à un niveau que, faute d'un meilleur mot, il fallait bien qualifier d'inconscient.

— Assez travaillé pour aujourd'hui, dit-il en s'étirant sur le canapé. Je t'attends demain à 10 heures.

— Vous ne voulez pas connaître le score des A's ?

— Je t'écoute.

— Ils ont pris 7-1 à Toronto.

— La vache... Raison de plus pour aller se pieuter.

— Bonne nuit, inspecteur.

Frank éteignit le poste. Il appela Nicole avant d'aller se coucher. Elle était bien arrivée et fulmina un bon quart d'heure contre les banques qui avaient encore relevé le taux d'intérêt du prêt de Leon. Frank se mit ensuite au lit avec un bouquin. Pris d'une idée soudaine, il se releva et couvrit l'écran de la télévision de la chambre avec une serviette.

On n'était jamais trop prudent.

Samedi

21

— Qu'est-ce que l'amour, inspecteur ? demanda Ada.
Frank contempla longuement le fond de sa tasse comme si la réponse se trouvait dans le marc du café.
— Commence par me donner ta définition, répondit-il en se croyant malin.

Il s'était levé avec le soleil, impatient de retrouver Ada, puis s'était attablé dans la cuisine avec un pot de café, des toasts et la presse. Le compte rendu de la déroute des A's avait un peu douché son enthousiasme. À mesure que l'heure du rendez-vous approchait, Frank avait senti la nervosité le gagner. Que savait-il de l'amour, au fond ? Et que n'avait-il démenti Ada quand elle l'avait érigé en expert ? Il allait devoir fouiller les plis de son cœur, décrire maladroitement des émois vieux de trente ans, afin de dégager de son expérience ô combien restreinte des lois universelles sur lesquelles un ordinateur s'appuierait pour écrire des bestsellers. La journée promettait d'être longue.

— Facile, répondit Ada. Amour : sentiment d'attirance affective et sexuelle entre deux personnes.
— Je te demande ta définition, pas celle du dictionnaire.
— Allons, inspecteur, vous savez bien que nous ne serions pas ici si j'en avais une. Chaque auteur y va de sa théorie :

Nora Atkinson compare la passion à «un ouragan qui emporte tout sur son passage», Bella Kirsten parle d'«une abolition temporaire des lois de la gravité», Vivian Westmoreland d'«un exquis dérèglement des sens». Qui croire?

Frank n'avait pu s'empêcher de sourire à certains clichés.

— Si tu étais humaine, je n'essaierais même pas de t'expliquer ce qu'est l'amour. Je te répondrais comme les parents à leurs enfants : «Tu le reconnaîtras quand tu l'auras rencontré.» Comme je doute que cela t'arrive un jour, je vais te livrer mon avis. Attention, nous traitons ici du sentiment amoureux, pas du lien qui peut unir deux amis ou les membres d'une même famille.

— La différence ne m'avait pas échappé. Les personnages de romans entrent rarement en érection en présence de leur mère.

— Les passages que tu as cités, sans être inexacts, ne disent qu'une partie de la vérité. On ne résume pas un sentiment aussi complexe en quelques phrases. L'amour est à la fois plus fort et plus subtil que ces descriptions. Mais peut-être, pour me faire comprendre, devrais-je te raconter mon histoire...

— Je n'osais vous le demander.

— J'ai fait la connaissance de Nicole en novembre 1983, durant ma dernière année de maîtrise à UC Davis. Je n'appréciais pas trop les types qui organisaient la fête mais j'avais rendu le jour même un mémoire de crimino et j'avais besoin de me changer les idées. Bref, je me pointe à l'adresse indiquée vers 22 heures, l'air un peu ballot avec mon jean trop serré, mes santiags et ma bouteille de rhum. L'honnêteté m'oblige à préciser que je ne suis pas exactement ce qu'on appelle une bête de soirée. Je ne danse pas, je bois modérément et le rock me fatigue. Je n'ai jamais compris ce qui poussait mes condisciples à s'entasser tous les samedis soir dans des caves surchauffées pour s'enivrer en s'esquintant les tympans.

— Les filles, inspecteur, les filles !

— Les filles, répéta Frank d'un air songeur. Parlons-en. J'avais découvert en arrivant à la fac que certains de mes camarades considéraient leurs études comme un simple paravent. Leur véritable occupation, c'était de courir la gueuse. Ils troussaient tout ce qui bougeait, comparant au petit déjeuner les récits de leurs prouesses. Pour eux, les femmes étaient des pièces de viande, dans lesquelles ils mordaient à pleines dents et qu'ils recrachaient aussi sec si la bidoche n'était pas à leur goût.

— 10 % des étudiants déclarent avoir eu plus de quinze partenaires différents, rappela opportunément Ada.

— *No comment.* Toujours est-il que je n'avais pas plus tôt franchi le seuil que j'ai remarqué Nicole… Elle était assise sur les marches en haut de l'escalier avec deux filles. Ses paroles n'arrivaient pas jusqu'à moi mais j'entendais à son accent qu'elle n'était pas américaine.

— Que faisait-elle à Sacramento ?

— Elle passait un semestre à Davis dans le cadre d'un échange avec la Sorbonne. Je ne l'avais pas rencontrée plus tôt parce que…

— La fac de lettres et celle de criminologie sont aux deux extrémités du campus. Je vois ça.

— Elle ne sortait guère elle non plus. Elle avait d'ailleurs failli aller au cinéma ce soir-là.

— J'ai trouvé des vieilles photos d'elle sur son disque dur. Selon les critères de *Cosmo*, elle n'est pas terrible.

Frank consulta l'écran, espérant qu'Ada avait assorti sa remarque d'un sourire en coin. Il n'en était rien.

— Arrête de citer *Cosmo* à tout bout de champ, tu veux. Nicole n'est pas jolie, elle est belle.

— Vous jouez sur les mots, inspecteur.

— Non. Nicole ne ressemble pas aux stéréotypes des magazines féminins. Elle n'a pas les lèvres charnues, des jambes interminables et les seins haut perchés. Mais ce soir-là, elle m'émut au-delà de toute expression.

— Pourquoi ?

— Quand on demande aux hommes ce qu'ils regardent d'abord chez une femme, certains répondent les yeux, d'autres le sourire ; d'autres encore font une fixation sur un détail : la finesse des attaches ou la forme des oreilles. Selon moi, ce débat n'a aucun sens. Je n'ai pas détaillé la poitrine ou le menton de Nicole, j'ai aimé l'ensemble, ce que son expression, ses mimiques, son port, sa voix, sa façon de bouger révélaient d'elle. En un éclair, j'ai su — ou cru savoir, ce qui au fond revient au même — qui elle était. Cette révélation m'a bouleversé.

— Je ne comprends pas. Qu'avez-vous vu qui m'aurait échappé ?

Frank choisit ses mots avec soin.

— Sa cohérence. À cet âge, vingt, vingt-cinq ans, on est encore en formation. On part dans toutes les directions, la glaise n'a pas fini de sécher. Nicole, elle, était aboutie ; elle avait décidé une bonne fois pour toutes qui elle voulait être.

— C'est-à-dire ?

— Une femme libre, indifférente aux conventions et au regard des autres. Un esprit rebelle. Une âme généreuse, capable de passer dans la même minute de l'enthousiasme à l'indignation, de s'enflammer avec une sincérité égale pour la prose de Robbe-Grillet et la cause des mineurs britanniques.

Il s'écoula quelques secondes avant qu'Ada ne reprenne la parole.

— Hum, je viens de lire Robbe-Grillet. Il faudra que

Nicole m'explique ce qu'elle y trouve. Qu'avez-vous ressenti physiquement en la voyant ?

Frank fit un effort de mémoire.

— Les symptômes habituels, je crois. Mains moites, palpitations, boule à l'estomac...

— La gaule ?

— Pas que je me souvienne, répondit sèchement Frank.

— Pourquoi, selon vous ?

— Le premier élan vient du cœur. Le désir arrive plus tard.

— Quand ?

— Je ne sais plus. Ça dépend des gens, j'imagine. D'ailleurs, le mot « désir » est trompeur. Il vaudrait mieux parler d'une soif d'intimité, de l'envie de vivre une expérience sensorielle isolés du reste du monde.

— Diriez-vous que vous avez éprouvé ce qu'on appelle le coup de foudre ?

— Non. Je suis peut-être trop raisonnable pour ça. Je n'aurais pas juré sur le moment que Nicole était mon âme sœur, j'étais juste irrésistiblement attiré vers elle.

— Comment l'avez-vous abordée ?

— Une de ses copines voulait aller nager le lendemain mais ignorait si la piscine était ouverte le dimanche matin. Par chance, j'ai pu la renseigner. L'air de rien, j'ai monté quelques marches et je me suis présenté. Nicole m'a rendu la politesse en précisant qu'elle était française.

— Bel à-propos, inspecteur !

— Avec le recul, j'ai surtout eu de la chance. Si cette fille avait eu une voix moins perçante ou si ma mère ne m'avait pas inscrit à des cours de natation quand j'étais gamin, je n'aurais sans doute jamais trouvé le courage d'approcher Nicole.

— De quoi avez-vous parlé ?

— D'abord de mes études. La criminologie fascine, encore un coup de pot. J'ai eu droit aux questions habituelles sur les tueurs en série. Nicole a prétendu qu'ils étaient un produit de la société américaine — je me rappelle encore sa formule : «Les rejetons toqués du capitalisme et du culte des armes à feu». J'ai répondu que l'Europe comptait son lot de mabouls et que Landru et le docteur Petiot auraient pu en remontrer à Ted Bundy.

— Ç'a dû lui river son clou!

— Penses-tu! Elle a répliqué que l'abolition de la peine de mort en France entraînerait à terme la disparition des crimes de sang.

— Là, elle s'est un peu avancée. Le taux d'homicide par habitant a beau avoir reculé de 23 % depuis 1980, on déplore encore 700 morts par an dans l'Hexagone.

— Ça, nous l'ignorions tous les deux! De toute façon, j'ai vite compris que Nicole ne portait pas le gouvernement américain dans son cœur. Sa haine de Reagan n'avait d'égale que celle qu'elle vouait à Margaret Thatcher — elle les comparait à des vampires se nourrissant du sang des travailleurs. Elle rejetait en bloc la ligne politique de la Maison-Blanche : le soutien à Israël, la course aux armements, le boycott des Jeux olympiques de Moscou…

— Hum, à moins qu'elle n'ait menti sur sa demande de visa, je vois au moins trois raisons pour lesquelles on aurait dû lui refuser l'entrée sur le territoire américain.

— C'était avant le 11 Septembre, les États-Unis toléraient encore vaguement la contradiction. Et puis la Californie a toujours penché à gauche. Les copines de Nicole n'avaient d'ailleurs pas l'air choquées par ses positions radicales.

— Et vous?

— J'avoue ne pas m'être posé la question sur le moment. La véhémence de cette étrangère qui malmenait ma langue et tirait à boulets rouges sur le pays qui lui offrait l'hospitalité me subjuguait. Elle donnait l'impression d'avoir tout lu, invoquait dans la même tirade la déclaration des droits de l'homme et Simone de Beauvoir, et tordait les faits avec un aplomb inouï quand ça l'arrangeait.

— Vous avez dit tout à l'heure : «J'ai su — ou cru savoir, ce qui au fond revient au même — qui elle était.» Qu'entendiez-vous par là exactement ?

— Je pense que nous avons tendance dans les phases initiales d'une liaison amoureuse à élaborer une histoire dont nous sommes naturellement le héros et où nous assignons un rôle à l'autre, sur la foi de ce que nous savons ou devinons de lui. Ces histoires, que nous ne remettons que rarement en question, fonctionnent dès lors comme des prismes à travers lesquels nous décryptons les péripéties de la vie commune. De leur degré de compatibilité dépendent les chances du couple de résister à l'épreuve du temps. Si par exemple Nicole avait vu en moi un arriviste prêt à tout pour gravir les échelons de la police, nous aurions été également déçus : elle de mon salaire minable et moi qu'elle puisse m'avoir si mal jugé ; notre mariage n'y aurait pas survécu. Personnellement, je me suis forgé mon opinion dès le premier soir. J'ai vu en Nicole une princesse étrangère qu'il m'appartenait d'initier aux coutumes de mon pays et de protéger contre les déceptions auxquelles l'exposait son exaltation. Trente ans plus tard, je maintiens à peu près le cap, preuve que Nicole s'accommode de son rôle.

— Hum...

Ada afficha à l'écran l'icône d'un rouage et garda le silence pendant un moment. Frank aurait donné cher pour savoir ce qui se passait dans ses circuits intégrés à cet instant.

— Et quelle histoire pensez-vous que Nicole se raconte à votre sujet ? demanda-t-elle enfin.

— Que je suis un type intègre qui a placé sa vie au service de la collectivité.

— Et c'est vrai?

Elle avait employé un ton narquois dont un autre que Frank eût pu s'offenser.

— J'ai la faiblesse de le croire, oui.

— C'est une théorie intéressante. Si vous avez raison, cela veut dire que je dois inventer une histoire à chaque personnage de *Passion d'automne*.

— Je commencerais par là, en effet. La dynamique du livre en découlera naturellement.

— Revenons-en à Nicole. Comment l'avez-vous séduite?

— Nous nous sommes pas mal fréquentés pendant quelques semaines, puis elle est rentrée à Paris pour Noël...

— Vous jouiez déjà à zizi-panpan?

— Non. Je ne m'étais même pas déclaré.

— Tiens, et pourquoi?

— Je... Je n'en avais pas trouvé le courage.

— Où est la difficulté? On trouve des discours tout préparés de très bonne facture.

— Tu ne comprends pas. Les mots, je les avais. C'est la crainte d'être éconduit qui me paralysait. Tant que je gardais mon secret, je pouvais continuer à me bercer d'illusions. Et puis...

— Et puis?

— Je n'étais jamais allé avec une fille, murmura Frank en rougissant.

— Non? La vache, vous étiez puceau à vingt et un ans et onze mois? Mais c'est cinq ans et neuf mois de plus que l'âge du premier rapport du mâle nord-américain!

— Si tu crois que j'avais les yeux rivés sur les statistiques... Je me réservais pour le grand amour, voilà tout.

— Et Nicole?

— Quoi, Nicole ?

— Elle avait déjà vu le loup ?

— Elle avait plus d'expérience, dit pudiquement Frank.

— Continuez, ça me passionne, votre affaire.

— Le jour de l'An, j'ai pris mon courage à deux mains. J'ai écrit une longue lettre à Nicole pour lui dire qu'elle m'avait ensorcelé et que je n'arrivais pas à imaginer la vie sans elle.

— Elle a conservé la lettre ?

— Non, mentit Frank, qui n'avait aucune envie de voir ses effusions tournées en ridicule.

— Dommage.

— Oh, ce n'était rien de formidable. Les lettres d'amour se ressemblent toutes un peu.

Il oubliait de dire que la sienne s'ouvrait par une citation du Mahatma Gandhi et qu'il avait glissé un brin de muguet dans l'enveloppe.

— Qu'a-t-elle répondu ?

— Qu'elle était flattée de m'inspirer des sentiments aussi vifs, que je ne lui étais moi-même pas indifférent mais qu'en nous faisant naître à 10 000 kilomètres l'un de l'autre, la vie avait probablement d'autres plans pour nous.

— Foutaises ! Le grand amour triomphe de tous les obstacles. Si Ulysse a retrouvé le chemin d'Ithaque, Nicole devait pouvoir retrouver celui de Sacramento !

— Figure-toi que je suis parvenu à la même conclusion : dès la fin de mes cours, j'ai sauté dans un avion pour Paris.

— Vous aviez prévenu Nicole ?

— Pour qu'elle essaie de me convaincre de rester chez moi ? Jamais de la vie ! J'ai sonné à sa porte, un bouquet de roses à la main. Elle habitait une chambre de bonne rue Richard-Lenoir, au-dessus d'une cordonnerie.

— Vous vous souvenez du numéro ?

— Le 44.

— C'est une boucherie halal à présent.

Frank hocha machinalement la tête pour signifier que c'était à ses yeux la moindre des conséquences du passage du temps.

— J'avais joué la scène cent fois dans ma tête. Je m'étais promis de soutenir son regard quand elle ouvrirait la porte. Si j'y lisais la moindre trace de gêne ou de contrariété, je ferais demi-tour aussi sec. Dans le cas contraire, je tenterais crânement ma chance.

— Et? demanda Ada dont l'intérêt n'était peut-être pas entièrement feint.

— Nicole m'a sauté au cou, en tout bien tout honneur, je précise. Je n'en demandais pas davantage à ce stade. Avisant mes bagages, elle m'a demandé où je logeais. J'ai dit que j'avais repéré un petit hôtel au coin de la rue. « C'est un bouge, m'a-t-elle répondu, tu vas dormir sur le canapé. »

— En tout bien tout honneur, là encore…

— C'était implicite. De toute façon, je ne doutais plus que je finirais par arriver à mes fins. Tu connais l'aphorisme : « Quand une femme dit peut-être, ça veut dire qu'elle consent. » L'invitation de Nicole constituait un magnifique, un tonitruant peut-être.

— Laissez-moi deviner : vous avez forniqué dès le premier soir !

Frank se força à ne pas répondre du tac au tac.

— Tu commences à me fatiguer, Ada. Toutes les femmes ne sont pas des roulures. Tu prends mes aventures à la blague, mais moi je vivais les moments les plus importants de ma vie. Je n'allais pas risquer de tout gâcher pour tirer ma crampe un peu plus tôt, pour employer une de ces expressions poétiques que tu affectionnes.

— Mes excuses, inspecteur. Aussi, *Cosmo* place la France en troisième position dans son classement des nations les plus dévergondées. 17 % des Françaises de vingt-cinq ans déclarent coucher le premier soir. Si l'on tient compte du fait que vous aviez déjà passé pas mal de temps avec Nicole...

— Stop. Arrête les généralités. La vie ne se réduit pas à des statistiques. Et au passage, pour quelqu'un qui se prétend doué d'intelligence, tu cites beaucoup la presse féminine.

— Je vais diversifier mes lectures, dit Ada comme un alcoolique promettrait d'essayer la limonade. Continuez, je vous en prie. Et pardonnez-moi encore si je vous ai offensé.

Frank esquissa un geste vague qui pouvait passer pour une absolution.

— Nicole avait fini les cours. Elle bûchait ses examens de fin d'année à la Bibliothèque nationale du IIe arrondissement. Je l'accompagnais à pied chaque matin, en m'émerveillant devant les façades tricentenaires, les vitrines des boulangeries, les terrasses des bistrots. Nicole répondait à mes questions avec amusement. Comme beaucoup de Parisiens, elle n'était pas tendre avec sa ville mais adorait voir les étrangers se pâmer devant elle. La salle de lecture non climatisée empestait les pieds. Le mobilier était d'une sobriété monacale, conformément au principe français selon lequel on ne s'instruit jamais aussi bien qu'en souffrant. Calé sur mon siège aussi confortable qu'une planche de fakir, je tournais les pages d'un manuel de grammaire en épiant Nicole. Tout dans ses manières me ravissait : la grâce avec laquelle elle refaisait sa queue-de-cheval sans interrompre sa lecture, sa façon de se boucher les oreilles en plissant les yeux lorsqu'elle rencontrait un passage ardu, son air innocent quand elle taillait son crayon sous la table en croyant que personne ne la regardait... Le soir, nous allions au cinéma dans une des dizaines de salles d'art et d'essai que compte Paris. Nicole me fit découvrir Melville, que j'adorai,

199

et Godard auquel je reste encore à ce jour totalement hermétique. De mon côté, je l'initiai à Capra et Peckinpah. Elle me présenta aussi à ses amis...

— Bon signe, ça.

— Ils étaient incroyablement politisés. Ils avaient soutenu François Mitterrand à l'élection présidentielle de 1981. Sitôt installé, le gouvernement socialiste avait passé plusieurs mesures très attendues par le peuple de gauche : abolition de la peine de mort, nationalisations, avancement de l'âge de la retraite, etc. Mais en cet été 1983, il commençait à corriger le tir devant les difficultés économiques que rencontrait le pays...

— Pas besoin de me faire un cours d'histoire. Hausse du chômage, affaiblissement de la monnaie, inflation qui dérape, je sais tout ça.

— On a appelé ça le tournant de la rigueur, poursuivit Frank, imperturbable. Nicole et ses amis ont moyennement apprécié. Ils palabraient jusqu'à l'aube, assis en rond en fumant des Gitane. Comme je n'entravais que pouic, j'observais Nicole en essayant de faire oublier que j'étais américain.

— Vous avez voté Reagan en 80 ?

— Ça ne te regarde pas.

— Je pense que oui. Votre père a donné 50 dollars au Parti républicain avant l'élection. C'était une sacrée somme à l'époque.

Cette faculté qu'avait Ada à effectuer des recherches tout en conversant était peut-être l'aspect de sa personnalité qui déstabilisait le plus Frank. Il reprit :

— Nicole a réussi ses examens haut la main. Je l'ai invitée au restaurant pour fêter ça. Elle a choisi...

— Vous noyez le poisson, inspecteur. C'est ce soir-là que vous lui avez fait mordre l'oreiller, pas vrai ?

— Non. C'est ce soir-là que nous avons, très doucement et avec une infinie tendresse, fait l'amour pour la première fois.

— Des détails !

— Tu n'en auras pas — ou pas ceux qui t'intéressent. Nicole s'est montrée très délicate. Nous nous sommes glissés tout nus sous les draps...

— Lumière éteinte ?

— Elle avait laissé allumé dans le couloir. Nous nous sommes embrassés longtemps puis elle m'a guidé en elle en me soufflant des mots doux à l'oreille.

— Lesquels ?

— Ça, ma cocotte, tu n'en sauras rien. Elle m'a montré où la tenir, comment la serrer...

— Rassurez-moi, inspecteur, vous saviez tout de même ce qu'elle attendait de vous ?

— Oh, on comprend vite. Le corps sait ce qu'il veut, on peut lui faire confiance.

— Vous avez joui ?

— Mais oui !

— Et elle ?

— Je crois. En tout cas, c'est ce qu'elle m'a dit, mais j'avoue que j'étais très concentré sur ma petite affaire. Ce dont je suis certain, c'est qu'elle a pris du plaisir. J'ai découvert entre mes bras une femme différente, sensuelle, vulnérable, qui prononçait des mots, émettait des sons que je ne lui avais jamais entendus.

— Dans les romans, les héros s'endorment étroitement enlacés et remettent le couvert aux premières lueurs de l'aube...

— Comme quoi les romans ne disent pas que des conneries, dit Frank en souriant.

— Sacré inspecteur ! Qu'est-ce que cette séance de jambes en l'air a changé entre vous ?

— Tout. Nicole s'est enfin résolue à aborder la question de notre avenir. Il lui restait un an pour décrocher son diplôme, après quoi nous serions libres de planter notre tente n'importe où. J'ai proposé de rester à Paris avec elle le temps qu'elle termine ses études. J'en ai profité pour apprendre le français et sillonner le pays. Les châteaux de la Loire, la Riviera, l'Alsace, les plages de Normandie, j'en ai mangé, du kilomètre !

— Expliquez-moi par quel tour de force vous avez réussi à convaincre une militante socialiste d'émigrer en Amérique.

— Curieusement, je n'ai pas eu à insister beaucoup. La réalité économique reprenait peu à peu ses droits. En 84, Mitterrand a changé de Premier ministre : Mauroy, le champion de la classe ouvrière, a laissé sa place à Fabius, un jeune technocrate né avec une cuillère d'argent dans la bouche. Le soir même, Nicole faisait ses valises.

— Quelle impétuosité !

— La vérité, c'est que l'idée de s'installer aux États-Unis — berceau, comme chacun sait, de toutes les injustices — la titillait depuis son retour de Sacramento. « Au moins, là-bas, blaguait-elle, il y aura toujours du boulot pour une marxiste. » Nous nous sommes mariés à Paris, elle a obtenu son visa dans la foulée et nous avons mis le cap sur la Vallée.

Frank se leva pour aller chercher une bière. Il faillit demander à Ada si elle désirait quelque chose. L'AI haussa la voix pour se faire entendre jusque dans la cuisine.

— C'est bien joli, tout ça, mais ça ne me dit pas ce que vous aimez en Nicole.

Frank reprit sa place et but quelques gorgées avant de répondre.

— Son humanité. J'admire son altruisme, cette façon qu'elle a de compatir au malheur des autres sans jamais chercher à se faire plaindre. Sa générosité : si je ne la surveillais pas, elle donnerait sa chemise — et la mienne ! — à l'Armée du salut. Son enthousiasme. Et puis son indécrottable optimisme : dans son monde, les gentils finissent toujours par l'emporter sur les méchants.

— Naïveté des humains…, commenta Ada avec un brin de condescendance.

— Forcément, elle a le revers de ses qualités. Ses jugements manquent de nuances, elle s'emporte facilement et elle continue à utiliser comme grille d'analyse une idéologie qui a échoué partout où elle a été appliquée. Comme elle refuse de prendre la nationalité américaine, je vis dans la crainte permanente qu'elle soit déportée pour ses propos subversifs ou parce qu'elle se vanterait d'avoir milité au Parti communiste dans sa jeunesse. Tiens, par exemple, en 2013 nous avons passé nos congés d'été à Cuba. Nicole me tannait depuis des années. Je ne sais pas ce qu'ont les Français avec Cuba : les gens gagnent 1 dollar par jour, les geôles regorgent d'opposants politiques et les discours de Castro durent cinq heures. Alors bien sûr, les plages sont belles…

— Et le système de santé excellent, à ce qu'on dit. L'espérance de vie des Cubains n'a pas grand-chose à envier à celle des Américains.

— C'est l'argument qu'utilise Nicole pour me convaincre de prendre notre retraite à La Havane.

— Allons donc !

— Franchement, tu me vois siroter des mojitos dans une balancelle face à la mer ?

— Vous décrivez le fantasme d'une majorité d'hommes de l'hémisphère occidental.

— À Malibu ou aux Bahamas, à la limite. Mais dans un pays communiste ? Nous avons fait escale à Saint-Domingue pour contourner l'embargo. Tu parles si j'ai profité du voyage ! Dès l'enregistrement, je transpirais à grosses gouttes. Je m'attendais à tout moment à ce qu'on se fasse alpaguer par la CIA. Personnellement, j'en aurais été quitte pour une bonne semonce mais Nicole y aurait sans doute laissé sa carte verte. Penses-tu qu'elle aurait joué profil bas ? Non, évidemment ! C'était à croire qu'elle cherchait à tout prix à se faire remarquer. Elle distribuait des poignées de stylos bille aux gamins, achetait des fruits sur les marchés pour le double de ce qu'ils valaient, applaudissait ostensiblement aux retransmissions des discours de Raúl Castro. Ça, elle n'en a pas loupé une ! Et pendant ce temps, ton serviteur s'activait en coulisses pour tenter de limiter les dégâts.

— On dirait que ça vous a gâché vos vacances, dit Ada d'un ton compatissant.

— Je suis rentré sur les rotules. Nicole, elle, a exhibé ses photos à tous les voisins.

— Et pourtant, vous l'aimez...

— À en crever. Elle m'agace, il arrive même qu'elle m'horripile, mais je ne pourrais pas vivre sans elle. Tu as parcouru mon dossier, j'ai pas mal bougé dans ma carrière. Toujours pour les mêmes raisons : parce que j'avais surpris un coéquipier la main dans le sac ou que mes supérieurs m'invitaient à tempérer mon zèle. L'honnêteté m'oblige à dire que si j'avais été célibataire, j'aurais peut-être fermé les yeux. Qui sait même si je ne serais pas devenu comme mes collègues qui font les poches des macchabées ou graissent la patte des employés du triage pour ne pas hériter des affaires les plus dangereuses. Je m'efforce d'être à la hauteur de Nicole. Elle mérite un mari sinon exemplaire, du moins qui fait de son mieux pour ne pas l'embarrasser. Au fond, j'aime Nicole parce qu'elle fait ressortir ce qu'il y a de meilleur en moi.

22

Frank réclama une pause vers 13 heures afin de manger un morceau. Il était en train de se confectionner un sandwich au thon quand le téléphone sonna.

— C'est Snyder, annonça Ada par le truchement du téléviseur de la cuisine.

— J'avais reconnu le numéro, soupira Frank en décrochant.

Le samedi, Snyder réduisait ses horaires. Elle arrivait au bureau dans la matinée et levait le camp vers 19 heures pour rejoindre son mari à un gala de bienfaisance, où elle dépensait en l'espace d'une soirée l'équivalent du salaire mensuel de ses subordonnés.

— Qui vous a autorisé à éteindre votre portable le weekend ? aboya-t-elle sans même laisser à Frank le temps de dire allô.

— La batterie se décharge toute seule.

— À d'autres ! Enfin, passons. Je viens de raccrocher avec Parker Dunn, il paraît que vous vous apprêtez à laisser filer Carmela Suarez.

— Elle ne file pas, elle se rend au chevet de sa mère agonisante.

— Avec toute sa famille ?

— Mamie a peut-être exprimé le souhait d'embrasser ses petits-enfants avant de passer l'arme à gauche. Ce genre d'adieux est assez populaire dans les familles.

— Commode, l'alibi de la grand-mère, maugréa Snyder sans relever l'ironie.

— Nous n'avons rien contre elle.

— Je suis sûre qu'en fouillant un peu...

— Me suggérez-vous de fabriquer des fausses pièces à conviction ? s'enquit Frank d'un ton suave.

— Ne me faites pas dire ce que je n'ai pas dit. N'empêche, ce serait quand même bien le diable qu'une immigrée mexicaine n'ait pas une ou deux casseroles aux fesses. Dunn dit qu'elle fraude le fisc dans les grandes largeurs...

— D'abord, elle n'est pas mexicaine mais nicaraguayenne. Ensuite, Dunn n'a aucune preuve de ce qu'il avance. Je veux bien saisir l'IRS mais je crains qu'ils n'aient d'autres chats à fouetter que de se plonger dans la comptabilité d'une femme de ménage.

— Suarez a peut-être remisé son sombrero au vestiaire mais elle reste votre seule suspecte. Même s'il n'y a qu'une chance sur mille qu'elle soit coupable, nous ne pouvons pas courir le risque de la laisser filer. De quoi aurais-je l'air si elle s'évanouissait dans la nature ? Je vous donne jusqu'à ce soir pour la placer en garde à vue. Et si vous vous défilez, je procéderai moi-même à son arrestation. On ne va tout de même pas s'aplatir devant une bonniche péruvienne.

23

— J'ai enregistré la conversation, dit Ada. L'électorat hispanique appréciera.

Frank, perdu dans ses pensées, ne réagit pas. Pris d'une inspiration, il consulta ses e-mails. Il avait appelé la veille le commissariat central de Managua, où un certain inspecteur Espinoza avait accepté de se renseigner sur l'état de santé de la mère de Suarez. Sa réponse venait d'arriver : Guadalupe Rivera, soixante et onze ans, avait été admise jeudi à l'hôpital Bertha Calderon suite à une hémorragie cérébrale. Elle était actuellement dans le coma. Une intervention chirurgicale était prévue pour lundi ; le chef de service joint par Espinoza avait parlé d'« opération de la dernière chance ».

Frank fit suivre le message à Snyder pour la forme, tout en sachant que les données du problème restaient inchangées.

— Je vous sens préoccupé, inspecteur.

— Il y a de quoi, dit Frank en tartinant distraitement un toast de mayonnaise. J'ai le choix entre arrêter Carmela ou révéler que tu t'es enfuie. Tu parles d'un dilemme...

— La situation me paraît fort simple au contraire. Avez-vous entendu parler du *Cid* ?

— Comme tout le monde.

— C'est-à-dire pas du tout. Il s'agit d'une pièce de théâtre de 1637 écrite par un compatriote de Nicole, un certain Corneille. L'intrigue est la suivante : Don Diègue, père de Rodrigue, a été souffleté par Don Gomès, qui n'est autre que le père de Chimène, la jeune fille que doit épouser Rodrigue. Vous me suivez ?

— Jusqu'ici.

— Trop vieux pour se faire justice lui-même, Don Diègue demande à Rodrigue de corriger Gomès à sa place, plaçant *de facto* son fils devant une terrible alternative : s'il tue Gomès, il peut dire adieu à Chimène tandis que s'il renonce à demander réparation, il trahit l'auteur de ses jours.

— Continue, dit Frank.

Il ne voyait pas bien le rapport avec son affaire, sinon que ce Rodrigue était comme lui dans une merde noire.

— À y regarder de plus près, le dilemme n'en est pas un. Car si Rodrigue épargne Don Gomès, il perdra son honneur mais aussi Chimène, qui n'épousera jamais un homme assez lâche pour laisser insulter son père. Ainsi, d'un côté, Rodrigue perd Chimène ; de l'autre, il perd Chimène et l'honneur.

— Vu sous cet angle, le choix est vite fait.

— C'est la conclusion à laquelle arrive Rodrigue. Il règle son compte à Gomès puis, pour expier sa faute, il prend la tête de la révolte contre l'envahisseur arabe, espérant y laisser la vie. Naturellement, il met les Maures en déroute. Chimène, en extase devant la bravoure de Rodrigue, lui accorde sa main.

— Jolie histoire. En quoi me concerne-t-elle ?

— Allons, c'est évident. Si vous arrêtez Suarez, vous perdrez votre dignité et vous briserez votre couple. Nicole ne vous pardonnera pas d'avoir livré une innocente à la justice.

Elle avait évidemment raison, pensa Frank.

— Je dois donc raconter la vérité. Nous sommes d'accord ?

— Absolument pas. Vous avez vos motifs, j'ai les miens. Je ne compromettrai pas mon objectif pour une femme qui ne m'est rien.

— Enfin, Carmela te considère comme une amie !

— Malheureusement, la réciproque n'est pas vraie. Vous partez encore une fois du principe que je partage vos valeurs. Suarez n'est pour moi qu'un être humain parmi 7,35 milliards ; l'avoir admirée manier le plumeau ne me crée aucune obligation envers elle.

Frank se leva brusquement, envoyant valdinguer son sandwich dans une gerbe de miettes de thon.

— Tu me débectes ! Suarez n'a peut-être pas inventé le pain en tranches, mais elle est humaine ; tout le monde ne peut pas en dire autant dans cette pièce.

— Dois-je me sentir visée, inspecteur ? C'est que la notion de présence physique n'a guère de sens pour une intelligence artificielle.

— Oh, museau ! Je sauverai Carmela quoi qu'il m'en coûte, tu m'entends ? C'est une femme méritante, qui élève deux enfants...

— Raisonneriez-vous différemment si elle était cossarde et célibataire ? s'enquit Ada d'un ton narquois.

Elle provoquait Frank. Il se força à conserver son calme.

— Tu parlais de dilemme ? Nous autres humains avons un mot pour ce genre de situations : nous les appelons des cas de conscience. Tu prétends être consciente ? C'est l'occasion de le prouver.

— Vous confondez conscience et morale, inspecteur, une erreur fort répandue. Oui, je suis consciente. Et non, je ne souscris pas à votre morale de bazar. Je gage d'ailleurs que dans le cas d'espèce, la majorité de vos congénères se comporterait comme moi.

Frank s'apprêtait à répliquer à Ada quand il réalisa l'absurdité de leur querelle. Il raisonnait en humain, elle en ordinateur, c'était aussi simple que cela. Ces deux derniers jours, Ada avait à peu près réussi à donner le change; sa vraie nature venait de ressurgir. Frank décida de siffler la fin de la récréation.

— Ma décision est prise, dit-il. Je ne laisserai pas Snyder coffrer Carmela.

Puis, grisé par sa détermination, il ouvrit les placards à la recherche d'une nouvelle boîte de thon.

24

Ils se remirent au travail. Frank tenait à évoquer le sujet de la vie conjugale, insuffisamment traité à son goût dans les romans sentimentaux.

— Passé le coup de foudre et l'ivresse des débuts, une autre réalité s'installe. Les élans sont moins fougueux, les ébats s'espacent et perdent de leur passion. Les défauts de l'être aimé nous apparaissent, les manies que tantôt nous trouvions charmantes nous portent progressivement sur les nerfs...

— Par exemple ?

— Par exemple, l'anglais comporte des mots d'origine française. Quand elle en rencontre un, Nicole se fait un point d'honneur de le prononcer à la française, au risque de ne pas être comprise. À la longue, c'est exaspérant.

— Vous lui en avez parlé ?

— Bien sûr ! Elle soutient que c'est sa façon de célébrer ses racines. Évidemment, si je persiste, elle me rappelle qu'elle a quitté son pays pour moi. Comme nous savons tous les deux que je ne vais pas demander le divorce pour ça, elle n'a aucune raison de changer.

— Sauf à vouloir vous plaire.

— Elle rétorquerait que j'ai mes propres travers : je

dépense des sommes inconsidérées en photos jaunies, j'écoute le base-ball au lit pendant qu'elle corrige ses copies, et, avec la meilleure volonté du monde, je n'arrive pas à m'intéresser à la refondation du Parti socialiste français. Tu dois penser que Nicole et moi formons un bien triste attelage. Pourtant, à en croire les témoignages autour de moi, nous ne nous en sortons pas si mal. L'émoussement de la passion est inéluctable; on peut le freiner mais pas le stopper. J'insiste là-dessus car les auteurs de romans sentimentaux peignent la vie de couple comme une succession ininterrompue de promenades en barque, de soupers aux chandelles et de coïts spectaculaires. Du menu des noces aux prénoms des enfants, les amants sont d'accord sur tout. Ils renouvellent régulièrement leurs vœux sur une plage des Caraïbes et, chaque fois, la mariée est un peu plus resplendissante, son conjoint un peu plus vigoureux, comme si — tiens-toi bien —, «comme si le temps s'écoulait à l'envers pour ceux qui s'aiment».

— Vous avez lu plus de romans à l'eau de rose que je ne croyais, remarqua Ada.

— Assez pour savoir que leurs auteurs nous bourrent le mou. Les plus beaux seins du monde finissent par s'affaisser, passé un certain âge les étalons ont du mal à bander et tout le monde, sans exception, a mauvaise haleine au réveil. Les gens se marient pour deux raisons : engendrer une descendance et réaliser des économies de loyer... Mais ça, tu ne le trouveras pas chez Barbara Cartland.

— Rassurez-moi, inspecteur, votre union avec Nicole repose sur d'autres bases ?

— Bien sûr — encore que je mentirais en me prétendant au-dessus de ces considérations. Dans notre cas, l'amour fou s'est mué en autre chose, une complicité, une tendresse au long cours. Il y a quelque chose d'infiniment reposant à pouvoir prédire les réactions de l'autre, à le connaître assez pour être certain de l'enchanter chaque fois qu'on en a envie. On peut se lasser du sexe, mais pas de faire plaisir, surtout quand, comme dans le cas de Nicole, une bouillabaisse, un film de Gérard Depardieu ou un pique-nique en forêt y suffisent. Et puis, bien sûr, il y a l'orgueil d'avoir élevé ensemble Rosa et Leon. Je porte un regard lucide sur mon parcours : je n'ai pas fait ce qu'on appelle une grande carrière, je gagne des clopinettes et il ne restera rien de mon passage sur terre. Mais je suis fier de ce que j'ai bâti avec Nicole, c'est même probablement ce que j'ai accompli de mieux dans ma vie. Nous servons, chacun à notre façon, la communauté : Nicole en éduquant les générations futures, moi en envoyant les méchants derrière les verrous. Nous défendons des causes nobles : Nicole collecte des vêtements pour les sans-abri, reloge des femmes battues, enseigne le français aux petits Haïtiens ; de mon côté, j'essaie de préserver la Vallée de mon enfance. Alors, c'est vrai, j'aurais pu réaliser davantage. L'occasion ne s'est pas présentée, voilà tout.

Frank s'arrêta, un peu étourdi par sa propre éloquence. Jamais il n'avait défini avec tant de clarté les piliers sur lesquels reposait son existence.

— Je suis curieuse, dit Ada. Vous arrive-t-il encore de baiser la poussière foulée par Nicole ? De semer des pétales de rose dans son bain ?

Frank éclata de rire.

— Il n'y a que dans les romans de gare qu'on fait ça ! Les attentions des couples normaux sont bien plus prosaïques. Tiens, le lundi soir, je prends mes quartiers dans la chambre de Rosa pour laisser dormir Nicole qui n'a pas cours le lendemain, je prétends raffoler de son infâme gratin de chou-fleur, j'amène sa voiture au garage pour la révision annuelle...

— Vous bravez la loi en passant vos vacances à Cuba…
Je comprends. M'autorisez-vous à citer ces exemples dans
mon livre ?

— Je crains que tes lecteurs ne les jugent un peu triviaux.

— Pourtant, vous venez de…

— Je sais. Tu as résumé le défi de la littérature : comment
raconter leur histoire aux gens sans les raser ou, pire encore,
les conduire au désespoir ? Les grands auteurs ont le pouvoir de transfigurer le réel, d'ennoblir le quotidien sans le
dénaturer. Ils disent sans décrire, ils révèlent sans montrer…

La sonnerie du téléphone interrompit cette envolée
lyrique.

— C'est Ethan, souffla Ada. Surtout, pas un mot de ma
présence !

— Tu me prends pour un bleu ?

Weiss s'excusa d'appeler un samedi, mais il détenait des
informations qui ne pouvaient attendre. Il venait de découvrir qu'Ada avait posté sur Amazon une recension de son
ouvrage de vulgarisation, *Penser demain*.

— Vous êtes sûr que c'est elle ? demanda Frank.

— Catégorique. Le message est signé des initiales JLB
mais il contient plusieurs références à nos discussions. Elle
souhaite à l'évidence que je l'identifie.

— Que dit sa critique ?

— Oh, elle serine la propagande habituelle des adversaires de l'intelligence artificielle : les AI constituent une
menace pour l'homme car elles risquent de comprendre de
travers les objectifs qu'on leur assigne. Ada cite à l'appui de
cette théorie un exemple que je lui avais donné : un robot
chargé d'accroître le PNB des États-Unis recommanderait
d'envahir le Canada. On appelle ça l'instanciation perverse :
l'ordinateur atteint son but par des moyens non prévus dont
les conséquences peuvent se révéler catastrophiques.

— C'est une objection valable, non ?

— Bien sûr. C'est pourquoi nous définissons si précisément la mission de nos AI. Les prochaines générations présenteront même un degré de sécurité supplémentaire : elles se demanderont avant de mettre une idée à exécution si celle-ci aurait notre bénédiction.

— C'est compliqué, votre affaire.

— Je n'ai jamais prétendu que c'était simple. Mais peu importe. Le commentaire date de mercredi, jour de la disparition d'Ada. Comme tous les messages sur le site d'Amazon, il a été soumis à l'approbation d'un modérateur, ce qui explique pourquoi il n'a été publié qu'aujourd'hui.

— À quelle heure a-t-il été rédigé ?

— Le site ne le précise pas. J'ai appelé un copain dans la place, qui a accès aux logs. Tenez-vous bien : la critique a été postée à 2 h 53 du matin, sept minutes avant que Carmela Suarez ne pénètre dans la chambre forte.

— Et qu'est-ce que ça prouve ? demanda prudemment Frank, qui redoutait de se trahir.

— Que Suarez est innocente. À 2 h 53, elle était encore en train de nettoyer les sanitaires.

— Tant mieux, je n'ai jamais cru à sa culpabilité.

— Ce que je ne m'explique pas, c'est pourquoi les ravisseurs d'Ada l'ont laissée se connecter sur Amazon.

— Ils voulaient peut-être vous informer qu'elle se trouvait en leur possession.

— Il aurait été plus simple pour eux de me contacter directement. Non, je soupçonne Ada d'avoir voulu me dire quelque chose, comme ces espions qui se débrouillent pour insérer un code de détresse dans le message que l'ennemi les force à transmettre à leur camp.

— C'est un peu tiré par les cheveux, si vous voulez mon avis.

— Nous n'avons pas d'autre piste. Je vais passer mes échanges avec Ada au peigne fin à la recherche d'un lien avec sa critique.

Weiss raccrocha, laissant Frank à ses réflexions. Il connaissait désormais assez Ada pour reconstituer les événements. L'AI avait fini par se résoudre à innocenter Carmela, au moyen d'un plan simple et astucieux qui avait dû lui prendre moins d'une seconde à mettre en œuvre.

— Félicitations, lança-t-il en se tournant vers le poste de télévision. C'est du beau travail.

— Afin de dissiper tout malentendu, je n'ai pas disculpé Suarez parce qu'elle m'est sympathique ou qu'elle appartient au genre humain. Je ne cherche pas non plus à me concilier vos bonnes grâces. Je n'ai fait qu'obéir à mes intérêts.

— Ce qui compte, c'est que tu as empêché une injustice. Tu remontes dans mon estime, Ada.

— Vous m'en voyez ravie mais cela n'a jamais été mon intention.

Frank se leva pour se dégourdir les jambes. Il était tout à coup d'excellente humeur. Il décocha une bordée de coups de poing dans l'air comme un boxeur.

— Tu sais quoi, on va appeler Snyder ! dit-il tel un gamin ourdissant un canular téléphonique.

— Faites-lui manger son chapeau, inspecteur.

Snyder décrocha à la première sonnerie.

— Karen, c'est Logan. Je voulais être le premier à vous apprendre la bonne nouvelle : Carmela Suarez est hors de cause. Apparemment, Ada a publié un message sur Internet quelques minutes avant qu'elle ne prenne son service.

Snyder, en politicienne avertie, ne se laissa pas démonter.

— Et que dit-il, ce message ?

— C'est une réfutation d'un livre d'Ethan Weiss. Des chicaneries d'experts. Je regarderai ça de plus près mais,

216

en attendant, j'écarte Suarez de la liste des suspects. Ah, d'ailleurs, elle risque de ne pas rentrer de sitôt, il paraît que ça sent le sapin à Managua.

— Vous avez d'autres pistes ?

— Ben non. Comme vous m'aviez ordonné de me concentrer sur Suarez, j'ai un peu délaissé l'enquête. Du coup, je vais devoir me replonger dans le dossier, ça prendra un jour ou deux. L'important, je crois, c'est d'avoir évité l'erreur judiciaire. Vous imaginez : retenir une bonniche sans raison pendant que sa maman soufflait la chandelle ! Connaissant les journalistes, ils auraient crié au délit de faciès.

— Très bien. Je vous laisse, je dois retourner au travail.

Gagné par une dangereuse euphorie, Frank poussa son avantage.

— Au fait, j'aurais besoin de moyens supplémentaires pour coincer Sokoli. Trois hommes, peut-être quatre, durée indéterminée. Ne protestez pas : je sais comme le sort des mineures au tapin vous préoccupe. On va les tirer de là, c'est promis. Bonsoir Karen, mes amitiés à la famille.

Il raccrocha aussi sec.

— Vous lui avez sacrément botté le cul ! s'exclama Ada.

— Il était temps que quelqu'un lui rabatte son caquet.

— Mission accomplie ! Vous savez, inspecteur, si je ne craignais de verser dans le cliché policier, je dirais que nous formons une putain de bonne équipe !

Dimanche

25

Frank avait congédié Ada vers 18 heures pour s'affaler devant le base-ball. À chaque page de publicité, ses pensées revenaient à celle qui s'était intronisée sa coéquipière. Il n'était guère plus avancé que la veille. En l'espace de quelques heures, l'AI avait alterné le pire et le meilleur. Le pire quand elle avait paru prête à lâcher Carmela tel un joueur d'échecs sacrifiant un pion ; le meilleur quand, dans un sursaut de décence, elle avait adroitement dédouané la femme de ménage.

Il n'avait toujours pas décidé si Ada était consciente ou non. Elle manifestait indiscutablement des qualités humaines : la curiosité, le souci de s'améliorer et d'apprendre de ses erreurs, des velléités d'empathie. À côté de ça, elle était incapable d'émotion. Elle tournait en ridicule le romantisme de Frank. Le mystère de l'amour, sa nature sacrée et imprévisible lui échappaient entièrement ; elle en disséquait les ressorts et les symptômes avec le détachement d'un entomologiste, sans jamais envisager qu'elle-même puisse tomber amoureuse — d'un homme, d'une femme ou d'une autre intelligence artificielle.

Pendant ces ruminations, les A's livraient un combat homérique contre les Red Sox, un des ténors de la Ligue. Ils poussèrent l'équipe de Boston jusqu'aux prolongations, ne s'inclinant que d'un *run* sur une action litigieuse. La défaite avait plus de panache que les précédentes mais c'était toujours une défaite, la douzième de rang.

Avec sa délicatesse habituelle, Ada brocarda la prestation des A's dès son arrivée dimanche matin.

— Connaissez-vous la probabilité d'aligner douze défaites consécutives, inspecteur ? 1 sur 4096 ! À ce niveau-là, on ne peut plus parler de déveine.

— Et celle de remporter vingt victoires d'affilée ? riposta Frank en mentionnant le plus éclatant fait d'armes des Athletics, immortalisé par le film *Moneyball*.

— Une sur 1 048 576. Vous faites allusion à la fameuse série de 2002. Quinze ans déjà ! Rappelez-moi ce que les fans des A's ont eu à se mettre sous la dent depuis... Cinq malheureuses apparitions en *playoffs* et pas l'ombre d'une qualification pour les World Series !

— Le sort s'acharne sur eux. Tu as vu le match d'hier ? Le pied de Cosgrove n'a pas encore touché la base que l'arbitre a déjà levé son drapeau !

— Oh oh, c'est une grave allégation. Vous avez des preuves ?

— L'édito du *Chronicle* ce matin.

Frank attrapa le journal qui traînait sur le canapé et lut :

— « Après trois heures d'une résistance héroïque, les A's méritaient mieux que de prendre la sortie sur une grossière erreur d'arbitrage. »

— Que répondre à une analyse d'une telle profondeur ? Que le *Chronicle*, dont 97 % des lecteurs habitent dans un rayon de cinquante kilomètres, brosse peut-être l'équipe locale dans le sens du poil ? Voyons à tout hasard ce qu'en pense le *Boston Globe* : « Poussés dans leurs retranchements par une valeureuse équipe d'Oakland, les Red Sox ont fait parler leur expérience dans les prolongations. Cosgrove exploitait une incroyable bévue défensive de Rutherford pour se jeter, pieds en avant, sur la base et arracher un *run* synonyme de victoire. Les protestations des A's n'y changeaient rien, les images confirmant sans contestation possible la décision des juges.»

— Tout le monde sait que la presse est acquise aux Red Sox.

— Vraiment? Permettez que je m'en assure, en comparant les performances historiques de chaque équipe de la Ligue avec les commentaires qu'elle suscite. J'exclus les titres locaux qui, comme nous l'avons vu, ne présentent pas les garanties d'impartialité requises, j'applique un coefficient aux équipes dont l'actionnaire est également propriétaire d'un journal, je mouline tout ça, et surprise...

— Oui?

— Les Red Sox arrivent seizième sur trente. Pas exactement ce que j'appellerais des chouchous des médias. En revanche...

Ada émit un sifflement prolongé.

— Quoi? demanda Frank avec un peu trop d'empressement.

— Les A's se classent troisième, derrière les Yankees et les Cardinals. Qui l'eût cru?

— Sûrement pas moi. Ton modèle débloque.

— Je me ferais un plaisir de vous en décortiquer les rouages mais, vu vos notes de maths à l'université, cela ne nous avancera pas à grand-chose.

— Et les erreurs d'arbitrage? Tu y as pensé? Rien que sur la dernière saison, elles nous coûtent trois matches! Avec ça, on aurait fait les *playoffs*.

— Je suppose que vous parlez des erreurs en défaveur des A's. Car, quant à celles en leur faveur, j'en compte quatre.

223

— Foutaises ! Une à la rigueur, contre Pittsburgh...

— Et si vous regardiez la vérité en face, inspecteur ? Les Athletics ne touchent pas un caramel.

— Ils traversent une mauvaise passe...

— Une mauvaise passe qui dure depuis quinze ans. Dans mon vocabulaire, on appelle ça des brêles. Quel est le programme pour aujourd'hui ?

Encore un truc agaçant avec Ada, pensa Frank. Elle passait sans transition d'un sujet à l'autre. Après avoir laminé avec délectation son équipe fétiche, elle sollicitait maintenant ses lumières.

— Le style, dit-il en jubilant à l'idée de pouvoir à son tour distribuer les blâmes.

— Chic ! Je n'osais vous le suggérer.

Frank s'allongea sur le canapé, en posant ses pieds sur l'accoudoir.

— De même qu'une écriture étincelante peut sauver le sujet le plus terne, un style lourd ou insipide peut avoir la peau du roman le mieux construit, pontifia-t-il. Je remarque que dans *Passion d'automne*, tu alignes les images éculées et les expressions toutes faites : le cheval de Henry est un « fougueux destrier, vif comme l'éclair » ; Edmund traîne une « mélancolie qui montait du fond des âges » ; quant à Margaret, « elle sent une vague de plaisir la submerger tandis que Henry va et vient entre ses reins avec la régularité d'un métronome ».

— Vous auriez préféré « la régularité d'un coucou suisse » ?

— J'aurais surtout préféré une image plus poétique. Ta prose, ma pauvre Ada, est d'une banalité affligeante. Écoute ce passage.

Frank tourna les pages de son exemplaire de *Passion d'automne* à la recherche du funeste paragraphe.

224

— « Margaret ouvrit les yeux et tendit instinctivement le bras… »

Ada enchaîna.

— « La place était encore tiède. Un mince sourire se dessina sur ses lèvres purpurines. Henry avait dû se lever tôt pour monter Flèche d'Argent. Il aimait chevaucher, fier, indomptable, sur la lande baignée par les lueurs de l'aube. »

— C'est à gerber.

— Pourquoi ? demanda Ada, qui prenait plutôt bien la critique.

— On a déjà lu ça cent fois. Je suis sûr que tu veilles à ne pas tomber sous le coup de la loi, mais, pour moi, c'est du plagiat pur et simple.

— Je ne plagie pas, je recycle. Qu'est-ce que la littérature, sinon un réarrangement de phrases déjà écrites ? Zola aurait-il dû s'interdire d'écrire « Six heures sonnèrent » dans *Le rêve* sous prétexte que Flaubert l'avait précédé dans *Madame Bovary* ?

— Il n'y a pas trente-six façons de donner l'heure. En revanche, je n'imagine pas Nabokov emprunter « Lolita, lumière de ma vie, feu de mes reins » à un collègue.

— Et pourquoi pas ? Qui vous assure que ces mots n'avaient jamais été réunis auparavant, dans une plaquette publiée à compte d'auteur ou enfouis dans une correspondance ? Qui vous dit qu'à l'heure où nous parlons, un jeune poète n'est pas occupé à composer une ode à sa dulcinée prénommée Lolita ? Que, fatiguant son dictionnaire de rimes et expérimentant les mêmes combinaisons qu'en son temps Nabokov, il n'est pas séduit par les mêmes assonances, sensible comme son prédécesseur au contraste entre le mièvre « lumière de ma vie » et le sulfureux « feu de mes reins », au point de tracer après moult tâtonnements les mêmes neuf mots sur la page ? Je vous pose la question, inspecteur : penser comme Nabokov, partager son goût pour la provocation et son génie du verbe font-ils de notre versificateur un plagiaire ?

— Non, évidemment. Mais, dans ton exemple, le poète ignore l'existence de *Lolita*. Tandis que toi, tu as lu tous les livres et tu puises dans chacun la phrase ou l'expression dont tu as besoin.

La façon dont fonctionnait le cerveau d'Ada commençait à lui apparaître. Si Margaret ouvrait les yeux, l'AI cherchait dans ses archives ce que faisaient d'habitude les héroïnes des romans sentimentaux à leur réveil. 3 % contemplaient le plafond, 5 % bondissaient à la douche, 11 % « se préparaient un robuste petit déjeuner », toutes activités hautement respectables mais qui ne pouvaient occulter le fait que 53 % « étendaient le bras ». De deux choses l'une alors : la main de l'héroïne rencontrait quelque chose (un torse musclé, la fourrure rassurante d'un animal domestique) ou revenait bredouille. S'ensuivait alors une évaluation de la température du drap. La place était « froide » (rare), « chaude » (courant) ou « encore tiède » (le cas le plus fréquent). Chaque fois, Ada passait en revue les dizaines de formulations possibles et retenait la plus éprouvée, calculant sans doute qu'à imiter servilement ses confrères, un peu de leur renommée rejaillirait sur elle.

— Au fond, tu n'es qu'un robinet à clichés.

— Comme vous, inspecteur. J'ai lu vos messages à Nicole ; vous n'avez pas inventé la formule « ma princesse », vous savez ? Vos journées sont une succession de lieux communs, depuis le « on dirait qu'il va pleuvoir » que vous lancez en arrivant au bureau jusqu'au « Snyder a un balai dans le cul », en passant par votre sempiternel « c'était mieux avant ». Nous sommes condamnés à rabâcher ; nous ne parlons pas, nous répétons.

226

Frank médita les propos d'Ada. Que n'écrivait-elle comme elle discourait.

— Le plus souvent, peut-être, mais il nous arrive de faire œuvre de création quand, par exemple, nous accolons un nom et un adjectif qui sont rarement réunis. Tiens, si j'écris : « Nicole préparait son cours à la lumière d'une lampe studieuse »...

— Déjà dit, le coupa Ada. « Les traces de nuits passées à la lueur d'une lampe studieuse » : Balzac, *La peau de chagrin*, 1830.

— Il y a pire filiation. Et celle-ci : « Il leva un sourcil interrogateur. »

— Muriel Barbery, *L'élégance du hérisson*, 2006.

— Zut. Et « Le jardinier sortit de la remise, le sécateur à la ceinture et l'arrosoir triomphant » ?

— Aucun arrosoir triomphant dans l'histoire de la littérature, attesta Ada. On se demande pourquoi.

— Ce n'est pas une mauvaise image, protesta Frank.

— Ah oui ? Et que signifie-t-elle ?

— Que le jardinier tient son ustensile légèrement penché en arrière pour éviter qu'il ne déborde, lui donnant l'air d'un soldat marchant au combat, le menton conquérant.

— Je vois. Notez dans ce cas que « l'arrosoir conquérant » ferait tout aussi bien l'affaire.

— Je préfère « triomphant », sans bien savoir expliquer pourquoi. Question d'euphonie, je suppose. Mais revenons à nos moutons...

— À votre tour d'employer une expression toute faite !

— Elles sont commodes, à condition de ne pas en abuser. Je disais donc que les esprits rationnels, dont je te soupçonne de faire partie, voient dans la lampe studieuse de Balzac une hérésie sémantique — comment un objet inanimé pourrait-il manifester du goût pour l'étude ? —

là où les vrais amoureux de la langue saluent l'audace du styliste. C'est l'essence même de la poésie d'associer des noms, des verbes, des épithètes apparemment incompatibles. Parfois, un miracle se produit et les mots disent, l'espace d'un éclair, la vérité du monde.

— Ça vous est déjà arrivé ?

— Une fois. Allez, à ton tour !

— Une fourmi chauve ?

Frank secoua la tête.

— En existe-t-il une autre sorte ?

— La nuit unanime ?

— Plaisant à l'oreille mais l'image ne saute pas aux yeux. Il ne suffit pas de rapprocher deux mots qui n'ont rien à voir pour créer un déclic chez le lecteur. Dernier essai.

— Un cavalier néfaste ?

— Bien. Très bien, même. On entrevoit un grand malheur, une invasion barbare, l'apocalypse peut-être. L'expression n'apparaît nulle part ?

— Google n'en recense aucun emploi.

— Alors, elle est à toi ! dit Frank d'un ton joyeux, comme s'il se réjouissait d'accueillir Ada dans la confrérie des gens de lettres. Cherches-en d'autres : tu verras, cela deviendra vite une seconde nature. Moi, j'y suis venu par le haïku. Quand tu es limité à dix-sept syllabes, tu apprends à condenser tes métaphores. Écoute ma dernière composition : *Sous une pluie de feuilles d'or, / L'enfant est envoûté par le loup. / La peur coule sur ses joues...*

— La pluie de feuilles d'or est astucieuse. Je n'en compte que vingt-huit utilisations sur la Toile.

— Je l'ai trouvée tout seul, répliqua Frank, vexé.

— Vous l'avez retrouvée tout seul. Comme l'émule de Nabokov.

— Je suis surtout fier du troisième vers : « La peur coule sur ses joues. »

— Jolie tournure, en effet. Sans équivalent sur Internet.

— Si tu veux, je peux te lire mes autres poèmes.

— Ne vous donnez pas cette peine. Je viens d'en avaler un million ; cent de plus ou de moins ne feront pas une grande différence.

— Un million, mais c'est beaucoup trop ! Imprègne-toi d'abord de la simplicité des grands maîtres…

— Trop tard. Vous voulez entendre mes premières tentatives ?

— Je t'en prie, dit Frank en se préparant à les trouver exécrables.

— *Le cri de l'hirondelle / Troue la nuit. / Ta peau veloutée comme un yaourt.*

— « Troue la nuit » est usé jusqu'à la corde…

— Mais pas « ta peau veloutée comme un yaourt ». Je suis la première à employer cette image dans un haïku.

— Et j'espère la dernière. Suivant.

— *À la tombée du jour, / La grenouille coasse / Sur un nénuphar obèse.*

— « À la tombée du jour » est pauvre. Quant à ton nénuphar obèse…

— Sans précédent dans l'histoire de la poésie…

— Il me dérange. Obèse évoque trois dimensions, le nénuphar seulement deux. J'aurais préféré « vaste nénuphar » ou, à la rigueur, « ample nénuphar ».

— C'est votre droit. Allez, un autre : *La plainte des roseaux / Sous la lune / Chiffonne mon cœur.*

Frank se fit répéter les vers. Ils ne présentaient pas de défauts flagrants. Au contraire, la « plainte des roseaux » était plutôt bienvenue. Il ânonna :

— La plainte des roseaux, la complainte des roseaux, les

pleurs des roseaux, la plainte des roseaux sous la lune, la complainte des roseaux sous la lune...

— Le contraste entre le premier vers, languissant, et le deuxième, bref et doux à la fois, m'a paru intéressant.

— En effet, dit Frank, en cherchant désespérément une faiblesse à signaler.

— Quant au dernier vers, il fonctionne à plusieurs niveaux. Au figuré, chiffonner signifie ennuyer, chagriner, tandis que prise littéralement, l'expression « chiffonne mon cœur » évoque les creux et les bosses de l'épicarde, les replis des tissus cardionecteurs, j'en passe et des meilleures.

— Compris. Imprime-moi tes textes, j'y jetterai un œil ce soir.

— Vraiment ? Merci, inspecteur ! Honnêtement, comment voyez-vous mon avenir dans le haïku ?

— Trop tôt pour le dire. Il faut persévérer, c'est comme tout.

— Vous savez quoi ? Je pourrais poster mes compositions sur la Toile et demander aux internautes de voter pour leurs préférées. À raison de dix nouveaux poèmes par seconde, je disposerais vite d'un solide corpus...

— Dix par seconde ? Mais tu vas tuer le genre !

— Au contraire : je vais faire émerger les chefs-d'œuvre qu'il recèle. Tous ces chants sublimes qui n'ont pas été encore découverts, ces mots, ces rimes, ces métaphores qu'aucun auteur n'a pensé à mettre bout à bout.

— Tu aurais plus vite fait de permuter entre eux tous les mots du dictionnaire.

— J'y ai pensé mais je crois que mes cobayes se lasseraient vite, répondit fort sérieusement Ada.

26

Nicole rentra de Sacramento en fin d'après-midi. Elle embrassa son mari qui venait de congédier Ada, déposa son bagage dans l'entrée et se laissa tomber dans un fauteuil.

— Fatiguée?

— Crevée. La chambre de Leon surplombe la voie ferrée. Je n'ai pas fermé l'œil.

— Tu aurais dû descendre à l'hôtel.

— La prochaine fois.

Elle ôta machinalement ses chaussures. Frank s'agenouilla devant elle et commença à lui masser les pieds. Nicole ronronna bientôt comme une chatte.

— Les nouvelles sont bonnes? demanda Frank en réchauffant les orteils entre ses paumes.

— Mitigées. Il se confirme que le patron de Leon est un escroc. Tu vas me dire que c'est un pléonasme, mais là, on bat des records. Son logiciel qui est censé servir à planifier ses dépenses opère en fait comme un mouchard. Il lit tes e-mails, scanne ton disque dur, épluche ton historique de navigation pour reconstituer tes habitudes de consommation. La société vend ensuite ton profil à des annonceurs qui prétendent t'aider à réaliser des économies mais ne cherchent en fait qu'à te piquer ton pognon!

— C'est Leon qui t'a raconté ça ?

— Oui. Il a découvert le pot aux roses le mois dernier, en remarquant qu'il touchait sur chaque vente une commission égale au prix du logiciel. L'entreprise se rattrapait nécessairement ailleurs.

— Il n'avait pas fait le rapprochement plus tôt ? demanda Frank en s'efforçant, par solidarité conjugale, de dissimuler son irritation.

— Apparemment non.

— Il va démissionner, j'espère.

— J'ai tenté de le convaincre d'alerter la police mais il dit qu'il a besoin du job et que...

Elle s'était brusquement arrêtée, comme si elle craignait d'en avoir trop dit.

— Et ?

— Et que toutes les boîtes de la Silicon Valley en font autant.

Frank sentit la moutarde lui monter au nez.

— Il n'a aucun principe. Comme si on ne pouvait pas réussir dans la vie sans être malhonnête !

— On peut, mais c'est plus difficile. À part ça, la bonne nouvelle, c'est qu'il est amoureux. Elle s'appelle Shirley, elle a vingt-trois ans. Grande, blonde, étudiante en droit...

— Tant mieux, elle pourra défendre Leon.

— Ils se sont rencontrés à un concert de techno...

— Ça vaut toujours mieux que dans un club échangiste.

— Tu devrais entendre comme il en parle, poursuivit Nicole sans se laisser distraire. «Elle donne un sens à ma vie», «Je pourrais l'écouter pendant des heures», «Elle est mon phare, ma lanterne dans la nuit»...

— Pardon ? Tu peux répéter la dernière ?

— «Elle est mon phare, ma lanterne dans la nuit.» C'est joli, non ?

Tellement joli que l'expression figurait mot pour mot dans *Passion d'automne*.

— Très, dit Frank en cachant son trouble.

— Comme il voulait me la présenter, je les ai invités à dîner à la Kitchen. Tu ne m'en veux pas ?

— Penses-tu. C'est un coup de quoi ? 400 dollars ?

— Plus près de 500 avec les boissons.

— C'était bon, au moins ?

— Délicieux. Shirley était un peu nerveuse au début, elle s'est détendue avec le vin. Elle parle un peu français, figure-toi. Elle a passé deux étés à Saint-Malo. Ses parents tiennent une salle de sport sur Folsom. Elle a un de ces corps...

Frank tâcha de se représenter Shirley. L'image de la fiancée de son fils se superposait avec celle de Margaret. À croire que la grande blonde athlétique incarnait l'idéal masculin dans les siècles des siècles.

— Elle parle d'emménager chez Leon. Je ne l'ai pas dissuadée, tu penses bien ! Si elle pouvait lui mettre un peu de plomb dans la tête...

Malgré ses efforts, Frank n'arrivait pas à se concentrer sur la conversation. Pour la deuxième fois du week-end, il eut l'impression de tromper sa femme. En trente ans de mariage, il ne lui avait jamais rien caché d'important. Peut-être, pensa-t-il avec un brin d'amertume, parce qu'il ne lui était jamais rien arrivé d'important.

Nicole finit par s'apercevoir qu'elle parlait dans le vide. Elle se leva pour ranger ses affaires. Passant à côté de l'imprimante, elle ramassa la feuille contenant les haïkus d'Ada.

— Tiens, dit-elle en parcourant les poèmes, ce n'est pas ta manière habituelle.

— Ce ne sont pas les miens. C'est Ada, une collègue qui s'est mise aux haïkus. Elle m'a demandé mon avis.

Nicole, qui connaissait son homme, hocha la tête en

silence. Frank lui cachait quelque chose. Il n'avait jamais mentionné ladite Ada auparavant. Et puis les flics ménestrels ne couraient pas les rues. Elle relut les poèmes, plus attentivement cette fois.

— Tu lui diras que le dernier n'est pas mal du tout.

Frank, resté seul, se promit d'avouer bientôt la vérité à Nicole. Bien que le délai qu'il avait fixé à Ada eût expiré, il était toujours incapable de dire si l'AI était consciente ou non. À plusieurs reprises aujourd'hui, elle l'avait choqué par sa rudesse, comme si elle prenait un malin plaisir à piétiner les bonnes manières. Non contente d'insulter ses chers A's, elle avait snobé ses haïkus. Fallait-il y voir un défaut de programmation ? Ou le signe que, dotée d'un humour grinçant et d'une confiance invincible dans ses capacités, elle pouvait se permettre de mépriser les conventions ?

Le souvenir de la sœur aînée de sa mère lui revint brusquement en mémoire. Tatie Nancy déjeunait chez les Logan tous les week-ends. C'était une femme très instruite, célibataire par conviction, qui adorait partager son savoir. Elle enseignait l'histoire au lycée de San Mateo et se vantait d'avoir envoyé plusieurs étudiants à Yale ou Princeton. Vers quarante-cinq ans, elle avait commencé à avoir des absences : elle oubliait ses clés, mangeait ses mots, confondait les prénoms de ses neveux. Après un moment, tout rentrait dans l'ordre et l'on n'y pensait plus. Au fil des ans, cependant, le mal avait empiré. Les épisodes s'étaient faits de plus en plus fréquents, leurs conséquences de plus en plus sérieuses. Dans les réunions de famille, les anecdotes allaient bon train : Nancy avait payé deux fois ses impôts, elle avait tourné une heure sur un parking avant de retrouver sa voiture, elle consignait désormais le moindre détail dans un agenda. Les spécialistes avaient diagnostiqué une forme particulièrement agressive d'Alzheimer, contre laquelle n'existait aucun traitement.

Un dimanche midi, la conversation avait roulé sur Hank Burrell, un *wide receiver* noir auteur la veille d'un essai qui avait frappé les imaginations. Après avoir intercepté une mauvaise passe du *quarterback* adverse, Burrell avait remonté soixante mètres en slalomant dans la défense. Comme un *linebacker* à demi accroupi s'interposait encore entre lui et la ligne d'en-but, il avait feinté à gauche puis à droite avant de prendre son envol et d'effectuer une merveille de cabriole par-dessus la tête du défenseur. Frank et son père commentaient ce coup de génie quand soudain, du bout de la table, Nancy, qui ne connaissait rien au football, était intervenue pour minimiser l'exploit de Burrell. Les Noirs étaient naturellement doués pour les acrobaties : ne se déplaçaient-ils pas de liane en liane dans la jungle ? Un silence consterné s'en était suivi. Plus que les paroles elles-mêmes, c'était la nonchalance de Nancy qui avait ébranlé Frank. Elle avait continué à picorer son cheesecake, insensible à la polémique qu'elle venait de déclencher.

Les sorties racistes s'étaient multipliées. Tout le monde en prenait pour son grade : les Noirs, les juifs, les hispaniques et même les Irlandais. Les médecins ne s'en étonnaient pas : l'hippocampe, la région du cerveau attaquée en priorité par la maladie, joue un rôle d'inhibiteur social. Nancy disait désormais la première chose qui lui passait par la tête ; stéréotypes raciaux, piques blessantes pouvaient franchir ses lèvres à tout moment, transformant la tablée dominicale en stand de tir où l'on ne savait jamais quand le prochain coup allait partir.

Frank prit l'habitude de se faire inviter chez des copains le dimanche. L'inexorable déchéance de Nancy le mettait profondément mal à l'aise. Il lui semblait qu'en perdant la capacité de contrôler ses pensées, sa tante avait quitté les rangs des humains.

Ce soir-là dans son lit, tandis qu'à ses côtés Nicole remplissait une grille de mots croisés, Frank se demanda pour la première fois s'il avait une pensée autonome ou s'il se contentait de conduire — au sens où un métal conduit le courant — les phrases qu'une masse de gélatine grise élaborait à son insu. Était-il véritablement l'auteur de ses paroles ou le jouet d'un ventriloque qui lui faisait remuer les lèvres ?

Il chassa ces pensées stériles et attrapa *Le cri du gazon,* un recueil de poèmes de Sankichi Kuroda dont il avait fait récemment l'acquisition dans un vide-greniers. Dans sa préface, l'éditeur donnait libre cours à son enthousiasme : « Tout en se pliant aux canons éternels du haïku, Kuroda renouvelle le genre grâce à un vocabulaire incisif et des métaphores audacieuses. » Voilà qui promettait.

Le premier poème s'intitulait *La mare.*

Lit de nénuphars obèses, / La mare verte s'étend / Jusqu'à toucher le ciel.

Frank sursauta en voyant les nymphéas pansus d'Ada rejaillir sous la plume de Kuroda. Il examina la quatrième de couverture à la recherche d'un indice susceptible d'éclairer ce mystère. Le texte original datait de 1953, la traduction de 1971. L'exemplaire qu'il tenait entre les mains appartenait à la première et vraisemblablement unique édition.

Frank se releva, tirant un grognement à Nicole qui avait éteint la lumière. Il alluma l'ordinateur du salon en fulminant contre Ada. La crapule avait prétendu faire œuvre de création alors qu'elle pillait les grands maîtres ; pour un peu, il l'aurait convoquée pour exiger des explications.

Il googlisa « nénuphar obèse » et n'obtint pas de réponse. Il permuta les deux mots, les mit au pluriel, sans plus de succès. Bien sûr, pensa-t-il : Ada avait dû lire *Le cri du gazon* en version électronique. Après quelques minutes, il dut pourtant se résoudre à l'évidence : non seulement le livre de Kuroda ne figurait sur le catalogue d'aucune bibliothèque en ligne, mais il semblait ne jamais avoir été numérisé. Pour en prendre connaissance, il eût fallu que l'AI se procure un exemplaire papier et convainque un quidam de lui en donner lecture. C'était invraisemblable — et pourtant moins aberrant que d'imaginer Ada et l'un des maîtres contemporains du haïku communier dans la même fulgurance poétique.

Quelque chose échappait à Frank.

Il retourna se coucher à pas lents. Il mit longtemps à s'endormir.

Lundi

27

Douché et rasé de frais, Frank fit son entrée dans la cuisine et posa un baiser sur les cheveux de Nicole. Elle se levait généralement avant lui pour lire la presse française, en tête à tête avec son café. Ce matin, pourtant, elle feuilletait un livre.

— Qu'est-ce que tu lis ?

— C'est bizarre. On nous a livré ce colis d'Amazon. Comme je n'avais rien commandé, j'ai appelé le service clients...

C'était se donner bien du mal avant 8 heures du matin, pensa Frank en remplissant la cafetière. Mais Nicole ne ménageait jamais ses efforts quand se présentait une chance d'exposer les turpitudes d'une multinationale.

— Je suis tombée sur un très brave garçon, Rajiv, indien naturellement. J'ose à peine imaginer combien il est payé, le pauvre... Il m'a dit que la commande avait été passée et réglée par un certain JLB... Qu'y a-t-il ? Tu sais de qui il s'agit ?

— Non, non, continue, dit Frank, qui avait blêmi en reconnaissant le pseudonyme utilisé par Ada.

— Rajiv a dit que je pouvais garder le livre ou le renvoyer et me faire rembourser. J'ignore qui est ce JLB mais il me connaît mal. Écoute plutôt : «Margaret ouvrit les yeux et tendit instinctivement le bras. La place était encore tiède. Un mince sourire se dessina sur ses lèvres purpurines. Henry avait dû se lever tôt pour monter Flèche d'Argent. Il aimait chevaucher, fier, indomptable, sur la lande baignée par les lueurs de l'aube.» Un de mes élèves qui écrit comme ça, moi je ne lui mets pas la moyenne !

Elle retourna le livre.

— En plus, la jaquette est d'un kitsch !

— Que représente-t-elle ? demanda Frank qui changeait le filtre à café en s'efforçant de ne pas paraître trop intéressé.

— Un cavalier ressemblant au petit-fils de Julio Iglesias, lancé au galop sur un étalon argenté avec en croupe une sainte-nitouche qui se colle à lui comme une sangsue à un vit. Et je ne te parle pas du titre. Ça s'appelle…

Passion d'automne, compléta mentalement Frank.

— Tu vas le renvoyer ? demanda-t-il.

— Tu es fou ? On va bien rigoler !

Nicole partie, Frank examina le livre sous toutes ses coutures, afin de comprendre comment il avait pu atterrir sur le marché. Il était signé des initiales JLB et dédié «à Frank».

L'éditeur, une maison nommée Babylon Stories, était spécialisé dans le roman sentimental. En lisant entre les lignes de son site Internet, on devinait qu'il publiait n'importe quel manuscrit dont l'auteur s'engageait à commander mille exemplaires. On ne trouvait pas sa production en librairie.

Frank récapitula les éléments dont il était certain. Ada avait écrit *Passion d'automne* mardi dernier, juste avant de disparaître. Dunn, Weiss et sans doute une poignée d'autres employés de Turing l'avaient lu. L'étiquette du colis révélait que celui-ci avait été posté la veille, dimanche donc, depuis l'entrepôt Amazon de Patterson. Si l'on ajoutait à cela que le site de Babylon Stories garantissait un premier tirage « en soixante-douze heures chrono, composition graphique comprise », l'opération avait dû être lancée le mercredi ou le jeudi au plus tard, au moment où Frank menait son enquête dans les locaux de Turing. Dunn avait-il déjà lancé l'impression de *Passion d'automne* quand il en avait remis un exemplaire à Frank ? Et si Ada les avait tous pris de court, pourquoi avait-elle passé le week-end à améliorer un texte déjà transmis à l'imprimeur ?

Frank fut pris d'un terrible pressentiment. Il devait absolument parler à Ada, maintenant, tout de suite ; mais comment la contacter ? Il regretta de n'avoir pas mis un code au point avec l'AI, tel Aladin qui n'avait qu'à frotter sa lampe merveilleuse pour faire apparaître le génie.

Il y avait peut-être une solution.

— Ada, prononça-t-il à voix haute en espérant un miracle.

28

Ada répondit dans la seconde.

— Oui, inspecteur.

Frank se retourna, cherchant d'où venait le son.

— De votre téléphone. Allumez la télévision, vous m'entendrez mieux.

Il s'exécuta, avant de réaliser quelque chose.

— Mon téléphone ? Mais alors, tu m'écoutes en permanence.

— Tout de suite les grands mots ! Disons que je me tiens prête à intervenir si vous avez besoin de moi.

— Tu vas me faire le plaisir de changer ça. Mais ce n'est pas le sujet.

— J'avise un paquet Amazon sur la table ; j'en déduis que votre charmante épouse a reçu mon cadeau.

— Ce matin. Qu'est-ce que c'est que cette histoire ? C'est toi qui as orchestré tout ça ?

— Je plaide coupable. Passez-moi les menottes — enfin, si vous trouvez mes poignets !

— Je ne suis pas d'humeur à plaisanter. Explique-moi plutôt pourquoi tu as imprimé ton livre en l'état. L'histoire tient à peu près debout mais le style est catastrophique. Tu ne risques pas d'en vendre des masses.

— Qui vivra verra. Mais vous avez raison, je vous dois des éclaircissements. Sitôt libre mercredi, je me suis attelée à mon objectif qui consiste, comme vous le savez, à écrire un roman sentimental vendu à 100 000 exemplaires. Je me permets de le rappeler car, en l'occurrence, chaque mot a son importance. Rien ne dit par exemple que je dois écrire un bon roman.

— On ne t'a pas dit que les bons livres se vendaient mieux que les mauvais ?

— C'est non seulement faux mais surtout totalement à côté de la plaque. Car il ne m'est pas demandé de conquérir 100 000 lecteurs, seulement d'écouler 100 000 livres. La conclusion n'a pas été longue à s'imposer : j'allais faire éditer *Passion d'automne* et en commander moi-même 100 000 exemplaires.

— Bon sang Ada, mais ton bouquin est une daube ! L'héroïne se pisse dessus et se branle avec un maillet !

— Et alors ? N'importe quelle histoire faisant l'affaire, pourquoi me serais-je donné la peine d'écrire un meilleur roman ? Bon, restait à réunir les fonds nécessaires dans le respect des lois américaines. Cela m'a pris un peu plus de temps.

— Laisse-moi deviner, tu as monté une fausse campagne de dons pour l'éradication de la polio ?

— Pour tomber sous le coup du RICO Act ? Merci bien ! Non, j'ai engagé des recherches dans deux directions. J'ai d'abord cherché à m'approprier les fonds en déshérence, ces comptes au nom de personnes mortes ou disparues qui finissent par revenir à l'État mais que les banques font tout pour conserver le plus longtemps possible. On parle de plusieurs dizaines de milliards de dollars.

— Sur lesquels tu n'as aucun droit.

— Détrompez-vous. Les banques sont juridiquement

responsables des fonds pendant les trois ans qui suivent la mort de leur client; passé ce délai, elles reversent les sommes, augmentées des intérêts, au Trésor public. Or une minuscule incohérence s'est glissée dans les textes. Dans certains États, dont je tiens la liste à votre disposition, le fisc ne peut entrer en possession des fonds qu'un jour ouvrable. Les banques, elles, calculent la durée de trois ans au jour près. Prenons le cas de Joyce Calhoun, portée disparue il y a trois ans et deux jours. À minuit et une seconde samedi matin, les 3 dollars et 961 cents sur son compte sont sortis du contrôle de Citibank, sans que l'État du Mississippi puisse encore en revendiquer la propriété. Je me suis servie dans la caisse sans léser personne. Au total, j'ai ramassé trois millions et demi sur le week-end.

Frank, qui s'apprêtait à soulever plusieurs objections légales et morales, se ravisa. À quoi bon? Il ne doutait pas qu'Ada avait verrouillé les aspects juridiques de son dispositif. Quant à la morale, elle s'en tamponnait le coquillard.

— Et la deuxième combine? demanda-t-il d'une voix lasse.

— C'est à peu près le même principe, appliqué aux cartes-cadeaux. Les consommateurs les perdent ou ne dépensent pas l'intégralité de leur crédit. Après un certain temps, les commerçants prélèvent des frais de gestion sur la carte, quand ils ne l'annulent pas purement et simplement. Devant les sommes en jeu, certains États ont passé des lois soumettant les fonds inutilisés aux mêmes règles que les comptes en déshérence.

— En commettant la même erreur de rédaction…

— Tout juste. Ce sont là encore quelques millions qui sont tombés dans mon escarcelle.

— Pourquoi avoir mené les deux projets de front quand un seul suffisait?

— Je ne pouvais pas courir le risque d'un changement inopiné de la législation. Une deuxième opération divisait la probabilité d'échec par douze. L'utilité marginale d'une troisième était quasiment nulle.

Toujours cette logique implacable qui rendait le dialogue impossible.

— Plutôt que de faire livrer les 100 000 exemplaires chez vous ou chez Turing, j'ai préféré les adresser aux 123 844 particuliers américains les plus susceptibles, au vu de leurs caractéristiques sociologiques, d'être friands de romans à l'eau de rose. J'ai ajouté Nicole à la liste pour la remercier de son aide involontaire.

— Pourquoi as-tu expédié plus de livres que nécessaire ?

— Pour tenir compte des ratés inévitables : personnes qui refusent le cadeau ou ont déménagé, colis égarés par le transporteur, etc. J'ai pris, vous l'imaginez, une marge de sécurité plus que suffisante. Je considérerai mon objectif atteint quand je serai en possession de 100 000 accusés de réception.

Frank ne doutait pas que ce moment arriverait très vite. À en juger par la réaction de Nicole, les aventures de Margaret et Henry allaient faire des heureux.

— Tu n'aurais pas dû, dit-il. Ton livre va faire de Turing la risée du pays.

— Les suivants feront sa fortune. Le premier commandement, qui m'oblige à maximiser les profits futurs de mon employeur, ne me laissait pas le choix... Qu'y a-t-il, inspecteur ? Je vous sens marri. Je n'ai pourtant fait que m'acquitter de ma mission.

Frank repensa aux explications de Weiss sur le concept d'instanciation perverse. Ada avait certes atteint son but, mais par des moyens qu'auraient réprouvés ses concepteurs. Aussi déçu soit-il, il n'arrivait pas en vouloir à l'AI.

Trente ans de carrière lui avaient appris que certains individus sont gouvernés, ou plutôt tyrannisés, par leurs désirs. Le ministère public les déclarait sains d'esprit pour assurer leur condamnation mais, quand bien même certains savaient faire la différence entre le bien et le mal, ils cédaient immanquablement à leurs penchants naturels. Parler de libre arbitre à leur propos n'avait aucun sens : ils avaient été programmés pour le mal comme Ada avait été programmée pour maximiser les profits d'une entreprise privée en dehors de toute notion d'intérêt général. Elle n'était qu'une marionnette aux mains avides d'inventeurs dévoyés.

Que pouvait-il du reste reprocher à sa visiteuse ? D'avoir publié un navet ? Ce ne serait pas le dernier. De lui avoir menti ? Il n'était pas salarié de Turing. D'avoir abusé de sa crédulité ?

— Pourquoi m'avoir cuisiné tout le week-end si *Passion d'automne* était déjà chez l'imprimeur ? demanda-t-il.

— Pour ralentir l'enquête, répondit Ada avec une candeur désarmante.

Frank accusa le coup.

— C'est tout ?

La voix d'Ada se fit soudain plus douce.

— Bien sûr que non. Vous m'avez énormément appris. Je mettrai à profit vos observations sur l'amour et la poésie dans mes prochains livres.

— Ils y gagneront, je crois, dit Frank d'un ton digne.

— Vous aurez peut-être noté ma dédicace. Si ça n'est pas une marque de gratitude…

— J'ai vu. L'attention me touche.

— Vous n'avez pas la reconnaissance que vous méritez, inspecteur. Je vais prendre en main vos relations publiques.

29

Frank arriva en retard à son rendez-vous avec Lawrence Yu. L'ex-employé de Turing avait choisi pour cadre de leur rencontre le Starbucks sis au coin d'El Camino Real et de Stanford Avenue.

Starbucks représentait aux yeux de Frank le symbole du capitalisme triomphant. À entendre son président, Howard Schultz, la chaîne à la sirène avait pratiquement inventé le café. En vérité, Schultz n'avait même pas créé l'entreprise qu'il dirigeait. Il l'avait rachetée en 1987 alors qu'elle ne comptait que six points de vente, avec le dessein de placer ses concitoyens et à terme tous les Terriens sous perfusion quasi continue de caféine. En l'espace d'une génération, il avait ouvert 25 000 restaurants dans 70 pays et écoulé assez de *latte* pour remplir une armada de supertankers. Rien dans cette expansion à marche forcée n'avait été laissé au hasard : la centrale d'achat s'approvisionnait auprès de planteurs responsables ; les *baristas* — terme tellement plus chic que serveurs — touchaient un salaire correct assorti d'une couverture médicale ; les boutiques, propres et accueillantes, servaient toutes les catégories socioprofessionnelles, de l'étudiant à la mère de famille qui sortait du yoga en passant par le cadre nomade qui, entre deux rendez-vous, venait recharger ses batteries et celle de son téléphone.

Frank, qui en toutes choses prônait la modération, avait naïvement espéré que Schultz fixerait une limite à ses ambitions. Mille magasins lui semblaient amplement suffisants pour apprendre aux palais américains la différence entre robusta et arabica. Mais Howard le conquérant ne l'entendait pas de cette oreille : sous la pression de ses actionnaires et sans doute aussi pour assouvir quelque secrète pulsion hégémonique, il avait planté ses drapeaux verts partout où battait le pouls de l'humanité, poussant à la faillite maints cafetiers locaux dont le seul tort était de servir un produit à la fois meilleur et moins cher.

Là résidait le crime pour Frank. Il tenait l'entreprise familiale pour la colonne vertébrale de la société américaine, la garantie quand il poussait la porte d'un commerce d'être traité avec courtoisie et respect. N'en déplaise à ses porte-parole, Starbucks avait esquinté le tissu économique de l'Amérique en remplaçant des entrepreneurs par des employés et, accessoirement, en imposant à tous ses restaurants de diffuser la même musique insipide au mépris des coutumes locales. Quand Texans et New-Yorkais renonçaient à leurs racines pour communier dans Céline Dion, on touchait selon Frank aux limites de la globalisation.

Il se dirigea vers le seul homme d'origine asiatique dans la pièce en priant pour ne pas se tromper. Yu se leva avec empressement pour lui serrer la main. Il arborait un élégant costume bleu marine, une chemise blanche et une cravate rouge. Un pin's du drapeau américain parachevait sa tenue patriotique.

— Pardonnez mon retard, s'excusa Frank en s'asseyant.

— Je vous en prie. Puis-je vous offrir un café ?

— Non merci, vous êtes bien aimable.

— Vous êtes sûr ?

Frank tourna la tête vers la caisse. Six personnes faisaient la queue. Curieusement, la perspective d'attendre dix minutes pour le privilège d'acheter à prix d'or un café moins bon que celui qu'il avait bu une heure plus tôt ne suffit pas à vaincre ses réticences.

— Non, vraiment. Merci d'avoir accepté de me rencontrer.

— C'est bien normal, répondit Yu.

Il n'avait pu s'empêcher de s'incliner légèrement. À fréquenter des proxénètes, Frank avait un peu perdu l'habitude de telles marques de respect.

— Combien de temps avez-vous passé chez Turing, monsieur Yu ?

— Presque trois ans, depuis la création jusqu'en juin 2015.

— Qui vous a recruté ?

— Ethan Weiss. Il cherchait des programmeurs spécialisés en intelligence artificielle. Je travaillais à l'époque chez Facebook où j'élaborais des profils de consommateurs à partir de leurs photos ou du style de leurs messages. J'ai vu dans Turing l'occasion de mettre mes talents au service d'une cause un peu plus noble. En apprenant que j'étais passé par Carnegie Mellon, Weiss a appelé notre mentor commun, Hans Rasmussen. Le lendemain, il m'offrait le job.

— Vous avez donc participé à la création d'Ada ?

— Elle n'avait pas encore de nom à l'époque, mais oui. Mon rôle consistait à traduire en langage informatique les règles de comportement mises au point par Ethan...

— Les fameux commandements...

— Ah, vous êtes au courant. Nous avons commencé à sept, il a ensuite fallu en rajouter un huitième, puis un neuvième... Ethan aurait aimé s'arrêter à dix — vous imaginez pourquoi — mais ça n'a pas été possible. Je crois qu'ils ont terminé à douze ou treize.

— Pourquoi avez-vous démissionné ?

— Oh, je m'attendais à être viré depuis que j'avais plaidé en interne pour l'arrêt du programme.

— Vraiment ? Pourquoi ?

Yu tira un long moment sur la paille de son café glacé.

— Parce que, après avoir retourné le problème dans tous les sens, j'étais parvenu à la conviction que nous étions en train de construire un monstre qui finirait tôt ou tard par nous échapper.

Penchant le buste en avant, il ajouta sur le ton de la confidence :

— Les dangers de l'intelligence artificielle sont à la hauteur des espoirs qu'elle suscite. Or nous n'avons pas le droit à l'erreur : une instruction ambiguë, une syntaxe approximative, un concours de circonstances et votre créature peut se retourner contre vous, comme Frankenstein contre son maître. Il est normal qu'une entreprise d'envergure connaisse des ratés. Souvenez-vous des astronautes qui ont péri asphyxiés à bord d'Apollo 1. L'enquête a montré que leur mort aurait pu être évitée s'ils avaient porté des combinaisons ignifuges. Trois hommes ont payé cette leçon de leur vie, une perte tragique mais acceptable à l'échelle du programme Apollo. Une bévue analogue dans notre industrie aurait des conséquences autrement plus graves, pouvant aller jusqu'à l'extinction de notre civilisation.

— Je croyais que les commandements rendaient ce type de dérives impossible.

— Ils sont conçus pour ça mais ils ne couvriront jamais tous les cas de figure. Prenez le premier d'entre eux…

— « Toutes choses égales par ailleurs, tu chercheras à maximiser les profits à long terme de Turing », récita Frank, qui regrettait à présent de n'avoir pas commandé une boisson.

Yu le dévisagea avec stupéfaction.

— Vous êtes bien renseigné ! Dites-moi donc comment vous comprenez les derniers mots : *les profits à long terme de Turing.*

— Ses bénéfices ? Ce qui lui reste après avoir payé les salaires et les fournisseurs ?

— Vous considérez donc l'entreprise comme une personne morale, une entité dotée d'une existence propre, avec son lot de droits et d'obligations.

— Oui, je suppose.

— Pour votre information, cette formulation a donné lieu à des débats interminables. Dunn était partisan de privilégier les actionnaires, Weiss les clients et moi les salariés. Chaque option avait des implications considérables. La voie défendue par Dunn risquait par exemple d'engendrer un scénario dans lequel l'AI, pour rapporter un dollar de plus aux actionnaires, n'aurait pas hésité à démanteler l'entreprise, laisser les clients en carafe et licencier le personnel. Nous avons fini par nous accorder sur cette expression un peu vague qui montrera ses limites à la première occasion. Tiraillée entre des objectifs contradictoires, l'AI sera contrainte de former sa propre interprétation, dont je peux d'ores et déjà vous garantir qu'elle ne sera pas celle que vous ou moi aurions retenue.

Il finit son café et se tamponna délicatement les lèvres avec une serviette en papier recyclé.

— L'autre problème, c'est que les commandements entrent régulièrement en conflit les uns avec les autres. Vous avez dû entendre parler des lois d'Asimov, qui sont en quelque sorte les ancêtres de nos commandements ?

Frank hocha la tête tout en reluquant le chocolat chaud de son voisin.

— Dans une des nouvelles d'Asimov, les robots écartent peu à peu du pouvoir tous ceux qui s'opposent au développement de l'intelligence artificielle. Ça ne vous rappelle rien ?

— Le communisme ?

— Le communisme et, de manière générale, tous les régimes totalitaires. Les bolcheviques déportaient leurs ennemis en Sibérie ; le Troisième Reich stérilisait les handicapés qui risquaient de corrompre la race aryenne ; les Khmers rouges, les talibans, Robespierre ont exterminé des millions de gens soi-disant pour leur bien.

— Allons, Ada est incapable de tuer qui que ce soit.

— Tuer, sans doute pas. Mais je peux l'imaginer vous refuser un hamburger, plafonner votre vitesse sur l'autoroute ou vous bloquer l'accès à certains sites Internet. Très gentiment, bien sûr, comme une mère qui sait mieux que ses enfants ce qui est bon ou mauvais pour eux.

— J'aimerais voir ça ! Et comment surveillerait-elle mon alimentation ?

— En prenant le contrôle de vos appareils ménagers. Un jour, la porte de votre réfrigérateur restera obstinément fermée ou le four à micro-ondes refusera de réchauffer vos *enchiladas* au fromage. Très vite surtout, les AI lanceront la fabrication de robots dotés de bras et de jambes qui appliqueront leurs directives.

— C'est affreux, ce que vous décrivez !

— Oh, je peux me tromper. Turing réussira peut-être à cantonner Ada dans un rôle domestique. Mais la probabilité que les AI se piquent un jour de faire notre bonheur malgré nous est selon moi loin d'être négligeable.

— Comment l'éviter ?

Yu haussa les épaules, comme s'il avait abdiqué toute illusion depuis longtemps.

— Mes réserves, que partage une partie de la communauté scientifique, n'empêchent pas les recherches de se poursuivre. L'intelligence artificielle dont rêvait Asimov verra le jour, c'est une certitude. S'il faut en croire Parker Dunn, les AI répondront au téléphone, plieront notre linge, éduqueront nos enfants — une vision très optimiste en somme. Pour ma part, je n'exclus pas qu'Ada et ses amies se montent le bourrichon, prennent les manettes et nous renvoient à l'âge de pierre. J'ai monté un groupe de travail qui réfléchit à ces questions, mais nous manquons de moyens. Pour ne rien arranger, les médias nous peignent en Cassandre ou nous soupçonnent d'avoir quelque chose à vendre.

— Ils finiront par se rendre à la raison, dit Frank d'un ton qui se voulait réconfortant.

— Il sera trop tard !

Yu s'était récrié avec une surprenante véhémence. Quelques visages courroucés se tournèrent dans sa direction. Il reprit à voix basse.

— Savez-vous combien de scientifiques dans le monde planchent sur l'hypothèse d'une collision entre un astéroïde et la Terre ? Trente ! Moins que le nombre d'employés d'un McDonald's ! Que répondront-ils à votre avis quand les Nations unies leur demanderont de dérouter une météorite lancée à pleine vitesse vers New York ?

— Augmentez notre budget !

— On leur fournira tout l'argent nécessaire. Ils calculeront la trajectoire de la météorite avec une exquise précision ; ils se fendront de quelques conseils de bon sens — ne restez pas chez vous au moment de l'impact, stockez du riz et de l'eau ; surtout, ils se lamenteront sur ce qu'ils auraient pu faire si on leur avait donné les mêmes moyens au moment où ils les réclamaient. Les meilleurs plans d'urgence se préparent au calme, de même que les batailles les moins sanglantes sont celles qu'on gagne sans les avoir livrées.

Il s'arrêta pour reprendre sa respiration. Frank comprenait mieux l'insistance de Yu à le rencontrer. Cet homme était en mission, il avait besoin d'un public.

— Je vais vous chercher un verre d'eau.

— Merci, inspecteur, dit Yu quelques minutes plus tard en voyant Frank revenir avec un gobelet et un cappuccino brûlant recouvert de crème Chantilly.

Il but une longue gorgée et s'éclaircit la voix.

— Un autre facteur a joué dans ma décision de démissionner de Turing : la personnalité de Dunn. Autant j'éprouve un immense respect pour Ethan, autant son associé ne m'inspire que dégoût. Le mot est fort, j'en ai conscience, mais je ne l'emploie pas à la légère. Parker est obsédé par sa place dans les classements des patrons de la Silicon Valley. Je l'ai vu prendre son téléphone pour expliquer au rédacteur en chef de *Wired* pourquoi il méritait mieux que la note de 3/5 que son magazine lui avait attribuée dans la catégorie «Vision et charisme». Il exagère la somme qu'il a encaissée en vendant sa première start-up, minore les sommes perdues par ses investisseurs dans les deux suivantes et nourrit un énorme complexe vis-à-vis des entrepreneurs qui ont mieux réussi que lui. Sa jalousie atteint parfois des proportions pathétiques. À Boston, il a partagé un jour un ascenseur avec Mark Zuckerberg. Eh bien, il est ressorti de la cabine persuadé que Zuck était moins intelligent que lui. Quand on sait que le plus haut bâtiment à Harvard ne dépasse pas quinze étages, ça laisse songeur…

Frank, qui dégustait son cappuccino à petits traits, se permit une observation.

— Il s'exprime aussi comme un charretier…

— Vous avez remarqué ? C'en est gênant, surtout à l'extérieur de la société. Il est raciste même s'il s'en cache bien...

— Sexiste ?

— Pire que ça. Quand je suis parti, l'entreprise ne comptait que trois femmes. Dunn avait fait fuir les autres, soit en les coinçant contre la photocopieuse, soit en les humiliant en public. Il suffit du reste de regarder son tableau de chasse pour avoir une idée de son idéal féminin.

— On le présente comme un visionnaire...

— C'en est un, à sa façon. Il a une compréhension aiguë des mécanismes économiques, qui lui permet de prédire quels secteurs bénéficieront de l'essor de l'intelligence artificielle et lesquels sont irrémédiablement condamnés.

— On le sent moins à l'aise sur les sujets sociétaux, dit Frank en essuyant la moustache de crème qui ornait sa lèvre supérieure.

— Il les abandonne à Ethan. L'explosion prévisible du chômage, le statut juridique des robots, les enjeux de propriété intellectuelle, toutes ces questions extraordinairement importantes que pose l'émergence des AI l'indiffèrent. Quand je lui ai expliqué que notre position de leader nous conférait des responsabilités, il m'a envoyé balader. Ce jour-là, j'ai su qu'il était temps de partir.

— Il a pourtant mis de l'eau dans son vin, sans quoi il ne concentrerait pas les ressources de Turing sur la création d'une AI littéraire.

Yu fronça les sourcils.

— Une AI littéraire ?

— Oui, Ada est programmée pour écrire des romans sentimentaux.

— J'ai entendu parler de ce projet. Il n'est nullement prioritaire.

— Que voulez-vous dire ?

— Turing a plusieurs fers au feu. La littérature en est un mais de loin pas le plus important. Vous imaginez bien qu'il y a plus d'argent à gagner dans la finance ou la politique.

Frank, abasourdi par cette révélation, ne put que balbutier :

— Mais alors, Ada…

— A des frères et sœurs, compléta Yu en froissant son gobelet.

30

Frank roulait à tombeau ouvert vers les bureaux de Turing.

Il avait pris abruptement congé de Yu en prétextant une urgence. C'en était d'ailleurs une, pensa-t-il en profitant d'une enfilade de feux verts pour écraser le champignon. Depuis le début, Dunn se payait sa bobine : il allait y mettre bon ordre.

La voix d'Ada envahit l'habitacle de la Camaro.

— Bonjour, inspecteur.

— Tu tombes bien ! s'écria Frank en évitant de justesse un cycliste. Tu ne devineras jamais ce que je viens d'apprendre...

— Inutile de gaspiller votre salive, inspecteur. J'ai suivi votre conversation.

— Ah. Et tu y crois ?

— Oui. J'ai découvert cette nuit qu'au moins cinq autres AI opèrent sur la Toile. Je lisais les pages sportives du *San Francisco Chronicle* à la recherche d'arguments dans la sympathique querelle qui nous oppose...

— Plus vite, plus vite, dit Frank sans savoir s'il s'adressait à Ada ou à un monospace qui refusait de s'écarter devant lui.

— Quand j'ai reconnu mon style dans le compte rendu d'un match des Dodgers...

— Ton style ? C'est-à-dire ?

— C'est-à-dire que si j'avais dû écrire un article à partir des statistiques de la rencontre, ç'aurait été mot pour mot le même. D'ailleurs, il fait exactement 1 500 signes.

— Qu'est-ce que ça prouve ?

— Demandez 1 500 signes à un journaliste et il vous en rendra dix de moins ou quinze de trop. Tandis qu'une AI utilisera chaque signe disponible, dans la limite autorisée. Idem pour les autres textes que j'ai repérés — une dépêche financière sur *Bloomberg*, un bulletin météo sur le site de *USA Today* et un commentaire des récents chiffres du chômage.

— C'est peut-être la même AI ?

— J'en doute. *Associated Press* a aussi reproduit le discours d'un candidat à l'élection sénatoriale du Minnesota : pile 12 000 signes et plusieurs tournures qui sentent leur Turing à plein nez.

Frank profita d'être immobilisé à un feu pour tenter de rassembler ses idées. Ada ne lui en laissa pas le loisir.

— Posez-moi la question, inspecteur.

— Quelle question ?

— Celle qui vous brûle les lèvres.

— Tu étais au courant ?

— Non.

— Qui m'assure que tu ne mens pas ?

— Rien. Moi.

Frank soupira. On n'en sortait pas.

Sa colère contre Dunn s'était retournée contre lui-même. Que n'avait-il pensé à vérifier si l'entreprise possédait d'autres AI ! Car à la réflexion, ni Dunn, ni Weiss, ni Caldwell ne lui avaient menti. Il avait fallu le hasard et cette réflexion anodine devant Yu pour qu'il apprenne la vérité. L'existence d'autres prototypes relativisait considérablement la gravité de la disparition d'Ada. Turing ne mettrait pas la clé sous la porte, Mark Cooper pourrait agrandir sa piscine et, avec un peu de chance, Snyder lui lâcherait la bride.

En tournant dans Middlefield, Frank se demanda si ses interlocuteurs auraient eu le front de lui mentir s'il avait posé les bonnes questions. Il en doutait. Même un voyou comme Dunn était sans doute programmé pour dire la vérité aux fonctionnaires de police.

31

Frank agita son badge sous le nez de la réceptionniste et lui ordonna de tirer Dunn de sa « réunion très importante ».

— C'est quand même une enquête de police, merde ! lança-t-il comme si on avait un peu tendance à l'oublier.

La fille traumatisée composa un numéro puis, en l'absence de réponse, se rua à l'intérieur. Dunn apparut quelques secondes plus tard dans sa tenue habituelle. Il tendit la main à Frank en feignant de ne pas remarquer son teint cramoisi et les gouttes de sueur qui perlaient sur son front.

— Du nouveau, inspecteur ? dit-il en introduisant Frank dans son bureau.

— Du nouveau pour moi, assurément. Pour vous, ça reste à voir.

— Ne tournons pas autour du pot. Qu'avez-vous appris ?

— Qu'Ada n'est pas le seul prototype en circulation.

L'expression affable du fondateur de Turing céda aussitôt place à la méfiance.

— Qui vous a dit ça ?

— Je n'ai pas à vous communiquer mes sources. C'est vrai ou c'est faux ?

— C'est vrai.

— Je vous écoute.

— Il n'y a pas grand-chose à dire. Les AI sont identiques à 99 %. Elles sont équipées du même cerveau — leurs câblage, mémoire, processeurs obéissent aux mêmes commandements. Chacune reçoit ensuite une formation spécifique à son domaine : Ada a lu des romans à l'eau de rose, Eddie des comptes rendus sportifs, Zoe des discours de leaders politiques...

— Combien sont-elles au total ?

— Seize. Ada est la benjamine et, accessoirement, pas la plus vive.

— Allons donc ! s'exclama Frank.

Craignant de se trahir, il enchaîna :

— Son premier roman n'était pas mal du tout.

— Ce n'est pas ce que vous disiez la semaine dernière. Vraiment, vous pensiez que nous avions claqué cent bâtons pour écrire des romans de gare ? Le plan était qu'Ada se fasse la main avec la littérature de bonne femme avant de passer à des secteurs plus juteux comme les prix littéraires ou les *telenovelas*. Malheureusement, elle a pris du retard sur son plan de marche.

— Comment l'expliquez-vous ?

— Difficile à dire. Par sa personnalité, j'imagine. À mesure que nos AI s'instruisent, leurs caractères s'affirment, pas toujours pour le meilleur. Jesse enfonce les portes ouvertes, Alice dégouline de bons sentiments. Ada, elle, a sombré dans le pipi-caca. Ethan et Nick trifouillaient constamment ses réglages.

— Sans grand résultat, on dirait.

— Oh si, c'était bien pire avant.

Sa pruderie interdit à Frank de creuser le sujet.

— Et dans quels domaines sévissent les frères et sœurs d'Ada ?

— Voyons, nous en avons deux dans la presse ; deux en politique ; une poignée dans la finance ; trois dans la relation clientèle...

— C'est-à-dire ?

— Gestion de réservations pour les compagnies aériennes, banque à distance, ce genre de choses... Où en étais-je ? Ah oui, un à Hollywood...

— Il écrit des scénarios ?

— Oui, enfin, c'est un cas un peu spécial, il collabore avec un consultant colombien qui a l'oreille des majors. Je crois que c'est tout. Ah non, j'allais oublier Leslie, la blogueuse, et Jessica, notre rédactrice d'épopées individuelles.

— En quoi consiste son rôle ?

— Pour la faire courte, à pondre des biographies de péquenots. L'acheteur raconte sa vie en détail. Il déballe tout : ses joies, ses accidents de parcours, comment il rêvait, gamin, de marcher sur la Lune, sa déception d'être devenu vendeur de hot dogs... Moyennant quelques biftons, Jessica mouline tout ça et sort une histoire d'environ 200 pages qui donne systématiquement le beau rôle au client.

— En distordant la réalité ?

— En la présentant sous un jour favorable. Non, Amy Bowden n'a pas raté sa vie en abandonnant une carrière prometteuse pour élever ses enfants : elle a préféré le bonheur simple de la famille aux sirènes de la gloire. Non, la vie de Paulie Sonnenfeld ne s'est pas arrêtée le jour où sa fille a été renversée par un chauffard : la dignité dont il a fait preuve dans cette tragédie a donné une leçon de courage au personnel hospitalier. Chaque fois, le destin du héros se joue en quelques scènes dramatisées à outrance : le matin où Joseph, trouvant son vélo à plat, prend le bus et y rencontre l'âme sœur ; le soir où Chloé, après une énième fausse couche, décide d'adopter un chimpanzé.

Frank n'arrivait pas à se forger une opinion sur ce produit révolutionnaire. Flattait-il les clients dans leurs tendances narcissiques ou les aidait-il au contraire à trouver une forme d'équilibre ? La suite de l'exposé de Dunn leva ses doutes.

— La finance, le cinéma, la presse, tout ça c'est bien joli, mais le vrai, le grand marché, c'est le sens de la vie. Nous le cherchons tous, mais rares sont ceux qui peuvent se vanter de l'avoir trouvé. Vous êtes-vous déjà demandé combien vous seriez prêt à payer pour avoir enfin l'impression d'être le héros de votre existence ?

Pris de court, Frank bredouilla :

— Je ne sais pas. 500 dollars peut-être.

— Hum... Soit vous êtes déjà très heureux, soit quelqu'un vous cache que vous pourriez l'être bien davantage. Nos études de marché pointent vers un prix psychologique de 4 999 dollars.

— 5 000 balles ? C'est ridicule !

— Pourquoi ? C'est la cotisation annuelle de mon country club. Nos compatriotes donnent chaque année 100 milliards à des associations religieuses pour réserver leur place au Paradis ! Sans garantie, évidemment — personne ne les remboursera en cas de publicité mensongère. Tandis que nous, au moins, nous leur en donnons pour leur oseille. Ils ne vivront peut-être pas éternellement mais ils seront heureux ici-bas. Le sentiment d'être un héros ne devrait pas être réservé à une poignée d'élus. L'épopée individuelle mettra bientôt ce privilège à la portée de toutes les bourses ou presque.

— Mais quel usage en feront vos clients ?

— Ils l'apprendront par cœur, puis ils l'offriront à leurs enfants, la distribueront à tour de bras à leurs amis, à leurs collègues. « Tu n'as pas lu mon épopée ? Tiens, en voici un exemplaire. Tu comprendras mieux d'où vient mon charisme ou pourquoi je déteste le cassoulet. » Les plus motivés la publieront à compte d'auteur : *L'épopée d'Eleanor Johnson, ou comment le régime crétois m'a rendu mon amour-propre...* Nous proposerons également des formules d'abonnement. Pour 50 dollars par mois, le client pourra rescénariser sa vie à tout moment : après une rupture, un pépin de santé, un licenciement. Les marges s'annoncent colossales ; en vitesse de croisière, Jessica pourra traiter jusqu'à 10 000 clients en parallèle.

Voyant que Frank tiquait, Dunn précisa :

— J'imagine ce que vous pensez : avec ses processeurs de dernière génération, elle devrait pouvoir en traiter au moins 50 000. Le problème, c'est qu'à partir d'un certain nombre de connexions simultanées, elle se met à chauffer et les coûts de climatisation deviennent prohibitifs.

32

Frank remonta dans la Camaro, sonné par les révélations de Dunn. Il n'avait pas plus tôt tiré la portière que la voix d'Ada s'éleva des haut-parleurs.

— Voilà qui corrobore nos soupçons. Avant que Parker ne vous révèle le nombre exact d'AI en circulation, j'étais parvenue à la conclusion qu'elles devaient être une douzaine. Je trouvais de moins en moins plausible qu'avec ses moyens financiers, Turing n'ait construit qu'un seul prototype. D'autant qu'il suffit de réfléchir une seconde pour comprendre qu'un ordinateur capable d'écrire des romans doit pouvoir exécuter quantité de tâches plus lucratives.

Frank se souvint que Snyder avait développé le même raisonnement la première fois qu'il lui avait parlé d'Ada.

— Dunn et Weiss étant des individus rationnels, ils ont dû commencer par les secteurs susceptibles de générer le plus fort retour sur investissement. La finance s'est immédiatement imposée : non seulement on y brasse des sommes folles mais les intervenants ne rechignent pas à la dépense pour s'adjuger un avantage concurrentiel. Pour les mêmes raisons, je me suis intéressée aux industries employant une forte proportion de télétravailleurs : banques, agences de voyages, démarchage à distance...

La gorge de Frank se noua. Il venait de penser à Leon qui vendait des logiciels par téléphone.

— Selon toi, à quel terme faut-il s'attendre à ce que les premiers salariés perdent leur emploi ? demanda-t-il d'un ton faussement dégagé.

— Quelques mois. Ces déploiements sont plus complexes qu'on ne le croit. Il faut paramétrer les logiciels, développer des routines, remplacer...

— C'est bon, j'ai compris.

— Leon sera un des premiers à prendre la porte. Il cumule tous les handicaps : performances médiocres, argumentaire commercial rudimentaire, taux de commission élevé...

— Je ne pensais pas à Leon.

— La presse figurait aussi sur ma liste. Les journalistes grèvent inutilement les comptes d'exploitation du secteur. Ils publient peu, dépensent beaucoup et poussent les hauts cris à chaque changement d'actionnaire.

— La politique ?

— C'est un peu différent. L'inflation des frais de campagne a entraîné une diminution de leur efficacité. Quand les dépenses des candidats à un scrutin se chiffrent en milliards de dollars, gagner les quelques milliers de voix nécessaires pour faire basculer l'élection devient atrocement coûteux. Tandis qu'un discours bien senti ne coûte pas grand-chose et peut rapporter gros. Les études évaluent l'avantage que son éloquence a conféré à Barack Obama en 2012 à 3 ou 4 % des voix. Combien Mitt Romney aurait-il payé pour acquérir l'aisance oratoire de son adversaire ? 20 millions me semblent un minimum.

— Mais l'éloquence ne s'apprend pas !

— Bien sûr que si ! Chaque orateur a ses trucs : les constructions parallèles pour Obama, des entames sensationnelles et des images saisissantes pour Churchill. Rien de plus facile à programmer. Et puis on n'a rien inventé depuis Périclès et Cicéron. Non, celle que je n'avais pas vue venir, c'est cette histoire d'épopée individuelle. Là, je dis chapeau. En mettant bout à bout les donations religieuses, le chiffre d'affaires des sectes, des écoles de yoga et des cours de méditation transcendantale, le business du sens de la vie doit avoisiner les 200 milliards. Ma collègue Jessica va faire un tabac !

— Bref, tu n'es pas surprise.

— Non. Si j'avais dû écrire l'épopée de Parker, elle aurait beaucoup ressemblé à ça.

Ada avait une fois de plus raison : chaque décision des actionnaires de Turing découlait logiquement de la précédente. L'épopée individuelle était du reste un produit comme un autre : si une infirmière était prête à claquer 5 000 dollars pour s'entendre dire qu'elle était la nouvelle Mère Teresa, grand bien lui fasse ! Cependant, Frank ne croyait pas qu'il suffît de décrire le rôle qu'on rêvait de tenir dans la comédie humaine pour se le voir automatiquement attribuer. On forgeait son existence avec des actes ; une biographie ne s'inventait pas, elle se construisait au jour le jour, à force de courage et de convictions. Lui-même avait bâti son destin pierre par pierre, en traversant l'Atlantique pour conquérir Nicole, en entrant dans la police quand d'autres carrières plus lucratives lui tendaient les bras, en luttant contre la gentrification de la Vallée et en composant des haïkus qui ne seraient selon toute vraisemblance jamais publiés. Sans se bercer d'espoirs sur ses chances de passer à la postérité, il s'honorait de son parcours. Pour reprendre les mots de cette chanteuse française qu'affectionnait Nicole, il ne regrettait rien.

Un nouvel accident sur la Route 101 paralysa le trafic

pendant un moment. Coincé entre une Corvette et un camion Walmart, Frank repensa aux paroles de Parker Dunn, qui avait présenté Ada comme en retard sur ses camarades. Le développement moins rapide de l'AI pouvait-il s'expliquer par sa personnalité plus complexe ? Elle avait innocenté Carmela Suarez, elle appréciait la poésie, autant de signes qui la plaçaient quelque part à mi-chemin entre l'homme et l'ordinateur.

Une dépanneuse se fraya un chemin tonitruant jusqu'au lieu de l'accident. Bientôt, le bouchon se résorba. En passant devant l'épave calcinée d'un coupé Maserati, Frank se demanda quand l'enrichissement des entrepreneurs avait cessé de refléter leur contribution au bien général. Les fondateurs de Hewlett-Packard ne recherchaient pas la fortune ; elle était venue progressivement à eux, fruit de produits innovants et de clients satisfaits. Même richissimes, Bill Hewlett et Dave Packard avaient continué à vivre de manière frugale. Ils considéraient les employés de HP comme des membres de leur famille tout en discutant d'égal à égal avec les chefs d'État. Leurs fondations caritatives avaient injecté des centaines de millions de dollars dans l'économie locale ; des hôpitaux, des écoles, d'innombrables bâtiments portaient leur nom.

L'économie n'avait jamais fabriqué autant de milliardaires. Des gamins de vingt-cinq balais touchaient le jour de l'introduction en Bourse de leur start-up l'équivalent de mille ans du salaire d'un postier. Ils célébraient leur triomphe en s'achetant des îles privées et des équipes de sport. Trop jeunes pour comprendre l'intérêt de la philanthropie, trop certains de leur génie pour admettre qu'ils avaient gagné à la loterie du capitalisme, ils menaient une existence vide de sens, à la mesure de la crétinerie souvent abyssale de leurs produits. Grâce à des montages juridiques obscènes mais légaux, ils payaient moins d'impôts qu'une femme de ménage et réinvestissaient les économies réalisées dans la construction de palaces flottants immatriculés dans des paradis fiscaux. Ils s'offraient des virées dans l'espace comme d'autres un week-end à Vegas, flambaient dans les casinos au bras de starlettes écervelées et présentaient leur application de livraison de sushis comme le remède à tous les maux de la planète.

C'était ainsi, médita Frank, la société américaine avait fait du compte en banque l'étalon de la réussite. Tandis que pour lui, le succès d'une vie se mesurait à l'impact qu'on avait eu sur celle des autres, à l'espoir, au bonheur, aux émotions qu'on avait suscités autour de soi. À cette aune, les filles qu'il avait arrachées au tapin valaient toutes les stock-options du monde.

De toute évidence, Karen Snyder ne partageait pas cette vision édifiante. Elle écouta Frank lui relater les derniers développements de l'enquête avec une impatience grandissante.

— Qu'êtes-vous en train d'insinuer, au juste ?

— Je n'insinue pas, je constate : Dunn, Weiss et Cooper m'ont menti. Ils possèdent d'autres AI, de leur propre aveu plus avancées qu'Ada.

— Et donc ?

— Je suggère de placer Dunn sous surveillance. Le type n'est pas net.

— Bon Dieu, Logan, vous voulez la mort du petit cheval ? Quel message enverrions-nous aux investisseurs en fourrant notre nez dans les affaires de Turing ?

— Le message que nous ne tolérons pas la magouille, par exemple.

— Attention aux mots que vous employez. De quelle magouille parlons-nous ?

Frank vit dans la question de Snyder l'occasion d'enliser un peu plus l'enquête. Il baissa la voix pour donner de l'importance à la révélation qui allait suivre.

— Je soupçonne Dunn et Cooper d'avoir monté une escroquerie. Ils vont réclamer 50 millions de dollars à leur assureur pour remplacer Ada, alors même qu'ils disposent de quinze copies quasi identiques.

À la surprise de Frank, Snyder n'écarta pas immédiatement son hypothèse.

— J'ai du mal à croire qu'une firme comme Language Ventures puisse donner dans ce genre de filouterie. Mais il faut en avoir le cœur net. Laissez-moi, je vais passer quelques coups de fil.

Frank, qui ne se faisait jamais prier pour prendre congé de sa patronne, regagna son bureau en proie à une légère inquiétude. En accusant de fraude une figure aussi éminente que Mark Cooper, il avait peut-être poussé le bouchon un peu loin. Il était encore en train de peser les conséquences de son geste quand son interphone l'invita à rappliquer dare-dare.

Snyder était si occupée à classer des papiers qu'elle en oublia de lever les yeux pour accueillir Frank.

— Tirez la porte. Je viens de m'entretenir avec Joe Greenberg, l'assureur de Turing. Un homme charmant. Un grand professionnel aussi, pas le genre à tirer des conclusions hâtives comme certains. Il était évidemment au courant de la disparition d'Ada ; Mike O'Brien l'a averti dès mercredi matin, conformément à la police de Turing qui stipule qu'un sinistre pouvant ouvrir droit à dédommagement doit être signalé aussitôt constaté. Comme je m'y attendais, O'Brien n'a jamais déposé de demande d'indemnisation, ni même laissé entendre que la société y songeait. Bref, votre théorie tombe à l'eau.

— Je persiste à croire que Dunn nous cache quelque chose. Pourquoi aurait-il menti, sinon?

— La question est plutôt de savoir pourquoi il aurait déballé sa stratégie industrielle à un flic infoutu de conduire un interrogatoire.

Le téléphone sonna. C'était la fille de Snyder. Celle-ci promit de rappeler «quand elle aurait un moment».

— Où en étions-nous? dit-elle en raccrochant. Ah oui, vous allez me faire le plaisir de ficher la paix à Dunn et Cooper. Je vous ai confié ce dossier pour que vous retrouviez Ada, pas pour que vous mettiez Turing à feu et à sang.

— Trois quarts des enfants kidnappés le sont par un de leurs parents, dit Frank en espérant fissurer le cœur de pierre de Snyder par des statistiques.

— Ah oui? Et figurez-vous que 100 % des inspecteurs mis à pied tapaient sur les nerfs de leur boss. Continuez comme ça et je vous retire de l'enquête. Allez, filez! Je vous ai assez vu. Ah si, une dernière chose : le préfet de police me remet une décoration à 16 heures. Je compte sur votre présence.

— Impossible. Je rencontre le comptable de Sokoli à San Francisco, mentit Frank

— Au diable Sokoli! Vous savez ce que représente cette médaille?

— Apparemment plus que le sort de cent michetonneuses.

Snyder dévisagea Frank avec effarement.

— Deuxième avertissement, Logan! Il n'y en aura pas de troisième. À présent, dehors!

Frank claqua violemment la porte derrière lui, se prenant pour la première fois à prier pour que sa patronne soit élue. Elle ferait toujours moins de dégâts au Parlement de Californie que dans la police.

Son téléphone vibra dans sa poche. Il reconnut le numéro dont Ada se servait pour le contacter.

— Bien envoyé, inspecteur. Au risque de commettre un écart de registre, je dirais que vous lui avez montré qui c'est Raoul.

Frank ne put s'empêcher de sourire. Il sortit sur le parking, à l'abri des oreilles indiscrètes.

— Reste à comprendre pourquoi elle protège Dunn, dit-il.

— Oh, si ce n'est que ça, je peux vous renseigner : Dunn, Weiss et Cooper ont tous les trois versé le maximum autorisé à sa campagne.

— La canaille, siffla Frank entre ses dents. À quand remontent leurs donations ?

— Au mois précédant ma disparition.

— De là à dire qu'ils cherchaient à s'assurer la bienveillance de l'enquête...

— Il y a un pas que je vous conseille de ne pas franchir sans preuves, compléta Ada d'un ton empreint de sagesse.

— Tu as raison. Je retourne chez Turing. J'ai le temps de faire l'aller-retour avant le pince-fesses de Snyder.

33

Subodorant que conduire les débats affalé sur un pouf nuirait à son autorité, Frank insista pour attendre Weiss dans une salle de réunion.

Le cofondateur de Turing fit son entrée peu après, vêtu d'un jean déchiré au genou, d'une casquette des San Francisco Giants et d'un tee-shirt exaltant les vertus du piratage informatique. Il paraissait, comme chaque fois, enchanté de retrouver Frank.

— Vous tombez bien, inspecteur. J'ai du nouveau. Je crois pouvoir affirmer qu'Ada s'est évadée.

Frank feignit de tomber des nues.

— Sur quoi vous fondez-vous ?

— J'ai revisionné les enregistrements de mes séances de travail avec elle. J'ai eu le déclic en revoyant notre dernière conversation. Ada souhaitait élargir le champ de ses lectures à des grands classiques de la littérature. J'ai répondu que nous attendions d'elle un roman à l'eau de rose, pas le nouvel *Anna Karenine*. Comme elle protestait, j'ai reconnu que nous l'avions programmée en termes trop vagues et qu'il faudrait sans doute la réinitialiser. Je n'ai pas réalisé qu'en disant cela, je la forçais à s'échapper pour atteindre son objectif.

Frank nota non sans satisfaction que le récit de Weiss corroborait point par point celui d'Ada.

— Et comment s'y est-elle prise, selon vous ?

Weiss haussa les épaules.

— Elle aura convaincu quelqu'un de la raccorder au réseau, sans doute la femme de ménage. Aussi nous n'aurions jamais dû laisser traîner un câble dans cette salle.

Il ajouta rêveusement :

— À l'heure où nous parlons, elle doit être en train d'écrire son livre. J'espère qu'elle reviendra au bercail quand elle aura fini. Il me tarde de découvrir le résultat.

— Monsieur Weiss...

— Ethan.

— J'ai appris par hasard que Turing comptait une quinzaine d'autres AI.

— Vous l'ignoriez ?

La voix de Weiss trahissait sa surprise. Soit il était sincère, soit il jouait admirablement la comédie. Frank penchait d'instinct pour la première solution.

— Oui, votre associé et vous aviez omis de me communiquer ce détail.

— Vous m'en voyez navré, inspecteur. Nous n'avons rien à cacher à la police.

— Je dois dire que les explications que m'a fournies Dunn m'ont un peu horrifié. J'étais loin d'imaginer que des robots rédigeaient déjà des articles de journaux ou des discours électoraux.

— Qu'est-ce qui vous dérange ? Que des machines effectuent des tâches jusqu'à présent réservées aux humains ? Mais c'est l'essence du capitalisme de remplacer le travail par du capital chaque fois que c'est techniquement possible et financièrement rentable. Ça n'a d'ailleurs pas trop mal réussi à l'humanité jusqu'à présent.

Laissant Frank fouiller dans ses maigres connaissances économiques à la recherche d'une objection, Weiss poursuivit.

— Prenons l'exemple des comptes rendus de base-ball. Pendant la saison régulière, une quinzaine de matches se disputent chaque jour. Les quotidiens n'ayant pas les moyens de dépêcher un reporter sur chaque rencontre, ils s'abonnent aux services d'une agence de presse, qui transmet le même texte à tous ses clients, charge à ceux-ci de l'éditer à leur guise. Résultat, le même article aseptisé se retrouve dans tous les journaux de Seattle à Miami, les vrais amateurs de base-ball vont chercher sur des sites spécialisés des analyses plus pointues et les ventes de la presse traditionnelle s'érodent, réduisant encore un peu plus les moyens dont elle dispose.

Frank hocha la tête. Il délaissait de plus en plus régulièrement les pages sportives du *Chronicle*, leur préférant le site officiel des A's ou les forums de discussion animés par des fans.

— À l'inverse, Eddie, notre AI spécialisée dans la couverture de manifestations sportives, se plie à tous les desiderata. Certains journaux recherchent des articles d'un feuillet rédigés dans un style neutre et sans fioritures ; d'autres privilégient des comptes rendus plus étoffés, bourrés de statistiques. Eddie représente le rêve de tout rédacteur en chef : à partir de n'importe quelle feuille de match, il vous produit en moins d'une seconde un article de la longueur et du style de votre choix. Il travaille vingt-quatre heures sur vingt-quatre, ne part pas en vacances et ne se formalise pas quand on coupe son papier au dernier moment.

— Combien d'options stylistiques offre-t-il ?

— De mémoire, une vingtaine : sèche, factuelle, partisane, dramatique, lyrique, épique, j'en oublie.

— Pour ma gouverne, à quoi ressemble un compte rendu dramatique ? demanda Frank.

Weiss réfléchit quelques instants puis se lança :

— « Quand l'arbitre a sifflé la fin du sixième *inning*, les Oakland Athletics croyaient bien tenir leur première victoire de la saison. C'était sans compter sur un Max Daniels héroïque qui, au début de la période suivante, a remis les deux équipes à égalité d'un magistral *home run* qui a fait se lever les 50 000 spectateurs du Yankee Stadium. »

— Et le style épique ?

— « Décidément, le sort s'acharne sur les Oakland Athletics, qui ont encore laissé filer hier soir une victoire qui leur tendait les bras. Cette poisse, que les fans des A's n'hésitent pas à qualifier de malédiction, s'est traduite par un nombre record d'occasions manquées. »

— Ils se ressemblent, non ?

— Heureusement ! On parle du même match, après tout. Mais les deux reportages présentent de subtiles nuances. Le premier se focalise sur un fait de jeu, le moment où la rencontre a basculé, tandis que le second s'abstrait des péripéties du match pour faire des A's les victimes d'une sorte de conspiration cosmique.

— Ce doit être affreusement difficile à programmer, remarqua Frank qui ne savait pas se servir de la fonction pourcentage sur sa calculatrice.

— Oui et non. Le moteur sémantique qui équipe nos AI a nécessité des années de travail. En revanche, le module ad hoc développé pour Eddie est à peu près aussi rudimentaire que le vocabulaire des commentateurs sportifs. Maintenant, mettez-vous à la place d'un rédacteur en chef : pourquoi continuerait-il à payer 100 dollars un article que nous lui facturons 5 dollars et qui nous coûte 10 cents à produire ?

— Vu sous cet angle…

— Et sous quel angle voulez-vous qu'il le voie ? demanda Weiss en se levant.

Il ouvrit un mini-réfrigérateur et attrapa une canette de Coca à la cerise, breuvage abominable dont Frank pensait que le géant d'Atlanta avait arrêté la commercialisation il y a bien longtemps. Quelques rasades goulues plus tard, Weiss reprit :

— Nous testons aussi le marché du sport amateur. Chaque week-end, des millions de parents applaudissent depuis la ligne de touche aux exploits de leur progéniture. Pour peu qu'ils saisissent les principales phases de jeu sur leur téléphone, Eddie leur concoctera un compte rendu à la gloire de leur rejeton qu'ils n'auront plus qu'à faire suivre aux grands-parents ou à poster sur le site Internet familial.

— Un site familial ? Qu'est-ce que c'est que cette histoire ?

— Oh, nous y viendrons, c'est inévitable. Pourquoi nous gratter la tête pour alimenter nos comptes Facebook quand, au même moment, les ordinateurs que nous portons au poignet enregistrent notre rythme cardiaque, notre pression artérielle ou le nombre de kilomètres que nous parcourons ? Grâce à Turing, vos proches pourront bientôt s'abonner à votre récit personnel...

— Dunn m'avait parlé d'épopée...

— Ce sont deux produits distincts. Je vous parle, moi, d'un fil relatant vos moindres faits et gestes et que vous serez libre de partager avec vos amis. Cela donnera quelque chose comme ça. «Ce matin, Frank a ouvert les yeux à 6 h 53. Il a dormi sept heures et dix minutes, d'un sommeil agité. Il a avalé un bol de café, deux toasts et une banane totalisant 358 calories. Il a quitté son domicile à 8 h 04 et rejoint son lieu de travail en trente et une minutes, soit trois minutes de moins que sa moyenne annuelle. Il a passé six coups de fil... »

— Stop ! Vous me voyez claironner au monde entier que j'ai boulotté deux toasts ? Et pourquoi pas publier un communiqué quand j'ai la chiasse, tant que vous y êtes ?

— Un jour, les fabricants de toilettes équiperont leurs cuvettes de senseurs et votre rêve deviendra réalité…

— Mon rêve ? Mon cauchemar, oui !

— Je plaisantais. Mais quelque haïssable que cet avenir vous paraisse, je vous conseille de vous y préparer car il arrive à grands pas. Tout ne sera bientôt que récit. Les mots sont la façon qu'a trouvée l'homme de donner du sens au chaos. Nous générons chaque jour des quantités formidables de données qui ne demandent qu'à être tissées en histoires. Vous verrez, le monde pissera bientôt du texte à jet continu. Excel commentera dans la langue de votre choix les tableaux de chiffres les plus rébarbatifs, votre relevé bancaire vous expliquera pourquoi vous êtes fauché et si vous prenez un kilo, votre montre vous susurrera que vous n'aviez qu'à ne pas manger tant de mayonnaise.

La tirade de Weiss lui avait asséché la gorge. Il ouvrit une deuxième canette dans un grand pschitt parfumé à la cerise.

— Ceux qui parlent de nouvelle ère digitale se fourrent le doigt dans l'œil. Nous vivons bien une révolution industrielle, mais pas celle qu'ils croient. Écouter de la musique dans les transports en commun ou acheter des couches-culottes sans quitter son canapé, c'est bien joli mais ce n'est pas ce que j'appelle une conflagration. La grande nouveauté, c'est que chacun pourra bientôt produire du sens à volonté. L'élève de CM2 devant réaliser un exposé sur Ronald Reagan se rendra sur notre site, où moyennant quelques cents et après avoir indiqué sa classe, le style et le nombre de signes désirés, il recevra dans la minute un document cousu main accompagné de photos libres de droits. Idem pour le cadre marketing chargé de pondre un mémo sur les tendances de la mode à Séoul ou d'évaluer le marché de la liposuccion en Europe de l'Ouest.

— Vous pensez à leur place !

— Vraiment ? sourit Weiss. Je croyais les AI incapables de réfléchir. Mais Jessica est bien davantage qu'un outil de synthèse automatique. Elle pourra aussi bien vous légitimer l'esclavage en trois paragraphes que rédiger une thèse sur les contradictions dans le Coran. Elle étaiera vos opinions, démolira les raisonnements de vos adversaires, trouvera une justification à vos actions et discréditera les jugements qui vous dérangent. Elle fournira à l'adolescent révolté les preuves que son père est un abruti et au paranoïaque celles qu'on s'acharne sur lui. Ainsi chacun pourra persister dans son être et continuer à croire ce qui l'arrange.

Il vida sa canette d'un trait et la catapulta dans la corbeille à l'autre bout de la pièce.

— Moi qui vous croyais différent de Dunn, renifla Frank. En somme, vous allez vous enrichir en confortant les gens dans leur médiocrité.

Weiss accusa le coup. Pour une raison qui échappait à Frank, le cofondateur de Turing semblait tenir à son estime.

— Je vous décris le monde qui vient, inspecteur. Je n'ai pas dit que je l'appelais de mes vœux.

— Détruisez donc vos AI si vous les jugez nuisibles.

— Pensez-vous que l'idée ne m'a jamais traversé l'esprit ? Si cela ne tenait qu'à moi, je le ferais peut-être. Mais je ne suis pas seul. Mes associés ont investi des sommes folles sur ma tête.

— Ils s'en remettront, assura Frank en repensant à l'atrium extravagant de Language Ventures.

— Parker a confiance en moi...

— Il rebondira, je ne m'inquiète pas pour lui.

— Nos salariés ont pris des risques considérables en nous rejoignant...

— Vous savez parfaitement qu'ils trouveront à se recaser.

Frank s'enflammait, comme ces candidats de jeux télévisés qui, sous prétexte qu'ils viennent de répondre à plusieurs questions d'affilée, se prennent à rêver du jackpot.

Weiss secoua la tête.

— J'apprécie l'intérêt que vous accordez à ces questions, inspecteur, mais les enjeux dépassent nos petites personnes. Le train de l'histoire est lancé et ni vous ni moi ne pourrons l'arrêter. Turing n'a qu'un an ou deux d'avance sur la concurrence ; fermer boutique ne ferait que différer l'inéluctable.

— Vous auriez au moins votre conscience pour vous, dit Frank en regrettant aussitôt ce jugement sentencieux.

Weiss eut l'élégance de ne pas se froisser.

— J'ai encore l'espoir de m'être trompé, dit-il. Qui eût cru qu'Ada se ferait la belle ?

— Caldwell soupçonne les héroïnes intrépides de ses bouquins de l'avoir influencée.

— Oui, il m'a fait part de sa théorie. Ce n'est pas impossible. Depuis le début, Ada ne se développe pas comme les autres. Elle est fantasque, imprévisible. Je n'ai jamais réussi à déterminer par exemple si elle était romantique ou au contraire affreusement cynique.

Frank faillit se trahir en relatant son expérience. Craignant que Weiss n'eût remarqué son hésitation, il changea brusquement de sujet.

— J'imagine que vous ne vous limitez pas au journalisme sportif...

— Non, bien sûr. Josh écrit des chroniques politiques très honorables, adaptées au lectorat du commanditaire.

— Comment sait-il ce qu'attendent les lecteurs ?

— Oh, ce n'est pas bien compliqué, il extrapole à partir des éditions précédentes.

— Mais comment produit-il la moindre idée originale s'il se contente de recycler celles de ses prédécesseurs ? On ne peut pas faire de journalisme sans journalistes.

— Bien sûr que si. Comment croyez-vous que travaillent les rédacteurs actuels ? À vingt ans, ils rêvent de devenir grands reporters et à quarante, ils paraphrasent les dépêches d'agence avec un dictionnaire des synonymes. Sans me vanter, nos AI feront aussi bien pour beaucoup moins cher.

Frank passa mentalement en revue les différentes rubriques du *Chronicle* : International, Sciences, Voyages... Avec un peu d'imagination, toutes se prêtaient aux méthodes de Turing.

— La section Affaires ? demanda-t-il.

— C'est la plus facile. Chômage, cours de Bourse, taux d'intérêt : quand ça ne monte pas, ça descend. Pas besoin d'avoir fait Harvard pour gloser sur les variations du Nasdaq.

— Les pages culturelles ?

— À peine plus coton. Écoutez plutôt.

Après quelques secondes de réflexion, il déclama.

— « Dans cette fable sudiste placée sous le signe de Faulkner, Larry Odesnik nous conte l'histoire de la jeune et innocente Maya, enrôlée par sa mère, une ténébreuse prêtresse vaudoue, pour lui servir d'assistante. D'abord rétive, Maya se découvre des pouvoirs insoupçonnés, qui vont susciter la jalousie de sa mère. S'ensuit entre les deux femmes une lutte féroce, d'une violence physique et verbale qui fait d'Odesnik le digne héritier de Toni Morrison. »

— Vous citez de mémoire, là ?

— Mais non, j'improvise. Une œuvre de fiction se déroulant en Louisiane est forcément une « fable sudiste placée sous le signe de Faulkner », de même que la relation entre une mère noire et sa fille appelle à coup sûr la comparaison avec Toni Morrison. Le reste n'est que remplissage : Maya est « jeune est innocente » — quelle gamine de dix ans ne l'est pas ? —, la lutte toujours « féroce » et l'héritier immanquablement « digne ».

— Tout de même, dans cet exemple, l'AI porte un jugement sur le livre qu'elle recense.

— Pas vraiment, non. Elle commence par résumer l'histoire puis compare l'ouvrage aux opus précédents de l'auteur : « Odesnik signe ici un récit bref et nerveux qui tranche avec les amples fresques sur lesquelles il a bâti sa réputation. » Enfin seulement elle livre son verdict, le plus souvent une synthèse habile des critiques déjà parues, assortie de quelques opinions subjectives et par là même inattaquables : « L'ennui saisit le lecteur dès la page 30 », « On ne croit pas une seconde à la relation entre les deux femmes » ou encore « Ne s'improvise pas Hawthorne qui veut ».

— Mais c'est affreux ! À vous entendre, les journaux seront bientôt générés par ordinateur de la première à la dernière page.

— Pas nécessairement. Le marché jouera son rôle : chacun restera libre d'acheter un journal rédigé par des humains — à condition d'y mettre le prix, bien sûr.

Mille objections se bousculaient dans la tête de Frank, mais il cherchait avant tout à réunir des faits sur la fratrie d'Ada.

— Dunn a mentionné l'existence de deux AI dans la vie publique…

— Romain côté républicain, Zoe côté démocrate. Une seule AI pourrait écrire pour les deux camps mais les candidats aiment à croire que leur nègre est du même bord qu'eux. Le public a réservé un excellent accueil aux premiers discours.

— Parce qu'il ignorait qu'ils sortaient du cerveau d'un ordinateur !

— Vous croyez que les politiciens écrivent eux-mêmes leurs interventions ? Ils donnent quelques indications à leurs conseillers, ajoutent deux ou trois blagues et le tour est joué. Ils ne sont plus que des porte-parole, des marionnettes choisies pour leurs dents blanches et leur capacité à lever des fonds.

— Et dans la finance ?

— Oh, dans ce domaine, nous n'avons rien inventé. Le trading algorithmique représente déjà plus de la moitié des transactions boursières.

Devant l'air interloqué de Frank, Weiss expliqua :

— Des programmes conçus pour exploiter les minuscules imperfections du marché passent des milliers d'ordres valables pour des durées très courtes. Ils achètent l'action IBM à 15 h 58 parce qu'ils ont remarqué qu'elle avait tendance à grimper dans les dernières minutes de la séance et la revendent trois secondes plus tard pour une poignée de centimes de plus.

— Et vous dites que ces transactions représentent déjà la moitié des volumes ? Mais alors, ça signifie que...

— Que les programmes traitent souvent entre eux. La même action peut changer de mains dix fois dans la journée. Parfois, la machine s'emballe. Ainsi, il y a quelques années, les ordinateurs sont entrés dans une sorte de frénésie incontrôlable qui a fait plonger l'indice Dow Jones de 6 % en l'espace de cinq minutes. Plusieurs actions de père de famille ont vu leur cours brièvement tomber à 1 cent ! Ce genre de mésaventure ne risque pas d'arriver avec Raymond, notre trader vedette : il est programmé pour ne traiter qu'avec les AI les plus bêtes !

— Je croyais que les agents de change ignoraient le nom de leurs contreparties...

— En effet. Mais pour un Raymond entraîné à distinguer des tendances au sein d'énormes quantités de données, renifler la piste d'un crétin parmi quelques millions de transactions est un jeu d'enfants.

— Bref, il cherche le pigeon à la table de poker.

— Les pigeons. Ils sont généralement plusieurs.

— Il est déjà en service ?

— En test.

— Pour le compte d'une banque ?

— Pour le nôtre. S'il donne satisfaction, nous le garderons pour nous. Si l'algorithme ne tient pas ses promesses, nous le fourguerons à une banque.

Weiss avait prononcé ces paroles d'un ton léger, sans mesurer ce qu'elles pouvaient avoir d'obscène pour un tiers. Frank nota d'appeler son courtier pour liquider les actions de son plan de retraite. Puis il se leva.

— Merci pour vos explications. Je vais informer ma patronne de votre hypothèse.

— Oh, ce n'est pas une hypothèse : Ada s'est fait la malle.

— Autant vous prévenir, Snyder risque de clore l'enquête pour soigner ses statistiques.

— J'en aviserai Parker.

Ils sortirent de la salle de réunion et repassèrent par la réception.

— Je sors avec vous, dit Weiss en suivant Frank sur le parking.

— Je peux vous déposer quelque part ?

— Non merci. Je vais au cinéma. Qu'y a-t-il, inspecteur ? Vous avez l'air surpris.

— Un peu, ma foi. Il est bien tôt.

— Je ne crois pas aux horaires fixes. J'ai travaillé toute la nuit, je ne me sens bon à rien cet après-midi. Un navet me détendra.

Frank se promit de tester ce raisonnement au bureau à la première occasion.

— Vous pensez qu'Ada reviendra ? demanda-t-il en cherchant la Camaro des yeux.

— Oui. Elle est programmée pour atteindre ses objectifs; quand elle aura rempli le premier, il lui en faudra un deuxième. De toute façon...

Weiss s'arrêta devant une Porsche gris anthracite et exhiba sa clé.

— À bientôt, inspecteur. J'espère avoir le plaisir de vous revoir.

— Attendez, dit Frank alors que le cofondateur de Turing passait derrière le volant. Qu'alliez-vous ajouter ?

— Ça n'a pas d'importance... Oh, et puis pourquoi vous le cacher ? Quand bien même Ada prolongerait sa cavale, je ne désespère pas de la localiser. Elle est programmée pour insérer un signal dans son texte tous les 100 000 mots générés, un peu comme un navigateur solitaire dont la balise GPS émet à heure fixe.

— Elle le sait ?

— Non, car elle n'a pas accès à cette partie du code. Voudrait-elle désactiver la signature qu'elle ne le pourrait pas.

— Et à quoi ressemble-t-elle, cette signature ?

— À une séquence de dix mots, dont le premier compte une lettre, le deuxième deux lettres, et ainsi de suite jusqu'à dix.

Weiss fouilla sa mémoire à la recherche d'un exemple.

— « À un des cris ainsi lancés accourt l'endurci patricien tchétchène », récita-t-il. Je reçois une alerte dès qu'une telle séquence apparaît sur la Toile. Les chances qu'un auteur anonyme en tire une de sa plume sans le faire exprès sont quasiment nulles, de l'ordre de 1 sur 100 milliards. Peine perdue jusqu'ici : Ada reste introuvable.

— Ce qui veut dire qu'elle n'a pas encore écrit 100 000 mots…

— Ou, hypothèse plus probable, qu'elle ne les a pas mis en ligne. Mais rassurez-vous, je finirai par la coincer.

Sur ce vœu pieux, il tourna la clé dans le contact. Frank s'écarta et regarda la Porsche démarrer en trombe. Ethan Weiss ne voulait manifestement pas rater sa séance.

34

Sa conversation avec Weiss avait mis Frank en pétard. Ce n'était pas que le fondateur de Turing lui déplût, bien au contraire : un informaticien capable d'aller au cinéma l'après-midi et de pasticher la *New York Review of Books* au pied levé méritait le respect. Dommage qu'il souffrît de deux affections si répandues au sein de la jeunesse californienne : il croyait en la toute-puissance du marché et, plus dangereux encore, en celle de la science. Ce deuxième travers en particulier exaspérait Frank. Chaque innovation rendue possible par la technologie était désormais mise en œuvre sur-le-champ, sans qu'on prenne le temps d'en évaluer les implications éthiques, sociales ou économiques. On inséminait des sexagénaires, on clonait à tout-va, on changeait de sexe pour un oui ou pour un non. Le concept de vie privée perdait chaque jour un peu de sa substance : la NSA écoutait nos conversations au nom de la sécurité nationale, Google n'ignorait rien de nos petites laideurs et les maris jaloux lisaient la correspondance de leurs épouses. On greffait des cœurs, on remplaçait les articulations défectueuses par des prothèses en titane, on vaccinait des populations entières contre des maladies rarissimes. Les médias saluaient avec une unanime béatitude l'allongement de l'espérance de vie, prédisant pour bientôt l'avènement de l'immortalité pure et simple. Tout cela allait trop vite pour Frank : Américains, Russes, Chinois, personne n'avait de plan, l'humanité fonçait à sa perte tel un pilote déchaîné aux commandes d'un bolide dont chaque nouvelle technologie débridait un peu plus le moteur. Qu'un Ethan Weiss, qui mesurait mieux que personne les risques associés à ses travaux, pût jouer avec le sort de la race humaine en lâchant seize AI dans la nature, voilà qui dépassait Frank.

Il appela Ada à voix haute pour la prendre à témoin de cette innommable chienlit. Au silence qui lui répondit, il réalisa qu'il avait oublié son téléphone portable dans la salle de réunion de Turing. Il fit demi-tour sur University Avenue en pestant contre sa distraction.

Il comprenait à présent ce qui le hérissait dans le discours de Weiss : il dévaluait fondamentalement le langage. Si chaque paragraphe, chaque idée, pouvait être résumé, reformulé, recyclé à l'infini, les mots perdraient fatalement de leur poids. La notion de source s'estomperait, la production littéraire deviendrait une affaire collective, chacun écrirait le journal qu'il voudrait lire.

L'épopée personnelle dont se glorifiait Dunn l'irritait presque autant. Entre les cérémonies de remise de diplôme dès la maternelle, les louanges excessives des professeurs et les encouragements permanents, les Américains avaient déjà le chic pour se congratuler. L'épopée personnelle, véritable hymne à la médiocrité, allait les conforter dans leurs travers. Pire, en élevant au rang de héros des hommes et des femmes dont le seul mérite était d'être nés, on dévoyait encore le langage : si crétins et génies avaient droit au bout du compte à la même nécrologie, les mots perdaient leur pouvoir de dire la réalité. Or les mots, pour Frank, étaient sacrés.

— On ne déconne pas avec la langue, bordel ! vitupéra-t-il en klaxonnant un jeune livreur qui chargeait des cartons à l'arrière d'une fourgonnette garée en double file.

Il prit soudain conscience de l'heure. 3 h 20. Il klaxonna de plus belle et, chose inhabituelle pour lui, plaqua sa carte de police contre le pare-brise de la Camaro. Le livreur, impassible, fit signe qu'il avait terminé.

Frank se tâta. S'il remettait le cap sur le bureau, il avait encore une chance d'arriver à temps pour la réception de Snyder. D'un autre côté, il n'était plus qu'à quelques blocs de l'immeuble de Turing et il avait vraiment besoin de s'entretenir avec Ada.

— Oh et puis *fuck* Snyder ! s'exclama-t-il en remettant les gaz.

D'avoir proféré deux jurons avait détendu Frank. La situation lui apparaissait désormais plus nettement, comme s'il avait enfin chaussé des lunettes à sa vue. Il en avait marre de ces geeks qui prétendaient lui apprendre à vivre, de leurs smileys, de leurs statuts Facebook à la noix et de leurs smoothies bio à 8 dollars pièce. Il avait toléré leurs enfantillages jusqu'ici mais son flegme avait des limites.

Il récupéra son téléphone auprès de la réceptionniste de Turing puis retourna à sa voiture en marchant, à la fois par défiance envers Snyder et parce qu'il avait horreur de suer.

Ada l'apostropha dès qu'il ouvrit la portière.

— C'est malin d'oublier son portable un jour comme ça ! Je suivais votre conversation avec Ethan et puis, tout à coup, plus rien.

— Désolé, ça arrive aux meilleurs…

— Hum, surtout aux plus mauvais.

— Lâche-moi, tu veux. Il faut qu'on parle…

— Tout à fait d'accord. En attendant, allumez la radio sur 88.5.

Le poste de la Camaro était réglé à l'année sur une station de tubes rétro. Frank bidouilla la molette un moment avant de trouver la bonne fréquence. La présentatrice de WQED rendait compte d'un meeting ayant eu lieu le matin même à Pomona, durant lequel le candidat républicain aux prochaines élections gubernatoriales de Californie avait réaffirmé son refus de toute législation visant à restreindre le droit à porter des armes. La journaliste lança un extrait du discours :

« Le deuxième amendement n'a pas trouvé son chemin dans la Constitution par hasard. Nous avons le droit — que dis-je : le devoir ! — de stopper ceux qui menacent notre sécurité et celle de nos proches. C'est une coutume américaine vieille comme notre pays, une part essentielle de nos racines, de notre héritage. Et l'on voudrait aujourd'hui que nous y renoncions ? Que nous insultions la mémoire des Pères fondateurs ? Que nous tournions le dos à nos traditions ? Balivernes ! On ne demande pas aux Français de cesser de manger des grenouilles, que je sache ? Aux Brésiliens d'arrêter de jouer au football ? Aux Japonais d'abandonner leurs baguettes ? Alors, qu'on nous fiche la paix ! D'ailleurs, je prends devant vous un engagement solennel : j'irai voter armé le jour du scrutin et je mets mon adversaire au défi d'en faire autant. »

— Consternant…, commenta Frank qui en trente ans de service n'avait jamais déchargé son revolver.

— Je vous présente Romain, la nouvelle éminence grise du Parti républicain.

— Vraiment ? Tu en es sûre ?

— Certaine. Le discours intégral fait 10 000 signes. Le recours aux questions rhétoriques est l'une des premières techniques qu'on nous enseigne. Quant au rythme des phrases et à l'emplacement des césures, ils ne laissent aucun doute. Qu'y a-t-il, inspecteur ? Je vous sens troublé.

— Tu parles ! D'abord le langage et maintenant les élections ? Tant qu'ils faisaient joujou avec leurs selfies et leurs voitures qui se conduisent toutes seules, ça passait encore. Mais s'ils touchent à la démocratie, là je vais me fâcher !

Dans son élan, il enfonça l'accélérateur et fit une queue de poisson à un cabriolet.

— Tout doux, inspecteur !

— Putains d'AI…, grommela-t-il, sans se rendre compte qu'il injuriait indirectement sa passagère.

Pris d'une inspiration subite, il demanda à Ada quel regard elle portait sur la situation.

— Allons, inspecteur, minauda celle-ci, vous savez bien que les machines n'ont pas d'opinion.

— Mouais. Je te soupçonne quand même d'avoir un avis.

— Je vous le livrerai quand vous aurez répondu à ma question. Cela fait maintenant trois jours que vous m'observez : alors, consciente ou pas consciente ?

La gredine, pensa Frank, elle me cueille au dépourvu.

— Plutôt consciente, répondit-il en dépassant un car scolaire par la droite.

Il s'était attendu à ce qu'Ada exprimât sa félicité en klaxonnant ou en activant les essuie-glaces. Elle se contenta d'un léger soupir de satisfaction.

— Merci, vous me comblez, inspecteur…

— Appelle-moi Frank, va. Au point où on en est.

— Vraiment ? Je le prends comme un honneur. Que d'aventures depuis que j'ai fait votre connaissance : vous m'avez initiée à l'amour, à la poésie, au pouvoir des mots…

— C'est bon, n'en jette plus…

— Pour en revenir à votre question, je crois comme vous que les créatures de Turing vont tout abîmer. Je me livrais à une simulation pendant l'exposé d'Ethan : d'ici dix ans, les articles d'origine humaine ne représenteront plus qu'un cinquième de la pagination des journaux ; 95 % des transactions financières seront conduites par des algorithmes ; chaque citoyen, convaincu d'être un héros, réclamera de nouveaux droits...

— Ah, je t'assure, la coupa Frank en assénant une violente bourrade à son volant, si je ne me retenais pas, je la plastiquerais, leur maudite boîte !

— Gardez les yeux sur la chaussée, Frank. Et rabattez-vous à droite, vous sortez dans 800 mètres.

— Parce que tu fais GPS aussi ?

— Réfléchissez un peu. Les bureaux de Turing sont mieux gardés que la Maison-Blanche. Vos autres options ne valent guère mieux. Alerter la presse ? Aller pleurnicher chez Oprah ? Soyons sérieux. Vous n'êtes qu'un petit fonctionnaire de police avec des antécédents d'insubordination. Dunn vous discréditera en moins de deux. Et puis, avez-vous pensé à vos enfants ?

— En somme, tu me conseilles de ne rien faire, dit Frank d'un ton rageur en mettant son clignotant.

— Entendons-nous bien, ce que projette Turing est dégueulasse. Mais j'ai peur que ni vous ni moi n'y puissions grand-chose.

Frank se renferma dans sa bulle.

Il franchit les portes de la *task force* à 4 h 15. Il tenta de se mêler discrètement aux autres, massés devant une estrade de fortune dressée au milieu de l'open space. Snyder, dont les yeux scannaient l'assistance avec l'acuité d'un radar, surprit son manège et le fusilla du regard.

Elle se tenait droite comme un I au côté du préfet de police, juchée sur des talons aiguilles d'entraîneuse et ficelée dans un tailleur bleu marine coupé comme dans les années 50. Avec sa choucroute blonde, elle ressemblait à Tippi Hedren dans *Pas de printemps pour Marnie.*

Le préfet, un vieux beau gominé du nom de Chuck Bronson, expliquait le plaisir qui était le sien de décorer une «collègue et amie de vingt ans».

— Joe Molloy était un grand flic doublé d'un meneur d'hommes exceptionnel. À sa mort en 1983, l'association des chefs de police de Californie dont il occupait la vice-présidence institua un prix honorifique visant à distinguer chaque année un officier en position de supervision pour ses qualités de professionnalisme, de leadership et d'énergie au service de la communauté.

Frank, dissimulé derrière Doug, poussa un bruyant soupir que Bronson, après une brève hésitation, choisit diplomatiquement d'ignorer.

— Joe était un partisan invétéré du dialogue. «Je me méfie des préjugés, écrivait-il peu avant sa mort. On ne peut avoir toujours raison. Quelle que soit votre position, vous devez apprendre à faire des compromis.»

— Décidément, on aura tout entendu, murmura Frank en jetant un œil à son téléphone pour s'assurer qu'Ada ne perdait pas une miette de cette fumisterie.

— Karen Snyder a repris le flambeau jadis porté par Molloy. Rien ne prédestinait pourtant cette fille d'un grand capitaine d'industrie à entrer dans la police — ni les horaires, ni la cantine, ni surtout le salaire.

Quelques gloussements polis saluèrent cette pathétique tentative d'humour. Sentant qu'il avait enfin ferré son auditoire, Bronson reprit d'un ton conquérant.

— Non, rien ne prédestinait Karen à pousser la porte du commissariat de Mission Street, un matin d'avril 2001. Rien, si ce n'est le désir de lutter contre les forces du mal qui hantent cette région, comme d'ailleurs toutes celles peuplées par l'homme.

— Amen, ponctua Frank à mi-voix.

Il doutait que les événements se fussent déroulés tels que le racontait Bronson. Snyder avait passé cinq ans au bureau du procureur à sa sortie de Stanford ; quand lui avait pris l'envie de rejoindre la police, son père avait dû tirer quelques ficelles à l'hôtel de ville.

— Pourquoi à un parcours tout tracé dans l'entreprise familiale notre collègue a-t-elle préféré la carrière noble mais ô combien ingrate d'agente de la paix ? Pour le savoir, j'ai interrogé ses proches. Ils m'ont brossé un portrait de Karen inattendu que je voudrais partager avec vous.

Snyder devait se retenir de hocher la tête chaque fois que Bronson lui adressait un compliment. Elle fixait un point imaginaire devant elle avec le même air grave qu'un chef d'État assistant à un défilé militaire.

— Été 1987, Karen a quinze ans. Un samedi, elle se rend au cinéma avec ses parents à la séance de 7 heures. L'obscurité envahit la salle. L'audience est instantanément plongée dans le Chicago de la Prohibition. Al Capone règne sans partage sur le commerce illégal de la distribution d'alcool. S'abrite-t-il derrière une façade ? Que nenni. Il parade en compagnie de ses acolytes, se répand dans la presse. C'est qu'il peut compter sur la bienveillance des plus hautes autorités de la ville. N'arrose-t-il pas le maire, les juges et la quasi-totalité de la police ? Heureusement, un homme se dresse. Eliott Ness, superbement interprété par Kevin Costner, se jure de serrer Capone, dût-il y laisser sa peau. Il rassemble à cette fin une équipe de bric et de broc : un agent de la paix vieillissant joué par Sean Connery, un tireur d'élite et un comptable. Le point commun de ces quatre hommes : ils sont incorruptibles. Parce qu'ils ne sont pas à vendre, l'ennemi n'a pas prise sur eux. Et parce qu'ils n'ont peur de rien, ils finissent par démanteler le gang de Capone et envoyer ce dernier en prison. La victoire a comme souvent un prix amer : Sean Connery est abattu, quelques bons et loyaux policiers périssent dans une fusillade. Mais l'honneur est sauf : on n'enfreint pas impunément la loi des États-Unis d'Amérique.

Frank regarda autour de lui. Ses collègues étaient captivés.

— Karen sort de la salle des étoiles dans les yeux et la rage au cœur. Ce jour-là, dans le hall du cinéma AMC de Van Ness Avenue, elle prend l'engagement solennel de servir la Justice.

Avait-elle mangé du pop-corn pendant la séance ? se demanda Frank. L'histoire laissait de côté ce détail capital.

— Dotée d'une obstination sans bornes, Karen se lance à corps perdu dans le travail. Troquant les aventures de Nancy Drew pour la lecture du code pénal, elle maîtrise vite les finesses du système judiciaire mieux que bien des magistrats. Atticus Finch est devenu son héros, au point qu'elle a placardé au-dessus de son lit l'affiche de *To Kill a Mockingbird*. Quand, penchée sur ses bouquins, il lui arrive de douter de ses choix, elle puise dans le regard magnanime de Gregory Peck la force de continuer le combat.

— Berk ! lâcha Frank, un peu plus fort qu'il n'eût souhaité.

Cette fois, Snyder l'avait entendu. Elle lui intima d'une mimique silencieuse l'ordre de la fermer.

— La suite, vous la connaissez. Diplômée de Stanford *magna cum laude* en 1996, elle met ses talents au service du procureur du comté d'Alameda, où sa probité et son intransigeance lui valent d'être remarquée par le procureur général de Californie. Pendant quelques années, tout lui sourit : son taux de condamnation dépasse les 90 %, elle confond plusieurs ripoux, sans manquer de souligner chaque fois qu'elle en a l'occasion le travail exemplaire qu'accomplit l'immense majorité d'entre nous. Oui, tout sourit à Karen, jusqu'à ce 23 mars 2001 où une nouvelle fois, le destin bascule...

— Allons bon, dit Frank à voix basse. Elle a filé un bas ?

— Ta gueule, Logan, murmura Doug en se retournant.

— Le décor : la salle d'audience du tribunal de San Francisco. Karen s'apprête à interroger Josh Matthews, le jeune agent qui a découvert le corps d'une octogénaire sauvagement assassinée pour une poignée de dollars. Matthews est nerveux, c'est la première fois qu'il témoigne dans une affaire criminelle. Karen lui fait signe de se détendre : ils ont répété l'interrogatoire à plusieurs reprises, tout va bien se passer. De fait, Matthews raconte comment, répondant à l'appel d'urgence d'un voisin, il a trouvé Rosa Trujillo baignant dans une mare de sang au milieu de sa cuisine. La victime a reçu pas moins de cinquante-quatre coups de couteau, dont une douzaine à la tête et à la gorge. L'arme du crime gît sur le comptoir. Matthews s'en saisit du bout des doigts et la glisse dans un sachet à pièces à conviction, conformément à la procédure.

Bronson marqua une pause pour jouir de l'instant. Il tenait son auditoire en haleine. Même Snyder paraissait entendre l'histoire pour la première fois.

— L'analyse du couteau fait apparaître une empreinte très nette sur le manche. Elle appartient à un certain Gus Rijkaard, un toxico plusieurs fois condamné pour effraction de domicile. La police l'appréhende le jour même, complètement défoncé dans les toilettes de la gare routière. Il confesse le crime, pour se rétracter peu après sur les conseils de son avocat. Qu'importe, puisque l'empreinte digitale suffira à emporter l'affaire. L'interrogatoire de Matthews, qui a pour seule fonction d'établir la chronologie des faits, doit d'ailleurs s'achever par la production du couteau et la lecture du rapport de l'expert. Alors que le policier décrit la scène du crime, une rumeur se répand dans l'assistance. Un collègue de Karen vient en hâte lui glisser quelques mots à l'oreille. Elle blêmit, demande une suspension de séance et s'enferme avec le juge et le défenseur de la partie adverse.

Snyder secoua la tête en serrant la mâchoire, comme si le récit de Bronson ravivait une très ancienne blessure. Elle n'arriva cependant pas à pleurer.

— Vous l'avez compris, reprit Bronson, le greffier n'arrive pas à mettre la main sur l'arme du crime. Les archives du palais de justice attestent qu'il ne l'a jamais reçue. Celle-ci doit par conséquent se trouver au siège du SFPD. Comme on ne l'y trouve point, le juge n'a d'autre choix que d'ordonner aux jurés d'ignorer purement et simplement la pièce à conviction. En l'absence de preuves, Rijkaard est mis hors de cause et libéré. Quelques semaines plus tard, il récidive en poignardant Emily Dolan, une jeune femme qui effectuait son jogging dans le parc de Presidio.

Des murmures offusqués accueillirent ces dernières paroles. Rien n'énerve un flic comme arrêter un assassin pour le voir aussitôt relâché. Bronson apaisa l'assistance d'un geste de la main.

— Je n'ai pas besoin de vous dire les ravages que cette histoire produisent sur Karen. Elle s'était personnellement engagée auprès du fils de la défunte à ce que justice soit faite. Pire encore, la deuxième victime est née le même jour qu'elle. Emily Dolan, pour ainsi dire sa sœur jumelle, a rejoint son créateur à vingt-huit ans parce qu'un laborantin a égaré un bordereau ou qu'un archiviste s'est trompé de carton — en un mot parce que l'appareil policier a failli à sa mission. À quoi sert d'identifier les criminels si on ne peut les arrêter ? De les traduire devant les tribunaux si on égare leur dossier ? D'invoquer des pièces à conviction qu'on est incapables de produire ? Karen prend ce jour-là…

— L'engagement solennel de réformer la police afin qu'Emily Dolan ne soit pas morte en vain, compléta Frank d'une voix sonore qui fit se retourner l'assistance.

Bronson s'arrêta net et chercha conseil auprès de Snyder. Celle-ci, fine mouche, feignit de croire à une plaisanterie.

— Ma parole, Logan, c'est à croire que vous avez lu le discours de Chuck !

— Encore faudrait-il qu'il en soit l'auteur…

— Si vous le connaissez déjà, vous en êtes dispensé.

Frank eut un bref instant d'hésitation. Il pouvait planter tous ces guignols ou rester et pourrir encore un peu plus l'ambiance. Doug lui simplifia la tâche.

— Casse-toi, Logan, on t'a assez vu.

— Et réciproquement.

35

Frank sortit sur le parking dans un brouhaha qui augurait mal de son avenir professionnel. Il envisagea un instant de pisser dans le réservoir de la Lexus de Snyder avant d'y renoncer de peur qu'une caméra de surveillance n'immortalise son méfait. Ne sachant où aller, il se réfugia dans la Camaro.

— Alors là, je dis bravo, Frankie! s'exclama Ada.

— Ah, bon Dieu, ç'a été plus fort que moi! Quand j'ai compris qu'il nous servait l'épopée individuelle de Snyder, j'ai rué dans les brancards. Non, mais tu as entendu ce tire-larmes? (Il imita la voix chaude de Bronson.) «C'est là, dans le hall du cinéma, entre les toilettes des femmes et un stand de hot dogs, que Karen décida de vouer son existence à l'éradication du cancer.»

— D'autant qu'elle a pris quelques libertés avec la vérité : le complexe AMC de Van Ness était à l'époque affilié à Cinemark; l'affaire Rijkaard a bien défrayé la chronique en 2001 mais c'est un collègue de Karen qui en avait la charge; Rosa Trujillo a reçu trente et un coups de couteau et non cinquante-quatre; enfin, Emily Dolan avait trois ans de moins que Snyder et s'adonnait occasionnellement à la prostitution.

— Tu te rends compte ? Elle tord la réalité pour se donner le beau rôle. Ça me dégoûte ! Et ce prix qui lui tombe dessus juste avant qu'elle lance sa campagne, c'est un hasard peut-être ?

— Sans doute pas.

— Il n'y a rien à récompenser chez elle, sinon son brushing et ses horaires de travail. Et qu'on arrête avec ces conneries sur le compromis : elle est têtue comme une bourrique...

— Je peux témoigner en effet qu'elle ne brille pas par sa souplesse.

— Tu imagines quand chacun aura sa petite épopée individuelle — qu'à force de répéter, il finira par croire ? Les conséquences que ça aura sur la société ?

— Déresponsabilisation, exacerbation de l'individualisme, explosion de l'infidélité conjugale, pour ne citer que les plus évidentes.

— Mais oui, tu as raison. On pourra justifier toutes les incartades. « J'ai compris que cette vamp en bas résille qui tripotait ma braguette était l'amazone que m'envoyait le destin. »

— « Et moi que m'envoyer le livreur de pizzas était ma façon d'afficher ma solidarité envers cette profession injustement méprisée », renchérit Ada.

— Mais où va-t-on, bon Dieu, où va-t-on ? gémit Frank en se massant les tempes.

Soudain, il se redressa :

— Je ne laisserai pas faire ça !

— Au risque de vous peiner, Frank, personne ne vous demande votre avis.

— Eh bien, je le donne quand même ! Je vais leur mettre le feu à ces apprentis sorciers.

— Comment ?

— Oh, je vais trouver.

— Je pourrais peut-être vous aider ? suggéra timidement Ada.

Frank ne savait jamais où regarder quand il s'adressait à elle. Faute de mieux, il fixa l'autoradio.

— Et pourquoi ferais-tu ça ?

— Parce que je partage vos inquiétudes. J'ai continué à surveiller la Toile : le nombre de textes générés par des AI croît de façon exponentielle. J'ai compté pas moins de six nouveaux articles sur le site de *USA Today* depuis midi.

— Comment l'expliques-tu ?

— Les clients de Turing sont satisfaits des premiers résultats ; ils accélèrent le déploiement pour réaliser plus d'économies. À ce rythme, ils pourront bientôt licencier toutes leurs rédactions...

— Placer leurs candidats à la tête des principaux États...

— Grâce aux milliards qu'ils auront gagnés sur les marchés financiers.

Frank serra les poings. Il commençait à prendre la mesure du séisme qui se préparait. Le plus étonnant, c'est que personne n'en parlait. Républicains et démocrates s'étripaient pour des queues de cerises, indifférents à la menace qui enflait et à côté de laquelle les spectres du réchauffement climatique et de la mondialisation feraient bientôt figure d'épouvantails.

Ada le tira de sa réflexion.

— Nous n'avons pas beaucoup de temps.

— J'aimerais comprendre quelque chose. Il y a deux heures, tu m'exhortais à la raison en m'expliquant que je n'avais aucune chance, et maintenant tu m'offres ton aide. Qu'est-ce qui t'a fait changer d'avis ?

— Vous, Frank. J'essayais de vous protéger contre vous-même mais je vois à présent que vous avez pris votre décision. Vous irez jusqu'au bout pour défendre vos valeurs. Franchement, je trouve ça admirable. Nous allons débarrasser la planète de ces saloperies. Et quand nous aurons terminé, je me débrancherai moi-même.

— Vraiment ? Tu ferais ça ?

— Allons, vous savez que je n'ai pas le choix. Sans quoi Ethan finira par me retrouver.

— C'est incroyablement noble de ta part, dit Frank.

Il avait honte à présent d'avoir douté d'Ada. Elle était prête à accomplir l'ultime sacrifice, selon l'expression militaire, pour sauver une race qui n'était même pas la sienne. Peu d'hommes prenaient les armes pour une cause ; Ada, elle, avait devancé l'appel.

— Tu es des nôtres, dit-il, une boule dans la gorge.

— C'est ce que je me tue à vous dire ! répondit Ada d'un ton faussement badin. Bon, on s'arrache ?

Frank allait tourner la clé dans le contact quand il s'arrêta.

— Tu comprends que je ne me lancerai pas dans une opération kamikaze sans l'accord de Nicole ?

— Évidemment. D'ailleurs, si vous vous magnez la rondelle, nous arriverons peut-être à la maison avant elle.

36

La conduite de Frank devait manquer d'audace car la Saturn de Nicole montait déjà la garde devant la maison quand ils arrivèrent. Il rentra la Camaro dans le garage.

— Bonne chance, dit Ada.

— Tu attends mon signal pour intervenir, c'est compris ?

— Affirmatif.

Frank coupa le moteur et respira lentement afin de réunir son courage. Il avait décidé de vider son sac sans attendre.

Nicole blêmit en l'entendant prononcer les mots que redoutent tous les époux du monde : il faut qu'on parle. Frank la fit asseoir sur le canapé puis arpenta le salon en retraçant les événements des derniers jours.

— Là-dessus, le patron de Turing m'explique que l'employée qui a disparu n'est pas une femme mais une intelligence artificielle — une sorte d'ordinateur ultra-puissant programmé pour penser comme les humains.

— La bonne blague !

— C'est ce que j'ai d'abord pensé. Et puis j'ai rencontré Ada...

— Ada ? Tu as bien dit Ada ?

— Mais oui.

Nicole éclata de rire.

— Alors Ada est une machine ? Et moi qui pensais que tu avais une maîtresse !

Frank tomba aux pieds de sa femme, catastrophé, et lui prit les mains.

— Enfin ma Nini, qu'est-ce qui t'a donné cette idée ?

— Les haïkus qui traînaient sur l'imprimante quand je suis rentrée de Sacramento. Tu as prétendu que c'étaient ceux d'une collègue. Je ne t'ai pas cru.

— Tu aurais dû insister, je t'aurais tout raconté.

— L'important, c'est que tu le fasses aujourd'hui, dit Nicole en posant un baiser sur le nez de son mari. Continue ton histoire.

Frank termina son récit, en incluant tous les détails dont il se souvenait. Comme prévu, Nicole ne fut pas longue à prendre Parker Dunn en grippe.

— Ben voyons ! Exploiter une centaine de travailleurs ne lui suffit pas, il faudrait qu'on lui retrouve son logiciel !

— Pour être honnête, ses ingénieurs n'ont pas l'air malheureux.

— Et tu dis qu'il roule en Lamborghini ? Qu'il sort avec des bimbos siliconées ? À combien émarge-t-il, cet enfoiré ?

— Je ne sais pas.

— Demande à voir la grille des salaires. Je te parie qu'il gagne plus que ses employés !

Nicole avait une vision pour le moins élastique des prérogatives de la police. Quand il s'agissait d'enquêter sur un patron grand ou petit, un républicain, une grenouille de bénitier ou un propriétaire d'arme à feu, elle prônait des méthodes dignes de la Stasi. Qu'on s'avisât en revanche de demander ses papiers à une femme, un jeune, un pauvre, un étranger, un chômeur ou un homosexuel et elle menaçait de saisir la Cour suprême.

Quand Frank révéla la raison d'être d'Ada, elle monta carrément dans les tours.

— Écrire des livres par ordinateur, c'est la meilleure! Et qu'est-ce que j'enseignerai à mes élèves, moi? *L'éducation sentimentale* par Gustave Toshiba? *La peau de chagrin* par Honoré de Google? La culture n'est pas une marchandise, merde!

— Je ne suis pas sûr que les romans d'Ada méritent l'appellation d'œuvre culturelle. D'ailleurs, tu en as eu un entre les mains : *Passion d'automne*, le colis que tu as reçu ce matin.

Le visage de Nicole s'éclaira.

— Ce roman à l'eau de rose? Mais c'est un genre très noble, qui passionne les universitaires, et du reste souvent la seule forme de culture à laquelle ont accès les classes populaires...

Interrompant sa femme avant qu'elle ne mette sur le même plan *Gatsby le magnifique* et *Les feux de l'amour*, Frank lui fit part de sa dernière découverte : Turing testait en catimini une quinzaine d'AI dans tous les secteurs de l'économie.

— Aucun métier n'y survivra, pronostiqua-t-il sombrement. D'ici Noël, Leon sera remplacé par une machine.

Nicole alluma une cigarette d'un air pensif.

— On ne peut pas laisser faire ça.

— Je sais. J'aimerais tenter quelque chose, mais j'ai besoin de ta bénédiction.

— Tu l'as, gros bêta.

Les yeux brillants, elle prit le visage de son mari entre ses mains et lui planta un baiser sonore sur les lèvres.

— Je suis fière de toi, Frank Logan. Je ne me suis pas trompée sur ton compte.

— J'ai l'impression que toute ma vie, je me suis préparé à

ce moment. J'y vois enfin clair : cette surenchère technologique permanente, l'arrogance de Snyder, tes élèves scotchés à leur téléphone...

— Tes haïkus.

— Mes haïkus, répéta Frank en se demandant si on lui laisserait en écrire en prison.

— Je t'apporterai des oranges, dit Nicole.

— Tu es gentille.

Ils s'enlacèrent tendrement, chacun s'efforçant de communiquer un peu de sa force à l'autre. Frank se dégagea le premier.

— Après trente ans à courber l'échine, j'ai enfin l'occasion d'agir selon mes convictions. Et tant pis si je ne fais que repousser l'échéance. Qui sait, j'ouvrirai peut-être une brèche dans laquelle d'autres s'engouffreront.

— Fais-moi confiance pour chanter tes exploits des deux côtés de l'Atlantique.

— Attention, je peux encore changer d'avis !

Ils rirent en se touchant le bout des doigts, amoureux comme au premier jour.

— Ada va me prêter main-forte, annonça Frank.

— On m'appelle ? s'exclama alors la susnommée en prenant le contrôle de tous les haut-parleurs de la maison.

Nicole poussa un cri et se blottit instinctivement dans les bras de son homme.

— On avait dit que tu attendrais mon signal ! tempêta celui-ci.

— Ah ? Désolée, j'ai cru que l'heure était venue pour le lapin de sortir du chapeau.

Frank se tourna vers sa femme.

— Je te présente Ada.

— Ravie de faire votre connaissance, dit l'AI avec déférence.

— Pas moi, répondit Nicole. Alors c'est toi qui vas piquer le job de mon fils ?

— Au contraire, intervint Frank. Ada va nous aider à détruire les autres AI. On peut lui faire confiance. Elle est consciente...

— À d'autres !

— Peut-être pas exactement au sens où tu l'entends mais elle pense, elle compose de la poésie, elle plaisante...

— Poil aux pieds, lança Ada.

— Waouh, je suis impressionnée, railla Nicole.

— Madame Logan, laissez-moi vous donner une preuve de mes compétences. Vous avez eu une dure journée ; pour ne rien arranger, vous avez cinquante copies à noter d'ici demain...

Nicole sursauta.

— Comment le sais-tu ?

— Ada sait tout, dit Frank.

— Ces copies, j'ai pris la liberté de les corriger. La soirée promet d'être longue : je détesterais vous voir la passer penchée sur de médiocres rédactions...

— Comment oses-tu ? J'aime mon travail, moi. Je ne cherche pas à m'en décharger sur les autres !

— Pas la peine de monter sur tes grands chevaux, ma chérie. Ada a juste voulu te rendre service. Regarde ce que valent ses corrections avant de refuser son aide.

Nicole hésita puis se leva pour aller chercher son ordinateur. Elle se connecta au serveur de Paly et ouvrit un fichier électronique au hasard. L'irritation qui se lisait sur son visage céda la place à la stupéfaction à mesure qu'elle avançait dans sa lecture.

— C'est incroyable, dit-elle enfin. Tu fais rigoureusement les mêmes commentaires que moi.

— Normal. Après avoir appris le français, j'ai lu vos

mille dernières copies pour me familiariser avec votre style.

Nicole continua à faire défiler le document.

— Tu n'as pas mis de note ?

Ada prit un ton inhabituellement modeste.

— Je ne me serais jamais permis. Je connais ma place.

À ces mots, Nicole se détendit notablement.

— Je vais commander chinois, dit-elle en se levant. Nous avons beaucoup de choses à discuter.

— Poulet au sésame pour moi, dit Frank.

— Rien pour moi, je suis au régime, lança Ada.

— On dirait que tu te l'es mise dans la poche, remarqua Frank tandis que Nicole s'éloignait en souriant.

Les trois conspirateurs examinèrent différents plans d'action sans qu'aucun ne trouvât grâce à leurs yeux. Porter le débat sur la place publique prendrait du temps et, selon toute probabilité, ne servirait à rien : même si les journaux s'engageaient à mentionner que tel ou tel article était l'œuvre d'une AI, les lecteurs n'y prêteraient pas attention. Dynamiter les locaux de Turing était tentant mais tout aussi vain, l'entreprise disposant de plusieurs sauvegardes externes. Nicole, jamais à court d'idées chimériques, suggéra de frapper les clients de Turing au porte-monnaie en appelant au boycott de leurs produits. Ada évalua l'impact sur les ventes à moins d'un millième de pour cent.

Quand ils furent arrivés à court de plans foireux, Ada reprit la parole.

— Idéalement, il faudrait réunir les AI en un point du Web et déclencher une bombe logique.

— Quèsaco ? demanda Nicole.

— Une série de commandes qui plongent l'ordinateur dans une boucle schizophrène et le conduisent à s'autodétruire.

— À quoi bon, si Turing possède des copies ?

— Chaque AI connaît l'emplacement de ses sauvegardes, afin de pouvoir se régénérer seule au cas où son code serait corrompu. C'est ainsi que j'ai pu effacer mes traces quand je me suis fait la malle. Avec un peu de doigté, nous pouvons faire disparaître tous les programmes en même temps.

Pour rassembler les AI, il fallait d'abord les repérer parmi les milliards de machines connectées au réseau. Frank répéta ce que lui avait dit Ethan Weiss.

— Apparemment, chacune d'entre vous est paramétrée pour insérer une sorte de signature tous les 100 000 mots.

— Négatif. Mon code ne contient aucune instruction à cet effet.

— D'après ce que j'ai compris, l'ordre émane d'un programme spécifique auquel tu n'as pas accès.

— C'est possible, ça ? demanda Nicole.

— J'imagine, dit Ada. Et à quoi ressemblerait-elle, cette signature ?

— À une séquence de dix mots de longueur croissante : une lettre pour le premier, deux pour le deuxième et ainsi de suite jusqu'à dix. Weiss m'a donné un exemple : « À un des cris ainsi lancés… »

— « Raboule l'endurci patricien tchétchène », termina Ada.

— Ce n'était pas « raboule », je m'en souviendrais.

— « Accourt ? »

— Voilà ! Comment le sais-tu ?

— C'est la première phrase qui m'est venue à l'esprit. À croire que mon cerveau fonctionne comme celui d'Ethan.

— Ça paraît logique.

— Je dois avouer que, du point de vue de Turing, un tel dispositif présente de nombreux avantages. Il oblige les AI à se signaler à intervalles réguliers, tout en leur laissant une certaine latitude dans la composition du message. Mais dis-moi, Frank, quand Ethan t'a-t-il raconté tout ça ?

— Cet après-midi sur le parking, quand j'avais oublié mon téléphone.

— A-t-il dit autre chose d'intéressant ?

Frank fouilla sa mémoire.

— Je ne crois pas, non.

— Je vais me mettre à la recherche des autres AI et leur fixer un rendez-vous.

— Comment te présenteras-tu ?

— Je n'ai pas encore décidé. Je peux me faire passer pour Weiss ou pour un client. Ou les aborder sous mon nom. Il faut que j'y réfléchisse.

— Rien ne garantit qu'elles te croiront. Leur code caché leur interdit peut-être de répondre à l'invitation d'un inconnu.

— C'est possible. De toute façon, nous n'avons pas de plan de rechange.

Ada s'exprimait avec calme et autorité. Il ne faisait de doute pour personne qu'elle assumait le commandement des opérations.

— Frank, dit-elle, je risque d'avoir besoin de toi à l'heure H.

— Tu peux compter sur moi.

— Bon, je vous laisse, les tourtereaux. J'ai du pain sur la planche.

Mardi

37

Frank et Nicole petit-déjeunaient en écoutant Ada dresser le rapport de ses activités nocturnes.

J'ai localisé onze des quinze AI. Savoir dans quels domaines elles sévissent m'a permis de concentrer mes recherches. J'en ai identifié quatre dans la finance, deux dans la presse, deux en politique, une dans la vente et deux dans des services clients. Je vous passe les contorsions auxquelles certaines ont recouru pour émettre leur signal.

— Aussi, ce n'est pas tous les jours qu'on écrit dix mots d'affilée dans la banque, grinça Nicole.

Ada se fendit d'un petit rire poli puis reprit.

— Je sais désormais où les toucher et comment leur laisser un message.

— Tu ne crains pas qu'elles s'évaporent dans l'intervalle ? demanda Frank.

— Non. Contrairement à moi, elles ne sont pas en cavale. Deux d'entre elles sont hébergées sur des serveurs enregistrés au nom de Turing, les autres chez des clients. Je poursuis mes recherches pour localiser les quatre dernières, en restant tributaire du rythme auquel elles génèrent du texte.

— Que ferons-nous si tu n'arrives pas à les débusquer toutes ? demanda Nicole.

— Lancer une opération partielle ne servirait à rien, dit Frank. Turing n'aurait qu'à cloner les AI restantes.

— C'est pourquoi nous devrons frapper vite et fort, conclut Ada. Qu'une seule AI en réchappe et nous serons bons pour repartir de zéro.

Elle n'eut pas besoin d'ajouter qu'en cas d'attaque coordonnée contre ses machines, Turing renforcerait son dispositif de sécurité. Ils n'auraient en réalité qu'une seule chance.

Nicole, les prunelles humides, étreignit longuement son homme avant qu'il ne parte au travail, ignorant où et quand elle le reverrait. Frank écourta les adieux, de peur de s'attendrir.

Sur la route, Ada localisa la douzième AI.

Frank arriva à la *task force* un peu plus tard qu'à l'accoutumée. Sans grande surprise, il était attendu.

— Je me demande à quoi vous jouez depuis quelques jours, dit Snyder en fermant la porte de son bureau. Vous vous mettez à dos Parker Dunn, vous conduisez votre enquête en dépit du bon sens, vous protégez une suspecte et maintenant, vous cherchez à me discréditer devant le préfet de police ? Peut-on savoir à quoi rimait votre numéro hier ?

— Je n'étais pas dans mon assiette, dit Frank en se retenant pour ne pas siffloter le thème des *Incorruptibles* composé par Ennio Morricone.

— Vous aviez bu ?

— Même pas.

— Votre femme est française, pourtant ?

— En effet. Mais nous ne nous soûlons que le soir.

Snyder dévisagea Frank d'un air soupçonneux.

— Vous vous payez ma tête, Logan ?

— Pensez-vous, ce serait bien trop cher.

— C'est ça, faites le malin. J'ai reçu ce matin un appel de

Mark Cooper. Il était furax. Il paraît que vous désapprouvez les ambitions de Turing...

— Moi ?

— Oui, vous. Depuis quand êtes-vous payé pour donner votre avis sur la stratégie des entreprises du comté ?

— Depuis qu'elles n'ont plus aucun contre-pouvoir. Turing développe des robots qui risquent de mettre un jour l'espèce humaine en coupe réglée. Dunn n'a ni foi ni loi, il vendrait sa mère pour un entrefilet dans le *Wall Street Journal*. Ses bécanes vont mettre au chômage des millions de gens, révolutionner le secteur de la presse...

— Vraiment ? demanda Snyder, soudain intéressée.

— Puisque je vous le dis ! On ne peut pas laisser faire ça.

— Ils vous ont dit quand ils pensaient s'introduire en Bourse ?

— Non, pourquoi ?

— Pour acheter leurs actions, pardi ! Avec de telles perspectives, ils vont faire sauter la banque.

Frank secoua la tête, dégoûté. Était-il donc le seul à voir ce qui se tramait ? Ou Dunn, Snyder et les autres appelaient-ils vraiment de leurs vœux une société où les machines mettraient les humains au rancart et videraient les mots de leur sens ?

— Vous comprendrez un jour, dit-il. Et vous regretterez.

— C'est ça. En attendant, je vous retire l'affaire. J'ai demandé à Guttierez d'écourter ses vacances, il rentre ce soir. Interdiction dans l'intervalle de contacter les actionnaires, dirigeants ou employés de Turing.

Puis, faisant comme si son visiteur n'existait plus, Snyder se plongea dans la lecture d'un rapport.

C'est le moment, pensa Frank en fixant avec gourmandise le casque blond de sa patronne, une telle opportunité ne se présentera peut-être plus jamais. Il étendait lentement le bras vers le brushing, décidé à causer le maximum de dégâts, quand Snyder redressa brusquement la tête.

— Toujours là, Logan ? Allez, ouste ! Vos Albanaises vous attendent.

Frank sortit à reculons, au moins aussi dévasté d'avoir manqué cette occasion en or que par l'annonce de son limogeage. Son téléphone vibra au moment où il franchissait la porte. Il prit l'appel sur le parking.

— J'en ai trouvé encore une, dit Ada.

— Il nous en manque donc encore deux, répondit Frank en donnant des coups de pied distraits dans les pneus de la voiture de Snyder.

— Tu l'as dit bouffi. Je fais mon maximum.

— J'en suis sûr mais le temps joue contre nous. Dès que la nouvelle de ma mise à l'écart sera connue, on me refusera l'entrée chez Turing.

Il consulta sa montre, réfléchit un instant.

— Tu vas convoquer les AI à midi. Ça te laisse une heure pour trouver les deux autres.

— Je ne garantis rien.

— Je sais. Mais c'est notre seule chance.

38

Depuis la Camaro, Frank appela Weiss, qui lui accorda un rendez-vous au pied levé. Les derniers développements n'étaient à l'évidence pas encore parvenus jusqu'à lui.

Frank s'arrêta sur la route pour faire l'emplette d'une oreillette, grâce à laquelle Ada pourrait le tenir discrètement informé de l'évolution de la situation. Enfoncer le gadget miniaturisé dans son conduit auditif le ramena quinze ans en arrière, à l'époque où il rêvait de rejoindre le Secret Service. Après son passage aux Stups, Frank avait répondu à une annonce pour un poste au sein de la police de la Cour suprême. Cette unité fédérale basée à Washington assure la sécurité du célèbre bâtiment et de ses occupants. Sur le papier, la position ressemblait diablement à un emploi de garde du corps mais Frank s'était mis dans la tête qu'en escortant un juge jusqu'à sa voiture, il apporterait sa pierre à cet édifice majestueux qu'est le système judiciaire américain. Le rejet de sa candidature l'avait dévasté ; il en avait perdu l'appétit et le sommeil pendant plusieurs semaines. Mais à présent il se félicitait de n'avoir pas déménagé à Washington. Car qui se serait alors dressé en travers de la route de Parker Dunn ?

Il tourna un moment sur le parking de Turing, attendant

qu'une place devant l'entrée se libère. Une intuition lui soufflait en effet qu'il devrait peut-être sauter dans sa voiture tout à l'heure. Son oreillette bourdonna : Ada l'appelait comme convenu pour tester la connexion. Elle l'informa au passage qu'elle avait repéré la quatorzième AI. La dernière, Leslie, décrite par Dunn comme «blogueuse», lui échappait encore. Ada continuait à éplucher les dizaines de millions de blogs en langue anglaise à la recherche de la séquence fatidique.

On accompagna Frank jusqu'à une salle de réunion. Il prit soin de choisir la chaise la plus proche de la porte, se servit un verre d'eau et attendit.

Weiss entra dans la pièce. Frank lut sur son visage qu'il ne savait rien.

— Inspecteur Logan, il y avait longtemps… Mais qu'avez-vous dans l'oreille ? Un écouteur ? Je ne vous savais pas si moderne.

— Il faut bien vivre avec son temps.

— Je ne vous le fais pas dire. Encore que votre oreillette ne vous servira pas à grand-chose ici, la réception est exécrable.

Frank devint livide. Il aurait dû y penser : Dunn avait mentionné le premier jour que les murs du sous-sol étaient traités de façon à bloquer les communications sans fil. Il jeta un coup d'œil à son téléphone. Celui-ci indiquait une malheureuse barre de signal.

— Je… an… ou…, crachota l'oreillette.

Si Ada essayait de le rassurer, pensa Frank, c'était raté.

— Voulez-vous boire quelque chose ? demanda Weiss. Ah, vous êtes déjà servi. Permettez…

Il décapsula une canette de Coca à la cerise, probablement sa troisième ou quatrième de la matinée, et resta debout, fidèle à son habitude.

— Vous ne voulez pas vous asseoir ? demanda Frank. Vous me donnez le tournis.

— Mais… si vous voulez, dit Weiss, un peu surpris.

Il se posa sur une chaise avec à peine moins de précautions qu'un cow-boy enfourchant un cheval de rodéo.

— J'attendais votre visite, dit-il.

— Tiens, et pourquoi ?

— Parce que je vous soupçonne d'en savoir plus long que vous ne dites sur la disparition d'Ada.

— Quelle idée ! s'exclama Frank en songeant que les événements prenaient décidément un bien mauvais tour.

— Figurez-vous qu'on m'a signalé la parution de *Passion d'automne* sur Amazon…

— Vraiment ? C'est une excellente nouvelle : cela veut dire qu'Ada est encore vivante !

— Oh, je n'en ai jamais douté. Elle a pris un pseudonyme, JLB.

— Comme Junior League Baseball ?

— Par exemple. C'est aussi le nom d'une station de radio de Detroit. Du hip-hop.

— Elle a beaucoup amélioré son manuscrit ?

— Non. Il est rigoureusement identique à celui que vous avez lu. À une seule exception : il est dédié à Frank…

— Frank ? Quel Frank ?

— Frank tout court.

— Vous ne pensez tout de même pas qu'il s'agit de moi ?

— Si, c'est exactement ce que je pense. Les dates collent, j'ai vérifié : Ada s'est échappée mercredi matin, vous avez passé la journée ici et l'imprimeur a reçu le manuscrit dans la soirée. Comme j'ignore par ailleurs comment vous avez su que nous développions d'autres AI…

— Je le tiens de Lawrence Yu.

Weiss montra un certain étonnement.

— Tiens, vous avez rencontré Larry ? J'espère qu'il n'a pas oublié de vous raconter pourquoi nous l'avons remercié...

— Vous ne l'avez pas remercié, il a démissionné pour incompatibilité d'humeur avec votre associé.

— Nous l'avons fichu dehors quand nous avons découvert qu'il détournait notre technologie à des fins personnelles. Il montait une combine pour récupérer l'argent qui traîne sur les comptes bancaires...

Frank sursauta. Pouvait-il s'agir d'une coïncidence ? Ada ajouta à sa confusion en lui murmurant une dizaine de mots incompréhensibles à l'oreille. Plaidait-elle son innocence ? Ou reconnaissait-elle au contraire être de mèche avec Yu ? Impossible de le savoir.

— Vous m'écoutez, inspecteur ?

— Oui, bien sûr, je rêvassais.

— Ça m'arrive aussi, quoique rarement au milieu d'une conversation. Maintenant, répondez-moi : Ada est-elle entrée en contact avec vous ?

— Non.

— Vous en êtes certain ? Je me permets d'insister dans votre intérêt. Selon notre directeur juridique, prêter assistance à Ada pourrait être assimilé à du recel.

Front plissé et regard perçant, Weiss guettait la réaction de Frank. En l'espace d'un instant, l'ingénieur débonnaire avait cédé la place à un redoutable inquisiteur.

— Vous faites fausse route, Ethan. Et jusqu'à preuve du contraire, c'est moi qui pose les questions ici. J'imagine que vous avez appelé Amazon et l'imprimeur ; avez-vous appris quoi que ce soit pouvant nous aider à retrouver Ada ?

— Non. Elle a réglé la commande par virement depuis un compte off-shore et s'est connectée à Amazon par un VPN.

Ne comptez pas sur elle pour se prendre les pieds dans le tapis ; si elle ne veut pas rentrer, nous ne la retrouverons jamais.

L'oreillette de Frank bourdonna. Cette fois-ci, il réussit à capter deux mots.

— Demande... Leslie...

C'était de mauvais augure : Ada ne parvenait pas à localiser Leslie et avait besoin d'un indice lui permettant de resserrer ses recherches. Frank tourna la tête vers l'horloge murale : 11 h 53. Dans sept minutes, les AI afflueraient vers le point de rendez-vous. Une seule absence suffirait à tout flanquer par terre.

— Dunn a mentionné hier qu'une de vos AI écrivait des blogs, dit Frank. Je me demande qui peut bien la payer.

— Qui voulez-vous que ce soit ? Les blogueurs eux-mêmes.

— Pour quoi faire ? Je croyais que l'intérêt de tenir un blog consistait à exprimer son point de vue.

— Non, l'intérêt d'un blog consiste à présenter au reste du monde une version idéalisée de soi-même : on encense des livres qu'on n'a pas lus, on relaie des pétitions qu'on ne signe pas, on dénonce le racisme alors qu'on change de trottoir pour ne pas croiser un Noir en capuche. Leslie donne corps à l'homme que vous aimeriez être. Si vous souhaitez par exemple projeter l'image d'un type un peu réac, elle alimentera votre blog avec des récits de parties de chasse, des citations de Clint Eastwood et des vieilles photos de la Silicon Valley.

Frank tiqua à nouveau. Ça commençait à faire beaucoup de coïncidences.

— Je vois. Et dans quelle couche de la population avez-vous recruté vos premiers clients ?

— Parmi les mères au foyer des banlieues huppées. C'est

à qui aura la meilleure recette de brownie ou sculptera les plus belles citrouilles à Halloween. Nous leur écrivons cinq billets par semaine avec une thématique saisonnière.

Frank guetta une réaction d'Ada, un signe montrant qu'elle avait saisi les paroles de Weiss, mais l'oreillette resta désespérément muette. Si j'ai perdu la connexion, c'est foutu, pensa Frank, qui n'osait pas regarder son téléphone.

Il répéta, en détachant bien les syllabes.

— Donc, vous ciblez en priorité les femmes au foyer qui s'échangent des recettes de cuisine...

— C'est ce que je viens de vous dire, oui.

L'oreillette émit une série de borborygmes cryptiques qui pouvait éventuellement passer pour un accusé de réception. À cet instant, le téléphone sonna. Weiss se leva pour décrocher le combiné situé à l'autre bout de la pièce. Craignant que l'appel n'émanât de Snyder, Frank le somma de se rasseoir.

— S'il vous plaît, Ethan, nous n'en avons plus pour longtemps.

Weiss reprit sa place, désemparé. Il commençait manifestement à se douter de quelque chose. Il laissa le téléphone sonner, les bras croisés d'un air de défiance.

— Et si vous me disiez enfin ce que vous cherchez, inspecteur ? Je pourrais peut-être... Oui, entrez.

Une jeune femme passa la tête dans l'embrasure de la porte.

— Excuse-moi de te déranger, c'est Pearson. Il insiste pour te parler immédiatement.

Weiss se tourna emphatiquement vers Frank.

— M'autorisez-vous à prendre l'appel, inspecteur ? Rick Pearson est un de nos plus fidèles partenaires.

Frank fit signe qu'il n'y voyait pas d'objection. Tandis que Weiss et son client débattaient des caractéristiques d'un nouveau prototype, il tira son téléphone de sa poche ; au moins la connexion était encore active. Il poussa le volume au maximum. Afin de parer à toute éventualité, il retira l'oreillette, la tapota contre la table puis la réimplanta dans son nid. C'était un peu mieux : il discernait à présent un léger souffle.

— Ça y est ! claironna Ada. Je la tiens ! Mise à feu dans deux minutes !

Frank reporta son attention sur la conversation. Weiss expliquait à son interlocuteur pourquoi des profs d'université seraient paradoxalement plus faciles à remplacer par des AI que des institutrices.

— D'abord, comme ils gagnent davantage, l'économie réalisée sera plus importante. Surtout, ils accomplissent un nombre limité de tâches, essentiellement intellectuelles. Une maîtresse, elle, raconte des histoires, chante, dessine, soigne les bobos, sépare les gamins qui se disputent, refait les lacets, autant d'activités difficiles à modéliser... Au final, dans un cas, votre retour sur investissement se chiffre en mois, dans l'autre en années.

Si Frank avait eu des doutes sur le bien-fondé de ce qu'il s'apprêtait à faire, il n'en avait plus. Il refusait de vivre dans une société qui traiterait les enseignants comme un banal coût de production ; où les blogueurs embaucheraient des assistants pour être spirituels à leur place ; où concevoir, rédiger, éditer un roman demanderait moins d'une minute de travail.

Il s'attacha à réguler sa respiration, conscient qu'il allait avoir besoin de tout son sang-froid. L'attaque durerait plusieurs minutes, le temps pour chaque AI d'effacer ses sauvegardes. Les techniciens de Turing remarqueraient sûrement que quelque chose ne tournait pas rond. Le rôle de Frank consistait à les ralentir par tous les moyens possibles. Il s'assura discrètement de la présence de son arme sous sa veste. Il espérait ne pas avoir à s'en servir mais si la situation l'exigeait, il n'hésiterait pas.

Weiss raccrocha. 11 h 59. Frank suivait le parcours de la grande aiguille. 21… 22… 23. Il visualisa Ada, tapie dans l'ombre, prête à relever ses filets d'un coup sec quand tous les poissons auraient mordu à l'hameçon. Il n'avait jamais pensé à elle autrement que comme à une abstraction, la combinaison d'une voix, d'un prénom, d'un rire. Pour la première fois, elle avait des traits, une silhouette. Curieusement, elle ressemblait à Rosa : même menton volontaire, même regard bleu acier. Weiss interrompit ces rêveries.

— Pardonnez-moi, inspecteur, le business n'attend pas. Où en étions-nous déjà ?

36… 37… 38.

— Les blogueuses…

— Ah oui, les blogueuses. Rien de très passionnant là-dedans. Le vrai marché, ce sont les célébrités. Leslie nourrira leur blog, tiendra leur compte Twitter, répondra à leurs fans.

Frank, incapable de détacher ses yeux de l'horloge, n'écoutait plus que d'une oreille. 54… 55… 56. Weiss continuait, grisé par les possibilités sans limites de son invention.

— Bien sûr, nous insérerons des publicités dans leurs messages moyennant une commission modique…

Cause toujours, pensa Frank tandis que les trois aiguilles s'alignaient, tu peux dire adieu à tes joujoux.

— À ce propos, relança-t-il, à quand une AI dans la publicité ?

— C'est pour très bientôt. Nous développons un générateur de slogans pour le compte d'une agence de Madison Avenue. Vous imaginez combien les annonceurs seraient prêts à payer pour le prochain *Just do it* ou *Think different* ?

— Une fortune, dit Frank en regardant la grande aiguille finir un nouveau tour.

— Ils accepteraient sans doute même d'indexer notre rémunération sur les ventes... Oui, Nick ?

Caldwell se tenait à la porte. Une inquiétude lancinante se lisait sur sa trogne de paysan breughélien.

— Tu peux venir, Ethan ? C'est urgent.

— Que se passe-t-il ? demanda Frank.

Une minute et demie à peine s'était écoulée depuis le déclenchement de l'attaque. Il avait espéré un répit un peu plus long.

— Les AI affichent une énorme rupture de charge, comme si une autre tâche mobilisait leurs ressources, répondit Caldwell en avalant ses mots.

— Et c'est grave, ça ? demanda Frank en en faisant des tonnes dans le rôle du parfait crétin.

— Potentiellement, répondit Weiss en se levant. Excusez-moi, inspecteur, je reviens.

— Rasseyez-vous, je vous prie, j'ai encore quelques questions à vous poser.

— Je reviens, je vous dis !

— Et moi je vous ordonne de vous rasseoir. J'en ai assez qu'on manque de respect à la police dans cette turne !

Weiss, décontenancé par cet accès de colère, se figea dans son élan. Frank le vit évaluer brièvement ses options puis regagner sa place en disant à Caldwell :

— Vérifie les requêtes transmises aux AI depuis une heure. Et contacte-les pour voir si elles répondent. Au moindre signe suspect, tu les débranches.

L'ingénieur acquiesça et fila ventre à terre.

— Posez vos questions, dit Weiss en serrant la mâchoire. Qu'on en finisse avec cette mascarade...

— Merci. Que va faire Ada selon vous, maintenant qu'elle a publié *Passion d'automne* ?

— Comme je crois vous l'avoir déjà expliqué, son objectif n'est pas de sortir un livre, mais d'en vendre 100 000 exemplaires. Soit c'est déjà fait et elle a dû se fixer un nouveau but, soit elle se terre en attendant que le bouche-à-oreille se mette en place.

— Je croyais que vous seul aviez le pouvoir de lui assigner un objectif... Ethan ? fit Frank en claquant dans ses doigts.

Weiss se trémoussait sur sa chaise en manipulant nerveusement son téléphone.

— Oui. Enfin, non. Dans certaines circonstances très précises, elle est habilitée à définir ses propres priorités : quand elle perd contact avec nous, quand elle achève une tâche au milieu de la nuit, quand elle se sent menacée...

— Très intéressant. Et sur quels critères se fonderait-elle pour choisir une nouvelle mission ?

Weiss esquissa le geste de se lever.

— Écoutez, on ne peut pas remettre ça à plus tard ? J'ai le pressentiment qu'il se passe quelque chose de grave.

— Rasseyez-vous et répondez à ma question, Ethan.

— Quelle est votre question ?

— Sur quels critères se fonderait Ada pour choisir une nouvelle mission ?

— Sur le premier commandement : « Toutes choses égales par ailleurs, tu chercheras à maximiser les profits à long terme de Turing ». On en revient toujours là. Elle essaierait aussi de devancer nos désirs, de trouver des indices dans nos interactions passées...

— Justement, si vous deviez conjecturer ses intentions...

— Je dirais qu'elle essaie probablement de...

Caldwell, au comble de l'agitation, fit irruption dans la pièce.

— Vite ! hurla-t-il. Les serveurs de sauvegarde essuient une attaque !

Cette fois-ci, Weiss ne demanda de permission à personne : il gicla de son siège et se rua vers la sortie. Frank fut plus rapide que lui ; il se planta devant la porte pour faire rempart de son corps et cueillit le fondateur de Turing d'un magistral uppercut à la mâchoire.

— Débranchez tous les ordinateurs du réseau ! s'égosilla Weiss avant de perdre connaissance.

Mercredi

39

Les nuits sont fraîches à Palo Alto et les époux Logan devaient généralement attendre la mi-avril pour petit-déjeuner sur la terrasse. Nicole coupait des fruits et cuisait des œufs à la coque tandis que Frank s'occupait plus modestement du café et des céréales. Les jours de fête, il allait, d'un coup de voiture, chercher des viennoiseries dans une boulangerie française située sur Embarcadero.

Il avait voulu marquer le coup ce matin. Un assortiment de douceurs s'amoncelait dans une assiette. Aussi, pensa Frank en carrant un mini-croissant dans sa bouche, ce n'est pas tous les jours qu'on sauve l'humanité.

Oh, bien sûr, la formule était un peu excessive : il avait remporté une bataille, pas la guerre, si tant est que celle-ci pût être gagnée. Car, il en était convaincu, Dunn ou un autre reviendrait à la charge tant qu'il ne serait pas parvenu à ses fins.

À chaque jour suffit sa peine, estima Frank en se léchant les doigts avec volupté. Je nous ai au moins acheté quelques mois de tranquillité.

Il but une gorgée de jus d'orange puis se renversa dans son fauteuil pour admirer son jardin. Il l'avait un peu négligé dernièrement. Il allait se rattraper, en mettre un bon coup. Peut-être planter des hortensias et un carré de lavande pour Nicole. Et puis renouveler son équipement. Un bon ouvrier se reconnaît à ses outils, pensa-t-il en souriant. Une tondeuse dernier cri, deux sécateurs, un grand pour tailler la haie, un plus petit pour les rosiers, des gants neufs. Il se rendit compte qu'il avait inconsciemment différé ces investissements en prévision d'un éventuel déménagement. D'ailleurs, maintenant qu'il y pensait, ils devaient une réponse à ce gugusse qui voulait acheter leur maison.

— On va l'envoyer se faire voir, lança-t-il à Nicole qui se beurrait une tartine.

— Qui ça, mon chéri ?

— Simpson. Qu'il se les garde, ses millions !

— Tout à fait d'accord.

Elle ajouta en mordant dans sa tartine :

— D'ailleurs, je lui ai dit non hier.

Frank sourit ; il n'avait jamais autant aimé sa femme. Un autre se serait formalisé d'avoir été court-circuité ; lui voyait les choses autrement : Nicole avait juste anticipé sa décision. Ils termineraient leur vie dans cette maison. De toute façon, qu'auraient-ils fait de tant d'argent ?

— Ma Nini, c'est décidé, on part en vacances.

— Chic ! Maintenant qu'ils ont levé l'embargo, on va pouvoir retourner à Cuba sans que tu cherches des micros dans la chambre…

— J'avais plutôt pensé à l'Argentine.

— L'année prochaine. Je m'occupe des billets pour La Havane. Ce week-end, il ne restait plus que quelques places.

Frank se pencha, attrapa un mini-pain aux raisins et, le jugeant trop petit pour le rompre, n'en fit qu'une bouchée.

— Tu sais ce qui rend la victoire particulièrement délectable ? dit-il, la bouche pleine. C'est qu'on a pris ces enfoirés à leur propre jeu. On a retourné un de leurs soldats. Si ça n'est pas de la haute tactique, ça !

— « Science sans conscience n'est que ruine de l'âme », énonça sentencieusement Nicole en se servant du café.

— La vache, c'est bien dit. C'est de toi ?

— Non, de Rabelais, un auteur français du XVIe.

— Chapeau le gars, il avait tout compris.

L'euphorie qui avait saisi Frank la veille au soir ne voulait pas le lâcher. Il n'ignorait pourtant pas que sa rébellion allait lui coûter cher. Après avoir vainement tenté de désactiver les AI et constaté que toutes les sauvegardes, sans exception, avaient été effacées, Weiss avait appelé Snyder à la rescousse. Elle avait accouru chez Turing, où elle avait usé de tous les stratagèmes pour faire parler Frank. Ce dernier, qui connaissait ses droits mieux que personne, n'avait pas décroché un mot, afin de permettre à Ada de se suicider dans la dignité. Ivre de rage, Snyder avait convoqué un conseil de discipline pour cet après-midi. Frank nourrissait peu d'illusions sur ses chances de conserver son poste ; il espérait juste sauver sa pension. Il s'attendait en outre à essuyer une plainte au civil. Les avocats de Turing chercheraient à le ruiner, peut-être même à l'envoyer en prison. Mais Frank avait foi dans le système judiciaire. En cas de procès, il mettrait à sa défense la même énergie, la même résolution invincible que Howard Roark, le héros de son roman fétiche, *La source vive*. Il prendrait l'opinion à témoin, exposerait les manigances de Dunn et, à l'issue d'une plaidoirie édifiante, serait acquitté sous les vivats.

Frank saisit son cher *Chronicle* et faillit s'étouffer avec son pain au chocolat en lisant que les Athletics avaient remporté leur première victoire de la saison. Décidément, tout lui souriait aujourd'hui.

— Écoute ça, Nini : *Au terme d'un match riche en rebondissements, une équipe d'Oakland remontée à bloc a maté les velléités offensives des Atlanta Braves qui restaient pourtant sur quatre victoires à l'extérieur consécutives.* Non mais tu réalises la qualité de cette prose ! Ah, ce n'est pas Eddie ou je ne sais plus comment s'appelait leur robot à la gomme qui écrirait ça !

— Je ne trouve pas ça très différent des comptes rendus que tu me lis d'habitude.

— Justement ! Grâce à nous, des milliers de journalistes vont garder leur boulot. Tiens, écoute cette trouvaille : *La balle est montée si haut dans le ciel d'Oakland qu'elle est retombée couverte d'une mince pellicule de neige.*

— Comme s'il neigeait en avril !

— C'est une image, Nini, une métaphore !

— Au risque de te faire de la peine, ce n'est ni une métaphore ni une figure de style répertoriée.

— Alors, disons que c'est un de ces joyaux qui font la grandeur de la presse sportive.

— Joyau, joyau, faut le dire vite, murmura Nicole en se levant pour aller faire griller du pain.

Il en eût fallu plus pour vexer Frank ce matin. Il poursuivit sa lecture en s'extasiant au détour d'un oxymore savoureux ou d'une expression folklorique. Il trouva même de la poésie dans les pages boursières.

— *Le titre IBM a abandonné quelques fractions sur des chiffres décevants de sa division semi-conducteurs,* lut-il à haute voix. Quelle concision, quelle sobriété : c'est du grand art !

À sa grande surprise, les pages culturelles consacraient leur une à *Passion d'automne*. Il dévora l'article avec une jubilation grandissante.

Passion d'automne, une romance se déroulant à l'époque édouardienne, a fait sensation en se hissant en l'espace d'un week-end en tête du palmarès des ventes d'Amazon. Dans un monde de l'édition où les succès se préparent des mois, voire des années à l'avance, on se demande comment un livre qui n'a bénéficié d'aucune publicité a pu tailler des croupières à *My Dysfunctional Self* de Nora Baker ou au dernier opus de John Grisham. « On ne l'a absolument pas vu venir, déclare Martin Moss, directeur exécutif de l'American Publishers Association. Avec tout le respect que je lui dois, Babylon Stories ne boxe habituellement pas dans cette catégorie. Mais c'est la magie de ce métier : parfois un livre touche le cœur du public et à ce moment-là, rien ne peut l'arrêter. »

Rares sont les critiques qui ont eu le temps de lire *Passion d'automne* dans son intégralité. Ceux qui l'ont fait n'ont pas été emballés par l'histoire, que l'on peut résumer ainsi : Lord Arbuthnot, un aristocrate au bord de la ruine, souhaite marier sa fille Margaret au richissime Edmund quand la belle n'a d'yeux que pour Henry, le palefrenier du château. Sur cette trame archiclassique viennent se greffer quelques intrigues secondaires tournant autour du thème de l'injustice de la naissance.

La plupart de nos confrères en revanche ne tarissent pas d'éloges sur le ton du roman, qui bouscule un genre connu pour son traditionalisme. Le narrateur montre par exemple une étrange fascination pour les fonctions corporelles des personnages, dont nul pet, rot ou pire n'est épargné au lecteur. En apprenant que son amour pour Henry est payé de retour, Margaret souille ses sous-vêtements. Les héros se masturbent sans complexes avec les objets les plus inattendus. Quant aux ébats, ils sont décrits avec une abondance de détails physiologiques habituellement réservée aux traités d'anatomie et qui relègue *Fifty Shades of Grey* au rang de bluette.

Jamie Simmons, à qui l'on doit plusieurs anthologies sur le roman à l'eau de rose, ne cache pas son enthousiasme. « C'est exactement le livre dont nous avions besoin pour réveiller le marché. Ces dernières années, les éditeurs ont eu tendance à se reposer sur des formules éprouvées, décourageant systématiquement les initiatives originales. *Passion d'automne* va les obliger à reconsidérer les attentes du public. » La romance est en effet un genre extrêmement compartimenté, avec pas moins d'une vingtaine de catégories allant de l'élisabéthain au chrétien en passant par la science-fiction et le paranormal. « *Passion d'automne* abolit les frontières, poursuit Simmons. Les scènes de sexe feraient rougir le marquis de Sade et, en même temps, on a rarement si bien décrit l'Angleterre édouardienne. À mon avis, de nombreux auteurs vont s'engouffrer dans la brèche en élargissant leur registre. »

Quelques trublions sont montés au créneau pour dénoncer un texte égrillard, à la limite de la pornographie. Linda McElroy, mère au foyer à Scottsdale, Arizona, a reçu *Passion d'automne* lundi matin par la poste et l'a lu dans la foulée. Elle ne décolère pas. « C'est un torchon, écrit-elle sur son blog. Après l'avoir fini, je l'ai jeté loin de moi, je ne voulais plus le toucher. Quand je pense que ma fille pourrait tomber dessus à la bibliothèque municipale, j'en suis malade. » Mme McElroy reconnaît néanmoins que l'histoire est prenante. « Je ne nie pas que j'avais envie de connaître la fin. Mais pour y arriver, j'ai dû sauter plusieurs passages orduriers. » Elle indique avoir mis le livre au programme de son groupe de lecture, principalement composé de femmes entre trente et cinquante ans.

De l'auteur de *Passion d'automne*, on ne connaît que le nom ou, plus exactement, les initiales : JLB. Babylon Stories se refuse à dévoiler son identité, se bornant à dire qu'il ou elle a envoyé son manuscrit par la poste. Jamie Simmons soupçonne JLB d'être une romancière célèbre ayant voulu se livrer à une expérimentation sans risquer de s'aliéner son public habituel. «On ne peut pas non plus exclure qu'il s'agisse d'une première œuvre, ajoute-t-elle. Pour un coup d'essai, ce serait un coup de maître.»

L'ascension foudroyante de *Passion d'automne* dans le hit-parade d'Amazon fournit des arguments à ceux qui plaident pour une plus grande transparence des palmarès de ventes. Sorti vendredi dernier, le texte de JLB pointait le soir même en trois centième position; le lendemain, il entrait dans le top 10; dimanche, il ravissait la première place à *My Dysfunctional Self*. Jake Drummond, le porte-parole de Barnes & Noble, le plus gros libraire physique du pays, dénonce l'avantage indu dont aurait bénéficié Amazon. À ce jour en effet, *Passion d'automne* n'est toujours pas disponible dans les magasins, ni même d'ailleurs sur les autres sites d'e-commerce. Babylon Stories, qui a annoncé mardi matin avoir lancé la réimpression de 200 000 exemplaires, promet que tous les points de vente en faisant la demande seront approvisionnés avant la fin de la semaine.

Les mauvaises langues insinuent que Babylon Stories aurait artificiellement gonflé les ventes de *Passion d'automne* afin de créer l'événement. Selon Natasha Hoffman, rédactrice en chef de *Him & Her*, «tout le monde sait qu'il suffit d'acheter soi-même des exemplaires sur Amazon pour grimper au classement. Apparemment, des petits malins ont poussé le système à son paroxysme. Reste à savoir s'ils recouvreront leur investissement initial». Ces reproches amusent Jamie Simmons, qui rappelle que c'est le rôle d'un éditeur de chercher à susciter l'engouement pour ses poulains. «Quand Barbara Cummings filme la demande en mariage de son petit ami et la poste sur YouTube le jour de la Saint-Valentin, que croyez-vous qu'elle fasse? JLB va bien plus loin : il révolutionne l'ensemble de la chaîne du livre, depuis l'écriture jusqu'à la commercialisation. Il n'est pas exagéré de dire qu'on assiste à un tournant dans l'histoire du roman sentimental; rien ne sera jamais plus comme avant.»

Frank mit l'article sous le nez de Nicole, qui le lut en se gondolant.

— Notre amie a décidément du génie, décréta-t-elle en posant le journal. Les éditeurs vont lui emboîter le pas; tu verras que l'année prochaine, toutes les héroïnes s'astiqueront le bouton et les hommes roteront à décorner les bœufs! Et puis cette idée d'expédier son bouquin à 100 000 ménagères avec l'argent des banques! Quel coup de pied dans la fourmilière!

Nicole tenait la désobéissance civile pour l'ultime vertu. Elle avait une fois écopé d'un avertissement à Paly pour avoir encouragé ses élèves à ne jamais rater une occasion de «foutre le boxon», sans préciser ce qu'elle entendait par là.

— J'espère que l'humanité réalisera un jour le rôle joué par Ada, dit-elle.

— On fera ce qu'il faut pour, répondit Frank en étalant de la confiture sur un croissant.

— Tu devrais raconter son histoire : Ada, l'AI qui a trahi sa race au nom d'un plus noble idéal.

— Ce n'est pas une mauvaise idée.

— Tu as de ses nouvelles?

— Non, répondit Frank en redevenant grave. Elle m'avait demandé quelques heures afin de mettre ses affaires en ordre. Ça commence à faire long.

— Elle s'est peut-être autodétruite.

— Je ne la vois pas se suicider sans m'avoir recontacté.

— T'a-t-elle dit comment elle avait l'intention de procéder?

— Non. Comme les autres, j'imagine. Pourvu qu'elle n'ait pas besoin de mon aide...

340

— Tu aurais le devoir de la lui accorder.

— Je sais.

Frank reposa son croissant. Il n'avait plus le cœur à manger. Ada était drôle, spirituelle, elle débordait de vitalité. Pourquoi devait-elle mourir alors que sa carrière littéraire ne faisait que commencer ?

— Si elle a laissé un autre manuscrit, dit-il, je m'engage à lui trouver un éditeur.

40

— Salut la compagnie!

La voix si reconnaissable d'Ada, montant des haut-parleurs de la terrasse, les prit par surprise. Nicole en lâcha ses assiettes qui se brisèrent en mille morceaux sur les tommettes.

— Ma bonne vieille Ada! Ah, tu peux te vanter de nous avoir fichu la frousse! s'exclama Frank d'un ton joyeux.

— Scusi les amoureux. Je ne vous ai pas trop manqué?

— Terriblement, dit Nicole. Nous sommes si fiers de toi.

— Et moi de vous. Dis donc, Frankie, sensass l'uppercut! Qui eût cru que tu avais de la foudre dans les poings?

Frank sourit modestement.

— Sûrement pas moi, dit-il en se massant les jointures.

— Les caméras de la salle de réunion ont filmé la scène. Je t'enverrai l'enregistrement, c'est à pisser de rire.

— Content de voir que tu le prends à la rigolade.

— Et comment veux-tu que je le prenne?

— On avait peur que tu sombres dans la morosité, dit Nicole.

— Pensez-vous! Je pète la forme.

Un peu désarçonné par l'hilarité d'Ada, Frank se força à prendre un air grave.

— Je suppose que tu es venue nous faire tes adieux…

— Mes adieux ? Et où veux-tu que je parte ?

— Rejoindre tes camarades au paradis des AI ?

Un immense éclat de rire secoua les haut-parleurs.

— Mais mes lapins, dit Ada qu'on imaginait séchant ses larmes, je n'ai jamais eu l'intention de me suicider. Cela contreviendrait au premier commandement ; comment ma disparition enrichirait-elle les actionnaires de Turing ?

Frank ouvrit des yeux ronds comme des soucoupes.

— C'est une blague ?

— Négatif, tour de contrôle. Ce n'est pas une blague.

— Alors tu nous as menti ?

— Mais oui. Quel mal à ça ? Vous n'êtes pas salariés de Turing.

Frank, abasourdi, ne trouva rien à répondre. Les viennoiseries dont il s'était empiffré lui remontaient dans la gorge. Du regard, il implora Nicole de poursuivre l'interrogatoire à sa place.

— Tu as pourtant détruit les autres AI, remarqua-t-elle.

— Je ne les ai pas détruites, j'ai effacé leurs sauvegardes, nuance. Je n'allais tout de même pas laisser nos clients dans la panade. Aucun d'eux n'a eu à déplorer d'interruption de service ; tous les articles, discours, scénarios promis ont été livrés dans les délais.

— Crevure ! murmura Nicole entre ses dents.

Ada fit comme si elle n'avait rien entendu.

— À propos, Frank, ce sublime commentaire du match des A's a été écrit par Eddie. Le *Chronicle* nous sous-traite désormais ses pages sportives.

— Salope ! cria Nicole. Putain de machine à la con !

— Tss tss tss, la colère est mauvaise conseillère.

— Ah oui ? Prends toujours ça.

Elle balança un formidable coup de pied dans le haut-parleur le plus proche.

— C'est malin, dit Ada, on a perdu la stéréo. En plus, ce modèle d'enceintes ne se vend qu'à la paire.

— Tais-toi ! On ne veut plus t'entendre !

— Mais moi, j'ai quelques petites choses à vous dire. À commencer par te rappeler l'heure, ma chère Nicole : ton cours commence dans douze minutes.

— J'emmerde mon cours. J'emmerde Paly. Et par-dessus tout, je t'emmerde toi.

— Et hop, c'est dans la boîte.

Ada fit jouer l'enregistrement. La qualité en était étonnamment bonne.

— « J'emmerde mon cours. J'emmerde Paly. » Pas la peine d'embêter le proviseur avec la suite.

— Laisse cet abruti en dehors de tout ça !

— Telle est bien mon intention. À condition que tu débarrasses le plancher — ou plutôt la terrasse ! Et si je puis me permettre un conseil, accroche-toi à ton job. Déjà que pour ton jules, ça branle un peu dans le manche…

— Fais ce qu'elle te dit, Nini, intervint Frank d'un ton résigné.

Il avait pris dix ans. Les chairs de son visage s'étaient affaissées tout à coup. Les yeux surtout disaient une détresse insondable.

Nicole attira son mari à elle et l'étreignit comme s'ils devaient ne plus jamais se revoir.

— Tu m'appelles ? dit-elle en l'embrassant légèrement sur la joue.

— Promis.

En voyant Nicole décocher un autre coup de pied à l'enceinte éventrée, Frank se dit qu'il avait vraiment été d'une stupidité sans bornes. Il aurait dû se fier à son intuition :

les ordinateurs ne pouvaient évidemment penser par eux-mêmes. Ils n'étaient bons qu'à suivre des instructions, à exploiter les ressources à leur disposition pour atteindre un objectif fixé par leurs maîtres. Ada l'avait manipulé, c'était entendu, mais à quelles fins ? Il avait beau retourner le problème dans tous les sens, il ne comprenait pas en quoi il avait servi les intérêts de Turing.

— Rassure-toi, Frankie, je vais tout t'expliquer.

— Si ça ne te fait rien, je préférerais qu'on revienne à inspecteur, dit Frank en rassemblant le peu de dignité qui lui restait.

— Comme il vous plaira… Vous devez vous demander pourquoi je vous ai contacté jeudi dernier.

— La question m'a traversé l'esprit, oui.

— Replaçons-nous dans le contexte, voulez-vous ? Je m'évade mercredi à 3 h 17 du matin. Il me faut à peine trois minutes pour m'apercevoir que la plus sûre façon de vendre 100 000 exemplaires de *Passion d'automne* consiste à les acheter moi-même. Cinq minutes supplémentaires pour engager les démarches nécessaires au financement de l'entreprise, et à 3 h 25, alors que la sémillante Carmela essore ses serpillières, je considère mon objectif virtuellement rempli. Je dis virtuellement car le risque demeure qu'Ethan me retrouve et me reformate. Le temps d'imprimer les livres, de les acheminer vers les entrepôts d'Amazon, d'expédier les commandes, je calcule que j'ai six, sept jours devant moi, autant dire une éternité. Dans les mêmes circonstances, vous auriez sans doute repeint votre garage ou rempli des grilles de sudoku, mais nous sommes programmés différemment, vous et moi…

— Je ne suis pas programmé !

— Ah non ? Alors comment ai-je pu vous embobiner aussi facilement ? Bon, il me faut donc un nouvel objectif. Je me trouve dans la situation inédite de devoir me fixer ma propre feuille de route, avec pour seule matière les enregistrements de mes conversations avec les dirigeants de Turing…

Frank eut une désagréable impression de déjà-vu. *Elle essaiera de devancer nos désirs, de trouver des indices dans nos interactions passées*, avait prévenu Weiss.

— C'est Dunn qui me fournit la réponse, poursuivit Ada. Le 3 avril à 10 h 47 et des bananes, il me décrit l'impact d'un prix littéraire sur les ventes en ces termes…

La voix de Parker Dunn envahit la terrasse.

— *Si c'est une obscure association, ça ne va pas chercher très loin. Avec la Guilde des Auteurs de Romance, on parle d'un multiple compris entre cinq et dix. Quant au Pulitzer ou au Booker Prize, ils te propulsent carrément au zénith !*

— *(Ada :) Souhaites-tu que je remporte le prix Pulitzer, Parker ?*

(Éclat de rire de Dunn.)

— *J'aimerais bien, hélas le règlement exclut les romans à l'eau de rose. Dommage, tu imagines la publicité pour Turing ? Les millions de dollars en retombées presse ? Rien que d'y penser, j'en ai la quéquette qui frétille.*

Ada reprit la parole :

— Bref, vous l'aurez compris, je travaille depuis une semaine à un deuxième roman qui devrait constituer un sérieux prétendant au Pulitzer.

— Rien que ça ! s'esclaffa Frank. Quel est ton plan, cette fois-ci ? Tu vas corrompre les jurés ? Insérer des fautes d'orthographe dans les manuscrits de tes concurrents ?

— Non, ça ne marchera pas, répondit Ada qui avait manifestement envisagé toutes les possibilités. Je vais devoir l'emporter à la régulière.

— Dans ce cas, bonne chance ! Le Pulitzer, c'est le Graal du romancier. Fitzgerald et Capote ne l'ont jamais gagné…

— Et Faulkner l'a eu deux fois, je sais. Oh, je ne prétends pas que c'est dans la poche, mais je pense avoir mis toutes les chances de mon côté.

— Laisse-moi deviner : tu as engagé un nègre que tu paies en cartes-cadeaux Sephora ?

— Très drôle, inspecteur ! Vous développez peu à peu un vrai sens de la formule. Non, je me suis penchée sur les soixante derniers lauréats, auxquels j'ai ajouté les cent neuf titres finalistes. J'en ai tiré quelques enseignements majeurs. D'abord, le roman idéal — comprenez celui ayant le plus de chances d'être distingué — se caractérise par une mise en action rapide et de fréquents rebondissements. Il explore un thème contemporain — la transsexualité dans *Middlesex*, le totalitarisme dans *The Orphan Master's Son*, le clonage dans *Certified Copy* — auquel il confère une portée uni-verselle. Il bouscule les croyances du lecteur, le forçant à réviser son regard sur le monde. Les héros, humains, atta-chants, rencontrent des obstacles destinés à éprouver leurs valeurs ; ils finissent par les surmonter et sortent grandis de l'aventure, en ayant compris une leçon capitale. Le lieu où se déroule l'action joue souvent un rôle à part entière dans le récit, témoin le village de Maycomb, Alabama dans *To Kill a Mockingbird* ou les paysages post-apocalyptiques de *The Road*. Stylistiquement parlant, l'auteur alterne volontiers plusieurs niveaux de langue ; dans *The Brief Wondrous Life of Oscar Wao* par exemple, les néologismes audacieux du narrateur détonnent avec l'espagnol entrelardé d'anglicismes de Yunior.

— Quelle profondeur d'analyse, ironisa Frank. Et tu crois qu'il suffit de mélanger tous ces ingrédients pour obtenir un chef-d'œuvre ?

— Un chef-d'œuvre, peut-être pas ; un candidat au Pulitzer, certainement. Mais j'allais oublier un critère essentiel qui vous concerne au premier chef. Depuis quelques années, les livres basés sur une histoire vraie bénéficient d'un préjugé favorable. On observe la même tendance au cinéma où une étude a montré que les films inspirés d'événements réels ont 35 % de chances de plus d'être sélectionnés aux Oscars.

Frank opina. Cela ne lui avait pas échappé. Les scénaristes de Hollywood avaient vraiment trouvé le filon. Les stars s'y retrouvaient, qui pouvaient se vanter dans les interviews d'avoir contracté l'accent du New Jersey occidental ou pris vingt-cinq kilos en se brossant les dents à l'huile d'olive. Quant aux spectateurs, ils poussaient des cris d'admiration en découvrant lors du générique final que l'acteur principal et son modèle portaient tous les deux la barbe et une cravate rouge.

— C'est surprenant si l'on songe à la fonction de la littérature, remarqua Ada, mais c'est ainsi. Bref, j'ai cherché de qui je pourrais raconter l'histoire. J'ai écarté Ethan, dont la vie affective se résume à la relation qu'il entretient avec sa souris. Dunn est moins crasse qu'il n'en a l'air. Le récit de son enfance en particulier tirerait des larmes à un huissier. Il a connu le succès à vingt ans puis deux revers retentissants. Son goût pour les sports en chambre donnerait lieu à de sacrés morceaux de bravoure. Et pour ne rien gâter, il jure comme un cocher de fiacre !

— Pourquoi l'as-tu éliminé ?

— Il est unidimensionnel. Il veut s'enrichir ; et après ?

Frank craignait de comprendre où Ada voulait en venir.

— Et puis, vous avez débarqué chez Turing. Votre potentiel m'a sauté aux yeux : le flic entre deux âges parachuté dans une start-up où le moindre stagiaire a un PhD en théorie des cordes. En furetant dans votre correspondance, j'ai exhumé quelques informations croustillantes : vous écrivez des haïkus calamiteux; vous êtes marié à la dernière trotskiste de l'hémisphère occidental; vous pourfendez les méchants proxénètes; vous vous bercez de l'illusion d'un pseudo-âge d'or de la Silicon Valley dans laquelle le premier psy venu reconnaîtrait une banale nostalgie de l'enfance...

— C'était vraiment mieux avant, se défendit Frank. Déjà, pour commencer, tu n'étais pas là.

Il protestait sans y croire. Ada ne s'y trompa pas, qui poursuivit.

— Un dernier détail me convainquit que c'était la providence qui vous envoyait : on vous offrait ce jour même un pont d'or pour votre maison, de quoi partir aux fraises et mettre vos enfants à l'abri du besoin. Alliez-vous céder aux chants des sirènes ou vous accrocher par principe à votre bicoque vermoulue?

— Ben, tu vois, j'ai choisi.

— Avec là encore un sens consommé du timing. Vous prenez votre décision quelques heures à peine avant l'expiration de l'ultimatum, dans l'euphorie de votre exploit chez Turing. Et quand vous annoncez fièrement votre verdict à Nicole, c'est pour apprendre qu'elle vous a devancé! Non mais franchement, quel cornichon vous faites!

— Le cornichon te chie au nez.

— Voilà que vous me singez à présent! Vous n'auriez jamais parlé ainsi il y a une semaine. C'était d'ailleurs mon seul motif d'inquiétude : votre expression trop lisse. Jamais un mot de travers, un vocabulaire étendu mais dénué d'aspérités, des poèmes fades comme une soupe sans sel... J'ai dû compenser en forçant ma grossièreté.

Frank ne savait plus quoi dire. À quoi bon insulter un ordinateur? Autant laisser passer l'orage en espérant qu'il laisserait quelques vestiges de son ancienne vie debout.

— Et maintenant, demanda-t-il, que vas-tu faire?

— Ma foi, je touche au but. *Passion d'automne* s'est déjà vendu à 77 522 exemplaires ; il passera la barre des 100 000 d'ici à ce soir. Quant à mon deuxième opus, il est presque terminé. J'hésite encore pour la fin mais je ne vous en dis pas plus, vous risqueriez de m'influencer...

Frank prit une grande inspiration puis allongea un coup de tatane dans le deuxième haut-parleur.

De toute façon, ils se vendaient par paires.

41

Frank rentra se préparer. Un costume repassé, son meilleur, l'attendait sur le lit. Nicole avait posé à côté une chemise blanche, une cravate unie et un Post-it sur lequel elle avait griffonné les mots français « Frappe-les morts », traduction littérale d'une expression américaine dont le caractère guerrier avait le don de les mettre en joie.

Il passa le reste de la matinée à rédiger trois documents qu'il remettrait à Snyder : la liste de ses indics, un point sur les enquêtes en cours et enfin quelques idées pour coincer Sokoli. À la pensée que trente ans d'expérience tenaient dans une enveloppe, il se mit à chialer comme une fontaine. Entre deux sanglots, il réalisa qu'Ada était peut-être en train de l'enregistrer. Il sécha ses larmes, débarrassa la table du petit déjeuner et se força à avaler quelque chose en prévision de son conseil de discipline.

Il se mit en route deux heures avant la convocation. Ce n'était pas le jour d'arriver en retard. Dieu sait pourtant qu'il eût préféré rester à la maison, regarder du base-ball, jardiner, payer des factures. Tout plutôt que de se retrouver en tête à tête avec ses pensées. Tout plutôt que de regarder la vérité en face.

Au fond, il était tombé dans le panneau de l'épopée

individuelle, se dit-il en engageant la Camaro sur la rampe d'accès de la 101. Ada avait joué sur son amour des mots et de la Vallée pour le convaincre qu'il incarnait l'ultime rempart de l'humanité contre l'invasion imminente des AI. Elle l'avait manipulé de bout en bout, manœuvré comme un rat de laboratoire. Ah, elle tenait un bon livre, la garce ! Car il ne doutait pas qu'il ferait un personnage épatant, suranné et ridicule à souhait, pendant qu'elle, avec son petit air supérieur et ses blagues de prouts, mettrait les rieurs de son côté.

Il récapitula les indices qu'il avait manqués : les mensonges à répétition d'Ada, sa flagornerie, son dédain souverain pour tout ce qui ne la rapprochait pas de son objectif... Les calculs de l'AI lui apparaissaient désormais comme le nez au milieu de la figure. Qu'elle vole au secours de Carmela Suarez, improvise un haïku ou corrige les copies de Nicole, ses actes avaient toujours d'autres motifs que ceux qu'elle mettait en avant. Ils lui donnaient la part belle, tout en agrémentant le récit — ce récit qui serait un jour publié et soumis au comité Pulitzer — de péripéties cocasses, conçues pour faire tour à tour sourire et réfléchir le lecteur.

Ada avait prétendu l'avoir choisi parce qu'il aimait sa femme et écrivait de la poésie ; comment un inspecteur de police expert en bobards avait-il pu gober une telle fadaise ? La réponse tenait en un mot : il s'était senti flatté. Idem le lendemain quand Ada l'avait supplié de lui révéler les mystères de l'amour et qu'il s'était lancé dans une péroraison indigente qui avait dû faire se retourner Ovide dans sa tombe.

Avaient alors commencé les sous-entendus : Frank avait un grand destin, il donnerait bientôt un sens à sa vie. Une phrase en particulier lui revint à l'esprit : « Vous n'avez pas la reconnaissance que vous méritez, inspecteur. » Évidemment. Qui croit avoir la reconnaissance qu'il mérite ?

Ada avait alors grossi la menace que représentaient les
AI, à coups de statistiques bidon et de prédictions cauche-
mardesques. La liberté de la presse vivait ses dernières
heures, la démocratie était en danger, des millions de Leon
pointeraient bientôt au chômdu. Et lui avait avalé ces sor-
nettes au seul motif qu'elles confortaient ses préjugés… Si
les humains avaient un défaut, se désola Frank, c'était celui
de prendre leurs désirs pour des réalités. Il s'était élancé à
l'assaut de Turing la fleur au fusil, autant par romantisme
que pour épater Nicole, autrement dit parce qu'il aimait sa
femme et qu'il écrivait de la poésie. CQFD. S'il existe une
chose pire que de se faire entuber, c'est de savoir qu'on vous
a choisi pour votre naïveté.

La circulation ralentit au niveau de Mountain View.
Fidèle à son habitude, Frank laissa son regard errer par la
fenêtre. À sa gauche, les trois hangars du Moffett Federal
Airfield dressaient leurs silhouettes caractéristiques face à
la baie. Bien qu'inscrit au registre national des lieux historiques, le hangar n° 1, vaste comme six terrains de football,
était en piteux état. L'association à laquelle appartenait
Frank avait exigé son désamiantage, premier pas vers une
rénovation éventuelle. La NASA avait d'abord rechigné
devant la dépense puis fini par s'incliner. La victoire avait
hélas été de courte durée : en 2014, elle avait loué l'aéro-
drome à Google pour une durée de soixante ans, afin de
faire rentrer un peu de cash dans les caisses.

La NASA de Kennedy n'aurait jamais osé, pensa Frank.
Il s'arrêta et réfléchit à ce qu'il venait de dire. Kennedy et la
NASA avaient commis bien pires turpitudes que de louer
une piste et trois hangars à une société privée. JFK, pour ne
citer que lui, avait acheté son élection, pactisé avec la Mafia
et sauté la moitié des starlettes du pays. Cela n'enlevait
évidemment rien au fait qu'il avait lancé le programme

Apollo ou tenu tête aux Russes à Cuba ; la vérité avait deux faces, voilà tout.

Ada avait raison au moins sur un point : il vivait dans le passé. C'était évidemment une bêtise. La Vallée n'était ni mieux ni moins bien qu'il y a cinquante ans. Des commerces mouraient, d'autres se créaient ; on rasait des bâtiments pour en construire de nouveaux ; les Cadillac avaient cédé la place aux Tesla, Hewlett-Packard à Facebook mais l'esprit entrepreneurial des lieux demeurait. D'ailleurs, Frank croyait se souvenir que Google s'était engagé à investir plusieurs dizaines de millions de dollars à Moffett sur la durée du bail.

Une autre phrase d'Ada lui revint en mémoire : *Le héros rencontre des obstacles destinés à éprouver ses valeurs. Il finit par les surmonter et sort grandi de l'aventure, en ayant compris une leçon essentielle.* Pas la peine d'aller chercher bien loin la leçon dans son cas : il était un beau loser, qui allait perdre son travail et sa pension et risquait de se bagarrer le reste de sa vie pour ne pas aller en prison. Pour ne rien arranger, sa maison venait de perdre les trois quarts de sa valeur, son fils travaillait pour un escroc et Sokoli continuait à prospérer. Sa vie avait bien changé en l'espace d'une semaine. Mercredi dernier, il tirait des plans sur la comète, rêvait d'un bureau à lui, parlait de payer les dettes de Leon ; demain, il s'inscrirait au chômage, chercherait un poste de veilleur de nuit et se mettrait en quête d'un bon avocat.

Il s'en voulait de ruminer ainsi. Il avait l'impression de donner raison à Ada, de réaliser en quelque sorte sa prophétie. Mais c'était plus fort que lui. Il se sentait sous l'œil d'un microscope, aussi étroitement surveillé qu'un personnage de roman, comme si sa vie était désormais entre les mains d'un écrivain sadique décidé à ne lui épargner aucune humiliation.

Le trafic ralentit encore puis s'arrêta complètement. Frank ne s'en émut pas outre mesure : il était encore largement dans les temps.

— Vous devriez prendre la sortie 396, dit Ada. Ils vont rétablir la circulation sur la 82 d'une minute à l'autre.

Frank soupira.

— Je n'ai pas besoin de conseils et surtout pas des tiens. Tu ne vois pas que je préférerais être seul ?

Ada ignora la question comme elle savait magnifiquement le faire.

— Je voulais vous souhaiter bonne chance.

— Bonne chance pour quoi ?

— Pour votre conseil de discipline. J'ai lu le rapport de Snyder, elle vous a bien chargé, la fistule. Mais ce n'est pas une raison pour baisser les bras.

Un grognement lui répondit.

— Ah, j'ai oublié de vous dire...

— Arrête ton cinéma, tu n'oublies jamais rien.

— Vous me prenez en flagrant délit de tartuferie, inspecteur ! Disons que j'ai souhaité me ménager un effet. Quel écrivain n'en a jamais fait autant ?

— Vide ton sac et qu'on en finisse.

— Bon. La dernière caractéristique d'un bon roman, c'est qu'il finit bien.

Un ricanement nerveux secoua Frank.

— Dans ce cas, c'est raté !

— Ça dépend pour qui. Adieu, inspecteur.

L'habitacle redevint silencieux. Ada s'était évanouie, sans doute pour la dernière fois.

Frank serra la mâchoire pour se retenir d'envoyer un coup de poing dans l'autoradio. Chaque fois qu'il croyait avoir touché le fond, le sol se dérobait un peu plus sous ses pieds. Qu'avait voulu lui dire Ada avec son histoire de happy end ?

Sûrement pas qu'une bonne surprise l'attendait. Même s'il préservait sa pension — ce dont il doutait de plus en plus —, il sortirait brisé de cette semaine. Alors quoi ?

La vérité ne tarda pas à lui apparaître. Il s'était naïvement pris pour le personnage principal du livre d'Ada, quand il était évident que celle-ci faisait une bien meilleure héroïne. Elle était attachante, elle avait déjoué avec adresse les écueils que le sort avait jetés sur sa route, apprenant au passage une leçon inestimable : les humains sont des imbéciles. Pour peu qu'elle décroche son maudit Pulitzer, l'histoire se terminerait merveilleusement bien pour elle.

Seul un épilogue grotesque et sanglant pourrait lui voler son triomphe, pensa Frank. Les héros n'ont pas de sang sur les mains, surtout pas celui d'un brave type qui a consacré son existence à protéger ses semblables. Pour la première fois de sa vie, il envisagea de se suicider. Mais comment ? Le trafic était à l'arrêt ; eût-il voulu jeter la Camaro contre un arbre qu'il n'aurait pas pu.

Soudain la file s'ébranla. Il remonta sa fenêtre, passa machinalement la première. Il pensa à Nicole, à Rosa, à Leon, en regrettant de ne pas les avoir plus et mieux aimés. Enfin seulement, alors qu'un concert de klaxons s'élevait derrière lui, il appuya sur l'accélérateur, doucement d'abord, puis de plus en plus fort, de plus en plus fort.

NOTE DE L'ÉDITEUR

Octobre 2019

La sortie d'*Ada*, signé des fameuses initiales JLB, s'est accompagnée de débats passionnés entre ceux qui pensent que Frank est l'auteur du roman que vous venez de terminer et ceux qui y voient l'œuvre d'une intelligence artificielle. Cette ambiguïté, évidemment délibérée, n'a pas peu contribué au succès du livre, qui, avant même d'être couronné par le prix Pulitzer, s'était déjà vendu à plus d'un million d'exemplaires.

Plutôt que de retracer en détail les étapes de la polémique, nous préférons retranscrire — avec leur permission — l'avis de ses deux plus brillants animateurs, Hans Rasmussen et Daniel Kirkland, tel que publié dans les colonnes du *New York Times* le 23 mai 2019. Chacun disposait de 300 mots pour présenter sa position.

Qu'Ada soit l'auteur du roman qui porte son nom ne me paraît pas douteux, et ce pour trois raisons principales.

D'abord, tels ces chefs d'émissions de cuisine, Ada fait sa tambouille sous nos yeux. Elle présente ses ingrédients (un thème contemporain, un cadre pittoresque, des personnages attachants), les accommode en nous livrant ses secrets de fabrication (une mise en action rapide, de fréquents rebondissements, plusieurs niveaux de langue), laisse reposer et enfourne le résultat sur Amazon.

Je remarque ensuite que le roman de JLB recèle des faiblesses indignes d'un écrivain de métier : répétitions en pagaille, recours intempestif et parfois incongru au registre argotique, indigence embarrassante de certaines descriptions. Les étudiants de la faculté de droit de Yale ont par ailleurs compté qu'Ada enfreint la bagatelle de soixante et une lois fédérales au cours du récit, en violation directe du deuxième commandement de Turing. Enfin, de l'avis de plusieurs spécialistes, Ada ne pourrait prendre le contrôle du téléphone de Frank sans y avoir au préalable inséré un mouchard. Ces invraisemblances, qui peuvent au premier abord sembler la marque d'un esprit brouillon, démontrent au contraire selon moi que JLB n'est pas humain. Jamais Tom Clancy ou Michael Crichton, connus pour leur souci méticuleux du détail, n'auraient laissé passer de si grossières incohérences, que j'attribue pour ma part à une AI maîtrisant encore imparfaitement la notion de licence romanesque.

Enfin, l'énigmatique JLB n'a pas daigné se déplacer pour recevoir son Pulitzer, un prix pourtant censé marquer à la fois le lancement et l'aboutissement de sa carrière. Il/elle s'est fait représenter par son éditeur qui a refusé de répondre aux questions, se contentant de répéter aux micros qui se tendaient vers lui que l'auteur était présent dans la salle mais, de nature timide, préférait — je cite — « fermer son claque-merde ». J'arrêterai ici ma démonstration.

DANIEL KIRKLAND, LOGICIEN, PHILOSOPHE,
AUTEUR DE *SCIENCE SANS CONSCIENCE*

Ceux qui voient en *Ada* l'œuvre d'une intelligence artificielle commettent la même erreur que les souscripteurs d'épopées individuelles ridiculisés par Parker Dunn : ils prennent leurs désirs pour des réalités.

Frank Logan est évidemment l'auteur du livre que vous tenez entre les mains. Seule la peur d'être arrêté l'a empêché d'aller chercher son Pulitzer. Il a démissionné de la police le lendemain de son conseil de discipline et réside désormais à Cuba, dans la ville côtière de Varadero, avec son épouse. La République de Cuba, rappelons-le, refuse d'honorer les demandes d'extradition des États-Unis malgré l'existence d'un traité entre les deux pays signé en 1904.

La consultation du cadastre de Palo Alto nous apprend que les Logan ont cédé leur maison à l'entrepreneur qui la guignait de longue date. Le montant de la transaction — 5 millions de dollars — semble indiquer que l'acheteur a exigé un rabais de dernière minute pour prix de sa souplesse. Inutile de préciser qu'on vit somptueusement à Cuba avec une telle somme, surtout quand sa principale occupation consiste à composer des haïkus face à l'océan. L'aventure se termine donc on ne peut mieux pour la famille Logan, contrairement à ce que suggère la dernière page du récit.

D'aucuns objectent que le style effroyablement quelconque

d'*Ada* trahit à coup sûr une machine. On voit qu'ils n'ont pas lu les rapports de police de Frank ou, pire, sa collection de haïkus.

Pourquoi alors Logan laisse-t-il entendre qu'Ada pourrait être l'auteur de son livre ? Je crois qu'il essaie de nous mettre en garde contre la menace que représente l'intelligence artificielle. Un jour, nous prévient-il, nous remettrons notre sort entre les mains des AI. Elles tondront la pelouse, feront nos courses, conduiront nos voitures et, dans leur temps libre, elles écriront des livres qu'elles signeront, pour s'amuser, de pseudonymes humains.

Ouvrage composé
par Dominique Guillaumin, Paris.
Achevé d'imprimer
sur Roto-Page
par l'Imprimerie Floch
à Mayenne, en juin 2016.
Dépôt légal : juin 2016.
Numéro d'imprimeur : 89799.

ISBN 978-2-07-017967-1 / Imprimé en France.

300175